수능 국어 어휘집

독해력 증진 어휘집

구성과 특징

「독해력 증진 어휘집」은

- 수능 국어 지문을 빠르고 정확하게 읽기 위해 독해력의 본질이 되는 어휘력을 길러 줍니다. 기출 지문을 통해 어휘를 학습함으로써 실제 문장 속에 쓰인 어휘의 문맥적 의미를 이해할 수 있습니다.
- 'STEP 1 문학 독해 증진', 'STEP 2 독서 독해 증진', 'STEP 3 헷갈리는 어휘'로 구성하여 수능 국어 지문 독해에 필수적인 어휘를 알차게 담았습니다. DAY 05, 10, 15, 20에서는 실전 고난도 기출 문제를 통해 독해 능력을 점검할 수 있습니다.

STEP 1 문학 독해 증진 >>> STEP 2 독서 독해 증진

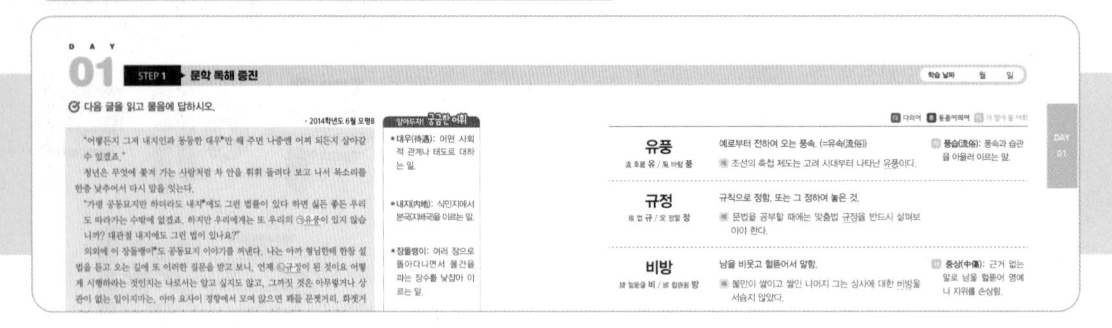

DAY 01 STEP 1 문학 독해 증진 학습 날짜 월 일

다음 글을 읽고 물음에 답하시오.

· 2014학년도 6월 모평B

"어쨌든지 그저 내지인과 동등한 대우*만 해 주면 나중엔 어찌 되든지 살아갈 수 있겠죠."

청년은 무엇에 쫓겨 가는 사람처럼 차 안을 휘휘 돌려다 보고 나서 목소리를 한층 낮추어서 다시 말을 잇는다.

"가령 공동묘지만 하더라도 내지*에도 그런 법률이 있다 하면 싫든 좋든 우리도 따라가는 수밖에 없겠죠. 하지만 우리에게는 또 우리의 ㉠유풍이 있지 않습니까? 대관절 내지에도 그런 법이 있나요?"

의외에 이 장돌뱅이*도 공동묘지 이야기를 꺼낸다. 나는 아까 형님한테 한참 설법을 듣고 오는 길에 또 이러한 질문을 받고 보니, 언제 ㉡규정이 된 것이요 어떻게 시행하라는 것인지는 나로서는 알고 싶지도 않고, 그까짓 것은 아무렇거나 상관이 없는 일이지마는, 아마 요사이 경향에서 모여 앉으면 꽤들 문젯거리, 화젯거

알아두자! 궁금한 어휘
- 대우(待遇): 어떤 사회적 관계나 태도로 대하는 일.
- 내지(內地): 식민지에서 본국(지배국)을 이르는 말.
- 장돌뱅이: 여러 장으로 돌아다니면서 물건을 파는 장수를 낮잡아 이르는 말.

다 다의어 동 동음이의어 더 더 알아둘 어휘

유풍 流 흐를 유 / 風 바람 풍
예로부터 전하여 오는 풍속. (=유속(流俗))
예 조선의 축첩 제도는 고려 시대부터 나타난 유풍이다.
더 풍습(風習): 풍속과 습관을 아울러 이르는 말.

규정 規 법 규 / 定 정할 정
규칙으로 정함. 또는 그 정하여 놓은 것.
예 문법을 공부할 때에는 맞춤법 규정을 반드시 살펴보아야 한다.

비방 誹 헐뜯을 비 / 謗 헐뜯을 방
남을 비웃고 헐뜯어서 말함.
예 불만이 쌓이고 쌓인 나머지 그는 상사에 대한 비방을 서슴지 않았다.
더 중상(中傷): 근거 없는 말로 남을 헐뜯어 명예나 지위를 손상함.

- 문학, 독서 영역의 평가원 기출 지문과 함께 어휘 문제를 풀어 보면서 지문 독해에 필요한 어휘를 학습할 수 있도록 하였습니다.
- 지문의 옆에는 '알아두자! 궁금한 어휘'를 배치하여 평가원 기출 지문에 쓰인 어휘들을 깊이 있게 학습할 수 있도록 하였습니다. 또한 각 어휘에 대해 '다(다의어), 동(동음이의어), 더(더 알아둘 어휘)' 등을 제시하여 어휘를 확장적으로 학습할 수 있도록 하였습니다.
- '헷갈리는 단어, 홀로 사전 찾기로 더 확실하게 CHECK!' 표를 통해 어려운 어휘를 스스로 정리할 수 있습니다.

문학 TIP 고전소설 속 상황/정서 (2)

상사(相思)	서로 그리워 함	회한(悔恨)	뉘우치고 한탄함
망극(罔極)	끝이 없음, 끝이 없는 슬픔	애통(哀慟)	슬퍼함
분별(分別)	판단	고락(苦樂)	괴로움과 즐거움
대희(大喜), 대열하다	크게 기뻐함, 크게 기뻐하다	대경(大驚), 대경실색(大驚失色)	크게 놀람
만단정회(萬端情懷)	갖가지 정과 회포	산란(散亂)하다	마음이 어지럽다
분기탱천(憤氣撐天)	분한 마음이 하늘을 찌름	비분강개(悲憤慷慨)	슬프고 분한 감정이 가득함
보은(報恩)	은혜를 갚음	자탄(自歎)	스스로 탄식함

STEP 1의 '문학 TIP'을 통해 현대산문에서는 지문을 독해하기 위해 필요한 기본 어휘와 참고 상식을, 고전산문에서는 고전소설 빈출 어휘를 정리해 두었습니다.

STEP 2 독서 독해 증진

연역(演繹)	어떤 명제로부터 추론 규칙에 따라 결론을 이끌어내는 일. (그 전형은 삼단 논법)
귀납(歸納)	개별적인 특수한 사실이나 원리로부터 일반적이고 보편적인 명제 및 법칙을 이끌어 내는 일.

어떤 문제를 마주하게 되었을 때 우리는 그에 대해 논리적으로 사고해서 판단할 수 있어. 그러한 판단 내용을 언어나 기호로 표시한 것을 명제라고 하는데, 명제는 참과 거짓을 판단할 수 있다는 특징이 있어.

STEP 2에서는 독서 지문 독해를 위한 영역별(인문, 사회, 예술, 과학, 기술) 기본 어휘와 참고 상식, 지문에 대한 O X 문제를 수록하였습니다.

단 20일,
어휘로 수능 국어 독해를 완성하다

STEP 3 헷갈리는 어휘

STEP 3 헷갈리는 어휘

가결 可 옳을 가 / 決 결정할 결	회의에서, 제출된 의안을 합당하다고 결정함. 예 이번 회의에서 결정된 안의 가결을 선포합니다.
낙찰 落 떨어질 낙 / 札 패 찰	경매나 경쟁 입찰 따위에서 물건이나 일이 어떤 사람이나 업체에 돌아가도록 결정하는 일. 예 전기 공사 입찰에서 우리 업체가 낙찰을 받았다.
산정 算 계산 산 / 定 정할 정	셈하여 정함. 예 올해부터는 새로운 퇴직금 산정 방식이 적용된다.

우리가 이미 알고 있다고 착각했던 어휘들, 의미가 유사하여 서로 바꿔 쓸 수 있는 어휘들, 비슷하지만 상황에 따라 구별해서 써야 하는 어휘들을 묶어서 정리했습니다. 평가원 기출 어휘 외에도 중요 어휘들을 공부할 수 있도록 하였으며, 문장의 빈칸을 채우는 확인 문제를 통해 각 어휘의 쓰임을 제대로 이해했는지 점검할 수 있습니다.

독해력 증진 점검 (DAY 05, 10, 15, 20)

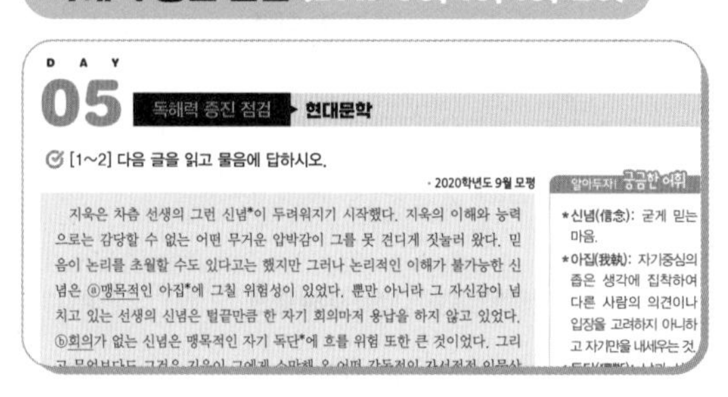
DAY 05 독해력 증진 점검 ▸ 현대문학

[1~2] 다음 글을 읽고 물음에 답하시오.

- 2020학년도 9월 모평

지욱은 차츰 선생의 그런 신념*이 두려워지기 시작했다. 지욱의 이해와 능력으로는 감당할 수 없는 어떤 무거운 압박감이 그를 못 견디게 짓눌러 왔다. 믿음이 논리를 초월할 수도 있다고는 했지만 그러나 논리적인 이해가 불가능한 신념은 ⓐ맹목적인 아집*에 그칠 위험성이 있었다. 뿐만 아니라 그 자신감이 넘치고 있는 선생의 신념은 털끝만큼 한 자기 회의마저 용납을 하지 않고 있었다. ⓑ회의가 없는 신념은 맹목적인 자기 독단*에 흐를 위험 또한 큰 것이었다.

알아두자! 궁금한 어휘

*신념(信念): 굳게 믿는 마음.

*아집(我執): 자기중심의 좁은 생각에 집착하여 다른 사람의 의견이나 입장을 고려하지 아니하고 자기만을 내세우는 것.

DAY 05, 10, 15, 20에서는 고난도 수능 국어 문학, 독서 기출 지문에 대한 독해력 점검 문제와 어휘 문제를 수록하여 실전 독해 능력을 기를 수 있도록 하였습니다.

부록(사자성어, 관용어), 색인

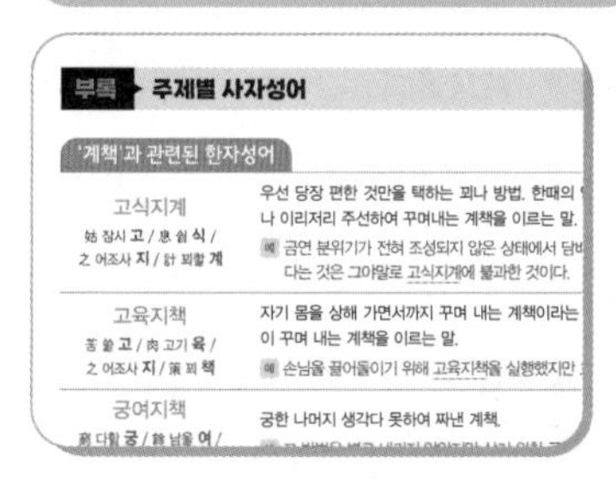
부록 ▸ 주제별 사자성어

'계책'과 관련된 한자성어

고식지계 姑 잠시 고 / 息 쉴 식 / 之 어조사 지 / 計 꾀할 계	우선 당장 편한 것만을 택하는 꾀나 방법. 한때의 우선 이리저리 주선하여 꾸며내는 계책을 이르는 말. 예 금연 분위기가 전혀 조성되지 않은 상태에서 담배... 다는 것은 그야말로 고식지계에 불과한 것이다.
고육지책 苦 쓸 고 / 肉 고기 육 / 之 어조사 지 / 策 꾀 책	자기 몸을 상해 가면서까지 꾸며 내는 계책이라는 이 꾸며 내는 계책을 이르는 말. 예 손님을 끌어들이기 위해 고육지책을 실행했지만
궁여지책	궁한 나머지 생각다 못하여 짜낸 계책.

부록 ▸ 관용어

ㄱ

가난이 병보다 무섭다	가난한 삶은 몹시 괴로움.
가난한 집 제사 돌아오듯 한다	힘든 일이 자주 닥쳐옴.
가는 날이 장날이다	뜻하지 않은 일을 공교롭게 당
가랑비에 옷 젖는 줄 모른다	아무리 사소한 것이라도 그것이
가랑잎으로 눈 가리기	(1) 자기의 존재나 허물을 숨기 (2) 미련하여 아무리 애써도 일

색인

기호		강령(綱領)	P. 0
6·25 전쟁 ★	P. 029	강박(強迫)	P. 0
8·15 광복 ★	P. 019	개발(開發)	P. 1
GDP ★	P. 056	개연성(蓋然性)	P. 0
ㄱ		개입(介入)	P. 0
가(加)하다	P. 115	개체(個體)	P. 1
가결(可決)	P. 016	개편(改編)	P. 0
가능(可能)	P. 153	객관적(客觀的)	P.

- 독해력 증진을 위해 필요한 주제별 사자성어와 관용어를 모아 제시함으로써 효율적인 학습이 가능하도록 하였습니다.
- 색인을 통해 지문에 수록된 어휘의 뜻을 빠르게 찾을 수 있습니다.

목차

수능 국어

1등급을 위한

문학 · 독서 어휘력

집중 학습 프로그램

20일 완성 학습 PLAN

DAY 01	DAY 02	DAY 03	DAY 04	DAY 05
STEP 1 ·········· ○ STEP 2 ·········· ○ STEP 3 ·········· ○	STEP 1 ·········· ○ STEP 2 ·········· ○ STEP 3 ·········· ○	STEP 1 ·········· ○ STEP 2 ·········· ○ STEP 3 ·········· ○	STEP 1 ·········· ○ STEP 2 ·········· ○ STEP 3 ·········· ○	독해력 증진 점검 ○
월 일	월 일	월 일	월 일	월 일

DAY 06	DAY 07	DAY 08	DAY 09	DAY 10
STEP 1 ·········· ○ STEP 2 ·········· ○ STEP 3 ·········· ○	STEP 1 ·········· ○ STEP 2 ·········· ○ STEP 3 ·········· ○	STEP 1 ·········· ○ STEP 2 ·········· ○ STEP 3 ·········· ○	STEP 1 ·········· ○ STEP 2 ·········· ○ STEP 3 ·········· ○	독해력 증진 점검 ○
월 일	월 일	월 일	월 일	월 일

DAY 11	DAY 12	DAY 13	DAY 14	DAY 15
STEP 1 ·········· ○ STEP 2 ·········· ○ STEP 3 ·········· ○	STEP 1 ·········· ○ STEP 2 ·········· ○ STEP 3 ·········· ○	STEP 1 ·········· ○ STEP 2 ·········· ○ STEP 3 ·········· ○	STEP 1 ·········· ○ STEP 2 ·········· ○ STEP 3 ·········· ○	독해력 증진 점검 ○
월 일	월 일	월 일	월 일	월 일

DAY 16	DAY 17	DAY 18	DAY 19	DAY 20
STEP 1 ·········· ○ STEP 2 ·········· ○ STEP 3 ·········· ○	STEP 1 ·········· ○ STEP 2 ·········· ○ STEP 3 ·········· ○	STEP 1 ·········· ○ STEP 2 ·········· ○ STEP 3 ·········· ○	STEP 1 ·········· ○ STEP 2 ·········· ○ STEP 3 ·········· ○	독해력 증진 점검 ○
월 일	월 일	월 일	월 일	월 일

DAY 01

STEP 1 문학 독해 증진

다음 글을 읽고 물음에 답하시오.

• 2014학년도 6월 모평B

"어떻든지 그저 내지인과 동등한 대우*만 해 주면 나중엔 어찌 되든지 살아갈 수 있겠죠."

청년은 무엇에 쫓겨 가는 사람처럼 차 안을 휘휘 돌려다 보고 나서 목소리를 한층 낮추어서 다시 말을 잇는다.

"가령 공동묘지만 하더라도 내지*에도 그런 법률이 있다 하면 싫든 좋든 우리도 따라가는 수밖에 없겠죠. 하지만 우리에게는 또 우리의 ㉠유풍이 있지 않습니까? 대관절 내지에도 그런 법이 있나요?"

의외에 이 장돌뱅이*도 공동묘지 이야기를 꺼낸다. 나는 아까 형님한테 한참 설법을 듣고 오는 길에 또 이러한 질문을 받고 보니, 언제 ㉡규정이 된 것이요 어떻게 시행하라는 것인지는 나로서는 알고 싶지도 않고, 그까짓 것은 아무렇거나 상관이 없는 일이지마는, 아마 요사이 경향에서 모여 앉으면 쾌들 문젯거리, 화젯거리가 되는 모양이다. 나는 한번 껄껄 웃어 주고 싶었으나 그리할 수는 없었다.

"일본에도 공동묘지야 있다우."

나 역시 누가 듣지나 않는가 하고 아까부터 수상쩍게 보이던 저편 뒤로 컴컴한 구석에 금테를 한 동 두른 모자를 쓴 채 외투를 뒤집어쓰고 누웠는 일본 사람과, 김천서 나하고 같이 오른 양복쟁이 편을 돌려다 보았다. 나의 말이 조금이라도 총독정치를 ㉢비방하는 것은 아니지만, 그중에서 무슨 오해가 생길지 그것이 나에게는 염려되는 것이었다.

(중략)

"하여간 부모를 생사장제(生事葬祭)에 예(禮)*로써 받들어야 할 거야 더 말할 것 없지마는, 예로 하라는 것은 결국에 공경하는 마음이나 ㉣정성을 말하는 것 아니겠소? 그러니 공동묘지 법이란 난 아직 내용도 모르지마는, 그것은 별문제로 치고라도, 그 근본정신은 생각지 않고 부모나 선조의 산소 치레를 해서 외화*나 자랑하고 음덕(蔭德)*이나 바란다는 것도 우스운 ㉤수작이란 것을 알아야 할 거 아니겠소. 지금 우리는 공동묘지 때문에 못살게 되었소? 염통 밑에 쉬스는 줄은 모른다구, 깝살릴 것 다 깝살리고 뱃속에서 쪼르륵 소리가 나도 죽은 뒤에 파묻힐 곳부터 염려를 하고 앉았을 때인지? 너무도 얼빠진 늦둥이 수작이 아니오? 허허허."

나는 형님에게 하고 싶던 말을 장돌뱅이로 돌아다니는 이 자를 붙들고 한참 푸념*을 하였다.

– 염상섭, 「만세전」 –

알아두자! 궁금한 어휘

*대우(待遇): 어떤 사회적 관계나 태도로 대하는 일.

*내지(內地): 식민지에서 본국(지배국)을 이르는 말.

*장돌뱅이: 여러 장으로 돌아다니면서 물건을 파는 장수를 낮잡아 이르는 말.

*예(禮): 사람이 마땅히 지켜야 할 도리.

*외화(外華): 화려한 겉치레.

*음덕(蔭德): 조상의 덕.

*푸념: 마음속에 품은 불평을 늘어놓음.

1. ㉠~㉤을 사용하여 만든 문장으로 적절하지 않은 것은?

① ㉠: 두레에는 공동으로 농사를 짓는 유풍이 담겨 있다.
② ㉡: 대회의 규정에 따라 금지 약물을 복용한 선수는 탈락하였다.
③ ㉢: 누구 한 사람 동정을 하기는커녕 저주와 비방이 빗발치듯 했다.
④ ㉣: 정성이 지극하면 돌 위에도 풀이 난다.
⑤ ㉤: 그의 소설은 문학사에 길이 남을 수작으로 평가되고 있다.

다 다의어 동 동음이의어 더 더 알아 둘 어휘

유풍
流 흐를 **유** / 風 바람 **풍**

예로부터 전하여 오는 풍속. (=유속(流俗))

예 조선의 축첩 제도는 고려 시대부터 나타난 유풍이다.

더 **풍습(風習):** 풍속과 습관을 아울러 이르는 말.

규정
規 법 **규** / 定 정할 **정**

규칙으로 정함. 또는 그 정하여 놓은 것.

예 문법을 공부할 때에는 맞춤법 규정을 반드시 살펴보아야 한다.

비방
誹 헐뜯을 **비** / 謗 헐뜯을 **방**

남을 비웃고 헐뜯어서 말함.

예 불만이 쌓이고 쌓인 나머지 그는 상사에 대한 비방을 서슴지 않았다.

더 **중상(中傷):** 근거 없는 말로 남을 헐뜯어 명예나 지위를 손상함.

정성
精 찧을 **정** / 誠 정성 **성**

온갖 힘을 다하려는 참되고 성실한 마음.

예 하던 일에 정성을 들였다고 해서 마음을 놓지 마라.

수작
酬 술 권할 **수** / 酌 따를 **작**

남의 말이나 행동, 계획을 낮잡아 이르는 말.

예 그는 뻔한 수작을 꾸몄다.

다 **수작(酬酌):** [1]술잔을 서로 주고받음. [2]서로 말을 주고받음. 또는 그 말.

동 **수작(秀作):** 우수한 작품.

문학 TIP

일제 강점기 1910년 일본에 의해 국권을 강탈당한 이후, 1945년 해방되기까지 35년간의 민족 수난기.

역사 시간에 일제 강점기에 대해서는 아주 자세히 배운 바 있을 거야. 우리 민족이 우리나라의 주인 역할을 온전히 수행할 수 없게 되면서 오랜 기간 이어온 민족의 정통성을 위협받았던 역사적 암흑기이지. 당시 일제는 무력을 앞세워 엄청난 경제적 수탈과 함께 우리 민족의 고유성을 말살하기 위한 정책을 펼쳐 나갔어. 이로 인해 당대 우리 민족은 늘 사회적인 불안과 긴장 속에서 궁핍하고 힘겨운 삶을 살아가야만 했지. 그런데 그런 대다수의 사람들과는 달리, 오로지 자신의 이익만을 추구하며 일본의 편에 섰던 이들도 적지 않았어. 그래서 당시에 창작된 문학 작품은 대부분 일제 강점기 우리 민족의 수난과 저항의 역사를 보여 주면서 올바른 역사 인식이 결여된 이들을 향한 비판적 태도를 드러내는 경우가 많아.

STEP 1 정답 1. ⑤ 우스운 '수작'은 '남의 말이나 행동, 계획'을 낮잡아 이르는 의미로 사용되었고, 문학사에 길이 남을 '수작'은 역사에 남을 만큼 '우수한 작품'을 의미한다.

연역(演繹)	어떤 명제로부터 추론 규칙에 따라 결론을 이끌어내는 일. (그 전형은 삼단 논법)
귀납(歸納)	개별적인 특수한 사실이나 원리로부터 일반적이고 보편적인 명제 및 법칙을 이끌어내는 일.

어떤 문제를 마주하게 되었을 때 우리는 그에 대해 논리적으로 사고해서 판단할 수 있어. 그러한 판단 내용을 언어나 기호로 표시한 것을 명제라고 하는데, 명제는 참과 거짓을 판단할 수 있다는 특징이 있어.

그런데 세상에는 명제의 옳고 그름을 직관적으로 판단하기 어려운 경우도 많아. 예를 들어 '반성 없는 삶은 가치가 없다.'와 같이 철학적인 명제가 주어졌을 때 이에 대해 참이라고도, 거짓이라고도 판단하기 어렵지. 그래서 사람들은 자신의 판단에 납득할 만한 이유나 근거를 제시하면서 명제가 참인지 거짓인지를 밝히는데 이러한 과정을 '논증'이라고 해. 논증의 방식에는 여러 가지가 있는데, 대표적인 것으로 연역과 귀납을 들 수 있어. 이는 인문 분야의 지문에서 자주 출제되는 개념이야.

• 2014학년도 사관학교B

'논증(論證)'이란 어떤 주장의 옳고 그름을 근거를 들어 밝히는 것으로, 이때 주장은 결론이 되고 그 주장의 근거는 전제가 된다. 논증 방법 중 연역 논증은 전제가 참이라면 결론의 참이 보장되는 방법이다. 그리스 시대에도 활용되었던 전통적 논증 방법인 연역 논증은 현대 논리학의 기초가 되었다.

위에서 논증의 개념을 간단히 설명하면서 논증 방식의 하나인 연역에 대해 언급하고 있어. 여기서 연역은 이미 옳다고 알고 있는 명제를 전제로 삼아 새로운 명제가 참인지 거짓인지 밝히는 것을 말해. 대표적인 예로 '모든 인간은 죽는다.'와 '소크라테스는 인간이다.'와 같은 보편적인 사실을 전제로 삼아 '소크라테스는 죽는다.'라는 결론을 내는 것이 있지. 그런데 이때 '인간'인 '소크라테스'가 죽는다는 결론은 새로운 지식이라고 할 수 없어. 왜냐하면 전제에서 이미 소크라테스를 포함한 '모든 인간'은 죽는다고 했으니까! 즉 연역을 통해 얻어낸 결론은 전제가 사실이라는 것을 확인하는 또 다른 방식(모든 인간은 죽는다. 왜냐고? 소크라테스도 인간인데 죽으니까!)일 뿐이기 때문에, 연역은 새로운 지식을 이끌어낼 수 없다는 한계를 지녀.

연역에 대해 알아보았으니 귀납에 대해서도 함께 정리해 두면 좋겠지? 귀납은 연역과 정반대의 논증 방식이라고 할 수 있어. 보편적인 사실을 전제로 삼아 개별적인 명제의 진위를 판단하는 연역과 달리, 귀납은 개별적인 사실들을 통해 새로운 보편적 명제를 도출해 내거든. 예를 들어 까마귀가 가득한 섬에서 살고 있는 A라는 사람이 있다고 해 보자. 이 사람이 관찰한 바에 따르면 매일 아침, 점심, 저녁에 보는 까마귀들은 모두 검은색이야. 그럼 자연히 '까마귀는 검다.'라고 생각하게 되겠지? 이렇게 축적된 관찰 내용과 경험을 토대로 '모든 까마귀는 검다.'라는 결론을 이끌어 내는 것이 귀납에 해당돼. 하지만 귀납에도 한계는 있어. A가 살고 있는 섬의 까마귀 떼는 검은색이었지만, 다른 섬으로 가면 까마귀가 알록달록한 색을 가지고 있을 가능성도 있거든. 즉 아무리 많은 데이터를 관찰하여 도출한 명제라고 해도 예외가 하나라도 나올 경우 그 논증은 통째로 오류가 되는 거지.

정답 P. 194

지문을 통해 다시 읽어보기

• 2014학년도 사관학교B

'논증(論證)'이란 어떤 주장의 옳고 그름을 근거를 들어 밝히는 것으로, 이때 주장은 결론이 되고 그 주장의 근거는 전제가 된다. 논증 방법 중 연역 논증은 전제가 참이라면 결론의 참이 보장되는 방법이다. 그리스 시대에도 활용되었던 전통적 논증 방법인 연역 논증은 현대 논리학의 기초가 되었다.

흔히 현대 논리학을 연역 논증에 기반을 둔 기호 논리학이라고도 하는데, 그 뿌리는 17세기 독일의 철학자이며 수학자였던 라이프니츠로부터 찾을 수 있다. 라이프니츠는 논리의 유형을 수학적 기호를 활용하여 표현하려 하였다. 그는 명제가 참이 아니면 거짓이라는 점에 착안하여 '참'을 '1'로 하고, '거짓'을 '0'으로 기호화하였다. 그 다음으로 명제들을 결합하는 말인 '…거나'에 해당하는 표현은 수학에서 더하기를 뜻하던 기호 '+'로 대치하고, '그리고'에 해당하는 것은 수학에서 곱하기를 뜻하던 기호인 ' • '으로 대치했다. 이렇게 결합된 명제의 진릿값이 참이면 '=1'로, 거짓이면 '=0'으로 표현했다.

그는 왜 일상 언어로 하는 추리를 수학적 기호를 활용하여 표현했을까? 우리에게 친숙한 일상 언어로 추리의 내용을 표현하면 이해하기는 쉽다. 하지만 명제의 진릿값을 판단하는 과정이 복잡하여 잘못된 추리를 할 가능성이 높다. 위의 사례에서 보았듯이 일상 언어로 두 명제의 진릿값을 검토하는 것도 꽤 복잡한데, 여러 명제들이 결합된 것의 진릿값을 판단하는 것은 더더욱 어려운 일이다. 이 때문에 라이프니츠는 수학적 기호의 장점을 활용하였다. 즉 수학적 표현이 지니는 간편성, 정확성, 신속성 등을 연역 추리에 적용한 것이다.

Q1 라이프니츠는 전제가 많을수록 결론이 참이 될 가능성이 높아진다고 생각했다.

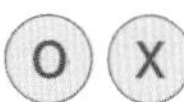

지문을 통해 다시 읽어보기

• 2016학년도 수능A

귀납은 현대 논리학에서 연역이 아닌 모든 추론, 즉 전제가 결론을 개연적으로 뒷받침하는 모든 추론을 가리킨다. 귀납은 기존의 정보나 관찰 증거 등을 근거로 새로운 사실을 추가하는 지식 확장적 특성을 지닌다. 이 특성으로 인해 귀납은 근대 과학 발전의 방법적 토대가 되었지만, 한편으로 귀납 자체의 논리적 한계를 지적하는 문제들에 부딪히기도 한다.

먼저 흄은 과거의 경험을 근거로 미래를 예측하는 귀납이 정당한 추론이 되려면 미래의 세계가 과거에 우리가 경험해 온 세계와 동일하다는 자연의 일양성, 곧 한결같음이 가정되어야 한다고 보았다. 그런데 자연의 일양성은 선험적으로 알 수 있는 것이 아니라 경험에 기대어야 알 수 있는 것이다. 즉 "귀납이 정당한 추론이다."라는 주장은 "자연은 일양적이다."라는 다른 지식을 전제로 하는데 그 지식은 다시 귀납에 의해 정당화되어야 하는 경험적 지식이므로 귀납의 정당화는 순환 논리에 빠져 버린다는 것이다. 이것이 귀납의 정당화 문제이다.

Q2 흄에 따르면, 귀납의 정당화는 귀납에 의한 정당화를 필요로 하는 지식에 근거해야 가능하다.

STEP 2 독서 독해 증진

다음 글을 읽고 물음에 답하시오.

• 2017학년도 6월 모평

유비 논증은 두 대상이 몇 가지 점에서 유사*하다는 사실이 확인된 상태에서 어떤 대상이 추가적 ㉠특성을 갖고 있음이 알려졌을 때 다른 대상도 그 추가적 특성을 가지고 있다고 추론하는 논증이다. 유비 논증은 이미 알고 있는 전제에서 새로운 정보를 결론으로 도출*하게 된다는 점에서 유익하기 때문에 일상생활과 과학에서 흔하게 쓰인다. 특히 의학적인 목적에서 포유류를 대상으로 행해지는 동물 실험이 ㉡유효하다는 주장과 그에 대한 비판*은 유비 논증을 잘 이해할 수 있게 해 준다.

유비 논증을 활용해 동물 실험의 유효성을 주장하는 쪽은 인간과 실험동물이 유사성을 보유하고 있기 때문에 신약이나 독성 물질에 대한 실험동물의 ㉢반응 결과를 인간에게 안전하게 적용할 수 있다고 추론한다. 이를 바탕으로 이들은 동물 실험이 인간에게 명백*하고 중요한 이익을 준다고 주장한다.

도출한 새로운 정보가 참일 가능성을 유비 논증의 개연성*이라 한다. 개연성이 높기 위해서는 비교 대상 간의 유사성이 커야 하는데 이 유사성은 단순히 비슷하다는 점에서의 유사성이 아니고 새로운 정보와 관련 있는 유사성이어야 한다. 예를 들어 동물 실험의 유효성을 주장하는 쪽은 실험동물로 많이 쓰이는 포유류가 인간과 공유하는 유사성, 가령 비슷한 ㉣방식으로 피가 순환하며 허파로 호흡을 한다는 유사성은 실험 결과와 관련 있는 유사성으로 보기 때문에 자신들의 유비 논증은 개연성이 높다고 주장한다. 반면에 인간과 꼬리가 있는 실험동물은 꼬리의 유무에서 유사성을 갖지 않지만 그것은 실험과 관련이 없는 특성이므로 무시해도 된다고 본다.

그러나 동물 실험을 반대하는 쪽은 유효성을 주장하는 쪽을 유비 논증과 관련하여 두 가지 측면에서 비판한다. 첫째, 인간과 실험동물 사이에는 위와 같은 유사성이 있다고 말하지만 그것은 기능적* 차원에서의 유사성일 뿐이라는 것이다. 인간과 실험동물의 기능이 유사하다고 해도 그 기능을 ㉤구현하는 인과적 메커니즘은 동물마다 차이가 있다는 과학적 근거가 있는데도 말이다. 둘째, 기능적 유사성에만 주목하면서도 막상 인간과 동물이 고통을 느낀다는 기능적 유사성에는 주목하지 않는다는 것이다. 인간은 자신의 고통과 달리 동물의 고통은 직접 느낄 수 없지만 무엇인가에 맞았을 때 신음소리를 내거나 몸을 움츠리는 동물의 행동이 인간과 기능적으로 유사하다는 것을 보고 유비 논증으로 동물이 고통을 느낀다는 것을 알 수 있는데도 말이다.

알아두자! 궁금한 어휘

*유사(類似): 서로 비슷함.

*도출(導出): 판단이나 결론 따위를 이끌어 냄.

*비판(批判): 현상이나 사물을 옳고 그름을 판단하여 잘못된 점을 지적함.

*명백(明白): 의심할 바 없이 아주 뚜렷함.

*개연성(蓋然性): 절대적으로 확실하지 않으나 아마 그럴 것이라고 생각되는 성질.

*기능적(機能的): 하는 구실이나 작용과 관련된 것.

1. ㉠~㉤의 사전적 의미로 적절하지 않은 것은?

① ㉠: 일정한 사물에만 있는 특수한 성질.

② ㉡: 보람이나 효과가 있음.

③ ㉢: 자극에 대응하여 어떤 현상이 일어남.

④ ㉣: 일정한 방법이나 형식.

⑤ ㉤: 목적한 바를 이룸.

다 다의어 동 동음이의어 더 더 알아 둘 어휘

특성
特 특별할 **특** / 性 성품 **성**

일정한 사물에만 있는 특수한 성질.

예 물고기는 물속에서 숨을 쉴 수 있다는 특성을 지닌다.

유효
有 있을 **유** / 效 본받을 **효**

보람이나 효과가 있음.

예 심판은 축구공이 선수의 손에 닿았으므로 이번 골은 유효하지 않다고 선언했다.

반응
反 돌아올 **반** / 應 응할 **응**

자극에 대응하여 어떤 현상이 일어남. 또는 그 현상.

예 아무리 상대를 자극해도 반응이 없었다.

더 **반동(反動)**: 어떤 작용에 대하여 그 반대로 작용함.

더 **적응(適應)**: 일정한 조건이나 환경 따위에 맞추어 응하거나 알맞게 됨.

방식
方 본뜰 **방** / 式 법 **식**

일정한 방법이나 형식.

예 너의 생활 방식을 고칠 필요가 있다.

구현
具 갖출 **구** / 現 나타날 **현**

어떤 내용이 구체적인 사실로 나타나게 함.

예 그 나라는 투쟁을 통해 민주주의를 구현하는 데 성공했다.

동 **구현(俱現)**: 내용이 속속들이 다 드러남.

더 **성취(成就)**: 목적한 바를 이룸.

헷갈리는 단어, 홀로 사전 찾기로 더 확실하게 CHECK!

단어	뜻
공유	두 사람 이상이 한 물건을 공동으로 소유함.

STEP 2 정답 1. ⑤ '구현'은 '어떤 내용이 구체적인 사실로 나타나게 함.'의 의미로 사용되었다. '목적한 바를 이룸.'은 '성취'의 사전적 의미이다.

다음 글을 읽고 물음에 답하시오.

• 2013학년도 수능

논증은 크게 연역과 귀납으로 나뉜다. 전제*가 참이면 결론*이 확실히 참인 연역 논증은 결론에서 지식이 확장되는 것처럼 보이지만, 실제로는 전제에 이미 포함된 결론을 다른 방식으로 확인하는 것일 뿐이다. 반면 귀납 논증은 전제들이 모두 참이라고 해도 결론이 확실히 참이 되는 것은 아니지만 우리의 지식을 확장해 준다는 장점이 있다. 여러 귀납 논증 중에서 가장 널리 ⓐ쓰이는 것은 수많은 사례들을 관찰한 다음에 그것을 일반화*하는 것이다. 우리는 수많은 까마귀를 관찰한 후에 우리가 관찰하지 않은 까마귀까지 포함하는 '모든 까마귀는 검다.'라는 새로운 지식을 얻게 되는 것이다.

철학자들은 과학자들이 귀납을 이용하기 때문에 과학적 지식에 신뢰를 보낼 수 있다고 생각했다. 그러나 모든 귀납에는 논리적인 문제가 있다. 수많은 까마귀를 관찰한 사례에 근거해서 '모든 까마귀는 검다.'라는 지식을 정당화*하는 것은 합리적*으로 보이지만, 아무리 치밀하게 관찰하여도 아직 관찰되지 않은 까마귀 중에서 검지 않은 까마귀가 ⓑ있을 수 있기 때문이다.

포퍼는 귀납의 논리적 문제는 도저히 해결할 수 없지만, 귀납이 아닌 연역만으로 과학을 할 수 있는 방법이 있으므로 과학적 지식은 정당화될 수 있다고 주장한다. 어떤 지식이 반증 사례 때문에 거짓이 된다고 추론하는 것은 순전히 연역적인데, 과학은 이 반증*에 의해 발전하기 때문이다. 다음 논증을 보자.

(ㄱ) 모든 까마귀가 검다면 어떤 까마귀는 검어야 한다.
(ㄴ) 어떤 까마귀는 검지 않다.

(ㄷ) 따라서 모든 까마귀가 다 검은 것은 아니다.

'모든 까마귀는 검다.'라는 지식은 귀납에 의해서 참임을 ⓒ보여 줄 수는 없지만, 이 논증에서처럼 전제 (ㄴ)이 참임이 밝혀진다면 확실히 거짓임을 보여 줄 수 있다. 그러나 아직 (ㄴ)이 참임이 밝혀지지 않았다면 그 지식을 거짓이라고 말할 수 없다.

포퍼에 따르면, 지금 우리가 받아들이는 과학적 지식들은 이런 반증의 시도로부터 잘 ⓓ견뎌 온 것들이다. 참신하고 대담한 가설을 제시하고 그것이 거짓이라는 증거를 제시하려는 노력을 진행해서, 실제로 반증이 되면 실패한 과학적 지식이 되지만 수많은 반증의 시도로부터 끝까지 살아남으면 성공적인 과학적 지식이 되는 것이다. 그런데 포퍼는 반증 가능성이 ⓔ없는 지식, 곧 아무리 반증을 해 보려 해도 경험적*인 반증이 아예 불가능한 지식은 과학적 지식이 될 수 없다고 비판한다. 가령 '관찰할 수 없고 찾아낼 수 없는 힘이 항상 존재한다.'처럼 경험적으로 반박할 수 있는 사례를 생각할 수 없는 주장이 그것이다.

알아두자! 궁금한 어휘

- *전제(前提): 추리를 할 때, 결론의 기초가 되는 판단.
- *결론(結論): 추론에서 일정한 명제를 전제로 하여 이끌어 낸 판단.
- *일반화(一般化): 개별적인 것이나 특수한 것이 일반적인 것으로 됨.
- *정당화(正當化): 정당성이 없거나 정당성에 의문이 있는 것을 무엇으로 둘러대어 정당한 것으로 만듦.
- *합리적(合理的): 이론이나 이치에 합당한 것.
- *반증(反證): 어떤 사실이나 주장이 옳지 아니함을 그에 반대되는 근거를 들어 증명함.
- *경험적(經驗的): 경험에 기초한 것.

2. 문맥상 ⓐ~ⓔ와 바꿔 쓰기에 적절하지 않은 것은?

① ⓐ: 사용(使用)되는
② ⓑ: 실재(實在)할
③ ⓒ: 입증(立證)할
④ ⓓ: 인내(忍耐)해
⑤ ⓔ: 전무(全無)한

다 다의어 동 동음이의어 더 더 알아 둘 어휘

사용
使 부릴 **사** / 用 쓸 **용**

일정한 목적이나 기능에 맞게 씀.

예 환경 정책에 따라 플라스틱 제품은 사용 금지되었다.

더 **쓰이다:** 어떤 일을 하는 데에 재료나 도구, 수단이 이용되다.

실재
實 열매 **실** / 在 있을 **재**

실제로 존재함.

예 이어도는 제주도의 서남쪽에 실재하는 수중 섬이다.

더 **실제(實際):** 사실의 경우나 형편.

입증
立 설 **입** / 證 증거 **증**

어떤 증거 따위를 내세워 증명함.

예 의료 사고의 입증 책임은 의료 기관에 있다.

인내
忍 참을 **인** / 耐 견딜 **내**

괴로움이나 어려움을 참고 견딤.

예 그에게는 각박한 현실을 이겨 낼 만한 인내가 없다.

더 **견디다:** 물건이 열이나 압력 따위와 같은 외부의 작용을 받으면서도 일정 기간 동안 원래의 상태나 형태를 유지하다.

전무
全 온전할 **전** / 無 없을 **무**

전혀 없음.

예 새로운 규칙을 적용하자 안전사고가 전무하였다.

헷갈리는 단어, 홀로 사전 찾기로 더 확실하게 CHECK!

단어	뜻

STEP 2 정답 2. ④ '반증의 시도로부터 잘 견뎌 온'의 '견디다'는 '외부의 작용을 받으면서도 원래의 상태를 유지'한다는 의미를 가진다. 이를 '괴로움이나 어려움을 참고 견딤.'의 의미를 가진 '인내하다'와 바꿔 쓰는 것은 적절하지 않다.

가결 可 옳을 **가** / 決 결정할 **결**	회의에서, 제출된 의안을 합당하다고 결정함. 예 이번 회의에서 결정된 안의 가결을 선포합니다.
낙찰 落 떨어질 **낙** / 札 패 **찰**	경매나 경쟁 입찰 따위에서 물건이나 일이 어떤 사람이나 업체에 돌아가도록 결정하는 일. 예 전기 공사 입찰에서 우리 업체가 낙찰을 받았다.
산정 算 계산 **산** / 定 정할 **정**	셈하여 정함. 예 올해부터는 새로운 퇴직금 산정 방식이 적용된다.
의결 議 의논할 **의** / 決 결정할 **결**	의논하여 결정함. 또는 그런 결정. 예 헌법은 국회의 의결을 거쳐 국민 투표로 개정된다.
책정 策 꾀 **책** / 定 정할 **정**	계획이나 방책을 세워 결정함. 예 사원들의 휴가비는 미리 책정을 해 두었다.

Q1 학생회는 반 대표로 이루어진 [ ] 기관으로, 투표를 통해 최종 의사를 결정한다.

가해 加 더할 **가** / 害 해로울 **해**	다른 사람의 생명이나 신체, 재산, 명예 따위에 해를 끼침. 예 학교 내에서 가해 행동을 일절 금한다.
유린 蹂 밟을 **유** / 躪 짓밟을 **린**	남의 권리나 인격을 짓밟음. 예 세상 사람에게 천대를 당하고 유린을 당해야만 하는가?
침범 侵 침노할 **침** / 犯 범할 **범**	남의 영토나 권리, 재산, 신분 따위를 침노하여 범하거나 해를 끼침. 예 우리 영토를 침범하는 행위는 반드시 막아야 한다.
침해 侵 침노할 **침** / 害 해로울 **해**	침범하여 해를 끼침. 예 친한 친구라 해도 사생활을 침해해서는 안 된다.

Q2 경찰은 학생들을 치고 달아난 [ ] 차량을 추적하고 있다.

간절 懇 간절할 **간** / 切 끊을 **절**	마음속에서 우러나와 바라는 정도가 매우 절실함. 예 나는 그를 다시 만나고 싶은 마음이 간절하였다.
애절 哀 슬플 **애** / 切 끊을 **절**	몹시 애처롭고 슬픔. 예 그 노래는 가사가 애절하다.
절감 切 끊을 **절** / 感 느낄 **감**	절실히 느낌. 예 그는 갑작스러운 친구의 죽음으로 인생이 허망하다는 것을 절감했다.
절실 切 끊을 **절**/ 實 열매 **실**	[1]느낌이나 생각이 뼈저리게 강렬한 상태에 있음. [2]매우 시급하고도 긴요한 상태에 있음. 예 [1]그의 말 한 마디 한 마디가 절실하게 와닿았다. [2]부족한 예산을 보충하기 위한 대책 마련이 절실하다.

Q3 나는 병을 앓고 나서야 건강의 소중함을 [　　　　] 할 수 있었다.

감별 鑑 거울 **감** / 別 나눌 **별**	예술 작품이나 골동품 따위의 가치와 진위를 판단함. 예 새로 발견된 유물의 감별을 실시한 결과, 국보급 문화재로 판명되었다.
구별 區 구분할 **구** / 別 나눌 **별**	성질이나 종류에 따라 차이가 남. 또는 성질이나 종류에 따라 갈라놓음. 예 요즘 옷은 남녀의 구별이 없는 경우가 많다.
선별 選 가릴 **선** / 別 나눌 **별**	가려서 따로 나눔. 예 이들은 일정한 기준에 의해 선별된 학생들이다.
차별 差 어그러질 **차** / 別 나눌 **별**	둘 이상의 대상을 각각 등급이나 수준 따위의 차이를 두어서 구별함. 예 조선 시대에는 적서 차별이 존재하였다.

Q4 집 안에 있던 도자기를 [　　　　] 했더니 고려시대에 제작되었던 작품임을 알 수 있었다.

STEP 3 정답 A1 의견 A2 가해 A3 절감 A4 감별

다음 글을 읽고 물음에 답하시오.

• 2014학년도 6월 모평A

1945년 8월 15일, 역사적인 날.

이날도 신기료장수* 방삼복은 종로의 공원 건너편 응달*에 앉아서, 구두 징을 박으면서, 해방의 날을 맞이하였다. 그러나 삼복은 ㉠감격한 줄도 기쁜 줄도 모르겠었다. 지나가는 행인이, 서로 모르던 사람끼리면서 덤쑥 서로 껴안고 기뻐하고 눈물을 흘리고 하는 것이, 삼복은 속을 모르겠고 차라리 쑥스러 보일 따름이었다. 몰려 닫는 군중*이 오히려 성가시고, 만세 소리가 귀가 아파 이맛살이 지푸려질 지경이었다.

몰려다니고 만세를 부르고 하기에 미쳐 날뛰느라고 정신이 없어, 손님이 없어, 손님이 부쩍 줄었다.

"우랄질! 독립이 배부른가?"

이렇게 그는 두런거리면서 반감*이 솟았다.

이삼 일 지나면서부터야 삼복에게도 삼복에게다운 해방의 ㉡혜택이 나누어졌다.

십 전이나 십오 전에 박아 주던 징을, 오십 전을 받아도 눈을 부라리는 순사를 볼 수가 없었다. 순사가 없어졌다면야, 활개를 쳐 가면서 무슨 짓을 하여도 상관이 없고 무서울 것이 없던 것이었었다.

"옳아, 그렇다면 독립도 할 만한 건가 보다."

삼복은 징 열 개를 박아 주고 오 원을 받아 넣으면서 이렇게 속으로 중얼거리기까지 하였다.

그러나 며칠이 못 가서 삼복은 다시금 해방을 저주하여야 하였다. 삼복이 저 혼자만 돈을 더 받으며, 더 받아 ㉢상관이 없는 것이 아니라, 첫째 도가(都家)*들이 제 맘대로 재료 값을 올리던 것이었었다.

[중략 줄거리] 영어 실력 덕에 미군 통역관이 된 방삼복은 권력을 얻는다. 친일 행위로 모은 재산을 해방 이후에 모두 빼앗긴 백 주사는 방삼복을 만나 자신의 재산을 되찾아 달라고 부탁한다.

옛날의 ㉣영화가 꿈이 되고, 일보*에 몰락하여 가뜩이나 초상집 개처럼 초라한 자기가 또 한번 어깨가 옴츠러듦을 느끼지 아니치 못하였다. 그런데다 이 녀석이, 언제 적 저라고 무엄스럽게 굴어 심히 불쾌하였고, 그래서 엔간히 자리를 털고 일어설 생각이 몇 번이나 나지 아니한 것도 아니었었다. 그러나 참았다.

보아 하니 큰 ㉤세도를 부리는 것이 분명하였다. 잘만 하면 그 힘을 빌려, 분풀이와 빼앗긴 재물을 도로 찾을 여망*이 있을 듯싶었다.

– 채만식, 「미스터 방」 –

알아두자! 궁금한 어휘

- ***신기료장수:** 헌 신을 꿰매어 고치는 일을 직업으로 하는 사람.
- ***응달:** 볕이 잘 들지 아니하는 그늘진 곳.
- ***군중(群衆):** 한곳에 모인 많은 사람.
- ***반감(反感):** 반대하거나 반항하는 감정.
- ***도가(都家):** 예전에, 일정한 삯을 받고 혼인이나 장사 때에 쓰는 물건을 빌려주던 가게.
- ***일보(一步):** 한 걸음이라는 뜻으로, 아주 가까이 있음을 비유적으로 이르는 말.
- ***여망(餘望):** 아직 남은 희망.

1. ㉠~㉤의 사전적 의미로 적절하지 않은 것은?

① ㉠: 마음에 깊이 느끼어 크게 감동함.
② ㉡: 은혜와 덕택을 아울러 이르는 말.
③ ㉢: 어떤 것에 마음이 끌려 주의를 기울임.
④ ㉣: 몸이 귀하게 되어 이름이 세상에 빛남.
⑤ ㉤: 정치상의 권세. 또는 그 권세를 마구 휘두르는 일.

다 다의어 동 동음이의어 더 더 알아 둘 어휘

감격
感 느낄 **감** / 激 격할 **격**

마음에 깊이 느끼어 크게 감동함.

예 그녀의 우승이 확정되자 사람들은 감격의 함성을 질렀다.

혜택
惠 은혜 **혜** / 澤 못 **택**

은혜와 덕택을 아울러 이르는 말.

예 철수는 정부로부터 세금을 감면 받는 혜택을 받았다.

더 **덕택(德澤):** 베풀어 준 은혜나 도움.

상관
相 서로 **상** / 關 관계할 **관**

서로 관련을 가짐. 또는 그런 관계.

예 네게 무슨 일이 있었든 나와는 상관없다.

더 **관심(關心):** 어떤 것에 마음이 끌려 주의를 기울임.

영화
榮 영화 **영** / 華 빛날 **화**

몸이 귀하게 되어 이름이 세상에 빛남.

예 그는 나라의 왕이 되어 부귀와 영화를 누렸다.

더 **영광(榮光):** 빛나고 아름다운 영예.

세도
勢 형세 **세** / 道 길 **도**

정치상의 권세. 또는 그 권세를 마구 휘두르는 일.

예 그는 아버지의 세도를 등에 업고 여기저기에서 난동을 부렸다.

더 **세력(勢力):** [1]권력이나 기세의 힘. [2]어떤 속성이나 힘을 가진 집단.

문학 TIP

8 · 15 광복 1945년, 우리나라가 일본에게 빼앗겼던 나라의 주권을 다시 찾은 날.

광복이 이루어지면서 일제 강점기도 끝이 났지만 우리나라에는 해결해야 할 문제들이 산더미처럼 남아 있었어. 일제의 잔재를 청산하고, 억압되었던 우리 고유의 민족 문화를 고취하는 한편, 광복 직후 혼란에 빠진 사회를 수습해야 했지. 그 당시 작가들은 문학 작품을 통해 우리가 어떠한 생각과 태도를 가지고 살아가야 하는지에 대해 고찰했어. 채만식의 「미스터 방」은 광복 이후 해방기를 다루고 있는데, '방삼복'이라는 인물을 중심으로 당대의 혼란스러운 사회상을 보여 주며 이기적인 인물을 풍자하고 있어.

STEP 1 정답 1. ③ '상관이 없는 것'의 '상관'은 '서로 관련을 가짐.'의 의미를 가지고 있다. '어떤 것에 마음이 끌려 주의를 기울임.'은 '관심'의 사전적 의미로, 관련을 가지는 것과 주의를 기울이는 것에는 차이가 있다.

명제(命題) 어떤 문제에 대한 하나의 논리적 판단 내용과 주장을 언어 또는 기호로 표시한 것. 참과 거짓을 판단할 수 있는 내용이라는 점이 특징이다.

앞서 논증의 방법(연역, 귀납)과 명제의 개념에 대해 간단하게 소개했었지? 이번에는 논증 과정에서 활용되는 명제, 즉 명제와 명제 사이의 관계에 대해 조금 더 자세히 알아볼까 해. '논리학' 영역은 아주 넓고 복잡하지만, 기출 문제에 자주 등장하는 용어들 위주로만 간단히 알아 두기로 하자.

'S는 P이다.'와 같이 주어 개념(S)과 술어 개념(P)으로 구성되면서, 어떤 개념이나 현상에 대해 단언적으로 말하는 명제를 정언 명제라고 해. 정언 명제는 크게 네 가지 유형으로 나뉘어. '모든 S는 P이다.'라는 전칭 긍정 명제, '모든 S는 P가 아니다.'라는 전칭 부정 명제, '어떤 S는 P이다.'라는 특칭 긍정 명제, 그리고 '어떤 S는 P가 아니다.'라는 특칭 부정 명제이지. 헷갈린다면 S에 '모든(전칭)'과 '어떤(특칭)' 중 무엇이 붙는지, P에 '맞다(긍정)'와 '아니다(부정)' 중 무엇이 붙는지에 주목하며 구분하면 될 거야.

정언 명제들 간에는 다양한 논리적 관계가 있는데, 그 유형도 네 가지로 나눌 수 있어. 바로 '함축', '모순', '반대', 그리고 '소반대' 관계이지. 그럼 A라는 명제와 B라는 명제 사이의 논리적 관계를 파악해야 하는 경우를 생각해 볼까?

만약 A가 참인 경우 B가 무조건 참이 된다면 A 명제는 B 명제를 '함축'한다고 볼 수 있어. 예를 들어 '모든 개는 네 발로 걷는다(모든 S는 P이다).'라는 명제가 참일 경우 '어떤 개는 네 발로 걷는다(어떤 S는 P이다).'가 참이 되는 것처럼 말이야. 이때 전칭 긍정 명제와 특칭 긍정 명제, 전칭 부정 명제와 특칭 부정 명제는 각각 함축 관계에 있어.

'모순'은 A와 B가 동시에 참이 될 수도, 동시에 거짓이 될 수도 없는 관계를 의미해. 예를 들어 '모든 사람은 죽는다(모든 S는 P이다).'라는 명제가 참이나 거짓일 경우 '어떤 사람은 죽지 않는다(어떤 S는 P가 아니다).'가 똑같이 참이나 거짓이 될 수 없는 것처럼 말이야. 이때 전칭 긍정 명제와 특칭 부정 명제, 전칭 부정 명제와 특칭 긍정 명제는 각각 모순 관계에 있어.

'반대'는 동시에 참이 될 수 없지만, 동시에 거짓이 될 수 있는 관계를 의미해. '모든 초콜릿은 달다(모든 S는 P이다).'와 '모든 초콜릿은 달지 않다(모든 S는 P가 아니다).'의 경우, '모든' 초콜릿이 동시에 달면서 달지 않을 수 없으므로 두 명제가 동시에 참이 될 수는 없지만, '일부' 초콜릿은 달고 '일부' 초콜릿은 달지 않을 수 있으므로 두 명제가 동시에 거짓이 될 수 있는 것처럼 말이지. 이때 전칭 긍정 명제와 전칭 부정 명제는 반대 관계에 있어.

마지막으로 '소반대'는 동시에 거짓이 될 수 없지만, 동시에 참이 될 수 있는 관계를 의미해. '어떤 초콜릿은 달다(어떤 S는 P이다).'와 '어떤 초콜릿은 달지 않다(어떤 S는 P가 아니다).'의 경우 동시에 참이 될 수 있지만, 동시에 거짓이 되기는 불가능해. 어떤 초콜릿은 반드시 달거나 달지 않아야 할 테니까 말이야. 이때 특칭 긍정 명제와 특칭 부정 명제는 소반대 관계에 있어.

여기에서는 정언 명제에 대해서만 간단히 소개했지만, 실제 기출에서는 '만약 A이면 B이다.'와 같이 조건이나 이유를 표시하는 전건(만약 A이면)과 그 결과를 나타내는 후건(B이다)으로 구성된 조건 명제 등과 같은 다양한 명제들이 제시될 수 있어! 또한 논증의 기본 단위가 되는 '명제'에 대해서는 다양한 논의가 이루어져 왔고, 그 개념과 분류에 대해서도 여러 가지 입장과 논란이 있어. 하지만 우리가 낯설게 느낄 법한 내용들은 기출 지문에서 그 개념을 충분히 설명해 줄 테니까, '명제'가 무엇인지와 관련된 기본 개념만 확실히 알아 두자!

정답 P. 194

지문을 통해 다시 읽어보기

• 2017학년도 3월 학평

삼단 논증은 두 개의 전제에서 하나의 결론을 도출하는 연역 논증이다. 이때 두 전제로부터 그 결론만이 반드시 도출될 수 있는지를 확인하기 위해서는 논리적 규칙에 따라 추론해야 하는데, 사람들은 이 추론 과정에서 자주 오류를 범한다. 인지 실험 연구자들은 삼단 논증의 추론 과정에서 일어나는 오류 현상에 일정한 유형이 있다는 것에 착안하여 오류의 원인을 분석했다.

인지적 측면에서 오류의 원인을 분석한 주요 이론은 '분위기 이론'이다. 분위기 이론은 〈모든 A는 B이다. 어떤 B는 C이다.〉에서 〈어떤 A는 C이다.〉가 반드시 도출되는 것이 아님에도, '반드시 도출된다'라고 생각하는 사람이 많은 이유는 전제의 분위기 때문이라고 설명한다. 즉 전제가 긍정인가 부정인가, 전칭('모든')인가 특칭('어떤')인가에 따라 일정한 분위기가 형성되어 결론에 영향을 끼친다는 것이다. 분위기 이론은 사람들이 두 전제가 모두 긍정문이면 긍정 결론을, 하나라도 부정문이면 부정 결론을 받아들이는 경향이 있다고 본다. 또한 두 전제가 모두 전칭이면 전칭 결론을, 하나라도 특칭이면 특칭 결론을 선호한다고 본다.

〈보기〉

㉮ 어떤 인류학자는 생물학자가 아니다.
㉯ 모든 생물학자는 바둑 기사이다.
㉰ 따라서 어떤 인류학자는 바둑 기사가 아니다.

Q1 분위기 이론은, 〈보기〉의 ㉮에서 특칭과 부정이 사용되었으므로 이것에 영향을 받아 ㉰가 '반드시 도출된다'라고 답하는 경향이 있을 것이라고 설명하겠군.

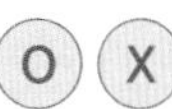

지문을 통해 다시 읽어보기

• 2019학년도 수능

두 명제가 모두 참인 것도 모두 거짓인 것도 가능하지 않은 관계를 모순 관계라고 한다. 예를 들어, 임의의 명제를 P라고 하면 P와 ~P는 모순 관계이다.(기호 '~'은 부정을 나타낸다.) P와 ~P가 모두 참인 것은 가능하지 않다는 법칙을 무모순율이라고 한다. 그런데 "다보탑은 경주에 있다."와 "다보탑은 개성에 있을 수도 있었다."는 모순 관계가 아니다. 현실과 다르게 다보탑을 경주가 아닌 곳에 세웠다면 다보탑의 소재지는 지금과 달라졌을 것이다. 철학자는 이를 두고, P와 ~P가 모두 참인 혹은 거짓인 가능세계는 없지만 다보탑이 개성에 있는 가능세계는 있다고 표현한다.

'가능세계'의 개념은 일상 언어에서 흔히 쓰이는 필연성과 가능성에 관한 진술을 분석하는 데 중요한 역할을 한다. 'P는 가능하다'는 P가 적어도 하나의 가능세계에서 성립한다는 뜻이며, 'P는 필연적이다'는 P가 모든 가능세계에서 성립한다는 뜻이다.

Q2 무모순율에 의하면 P와 ~P가 모두 참인 것은 가능하다.

다음 글을 읽고 물음에 답하시오.

• 2015학년도 6월 모평B

'정합적이다'를 모순 없음으로 정의*하는 경우, 추가되는 명제가 이미 참이라고 ㉠인정한 명제와 모순이 없으면 정합적이고, 모순이 있으면 정합적이지 않다. 여기서 모순이란 "은주는 민수의 누나이다."와 "은주는 민수의 누나가 아니다." 처럼 동시에 참이 될 수도 없고 또 동시에 거짓이 될 수도 없는 명제들 간의 관계를 말한다. '정합적이다'를 모순 없음으로 정의하는 입장에 따르면, "은주는 민수의 누나이다."가 참일 때 추가되는 명제 "은주는 학생이다."는 앞의 명제와 모순이 되지 않기 때문에 정합적이고, 정합적이기 때문에 참이다. 그런데 '정합적이다'를 모순 없음으로 이해하면, 앞의 예에서처럼 전혀 관계가 없는 명제들도 모순이 ㉡발생하지 않는다는 이유 하나만으로 모두 정합적이고 참이 될 수 있다는 문제가 생긴다.

이 문제를 ㉢해결하기 위해서 '정합적이다'를 함축으로 정의하기도 한다. 함축은 "은주는 민수의 누나이다."가 참일 때 "은주는 여자이다."는 반드시 참이 되는 것과 같은 관계를 이른다. 명제 A가 명제 B를 함축한다는 것은 'A가 참일 때 B가 반드시 참'이라는 의미이다. '정합적이다'를 함축으로 이해하면, 명제 "은주는 민수의 누나이다."가 참일 때 이와 무관*한 명제 "은주는 학생이다."는 모순이 없다고 해도 정합적이지 않다. 왜냐하면 "은주는 학생이다."는 "은주는 민수의 누나이다."에 의해 함축되지 않기 때문이다.

그런데 '정합적이다'를 함축으로 정의할 경우에는 참이 될 수 있는 명제가 ㉣과도하게 제한된다. 그래서 '정합적이다'를 설명적 연관으로 정의하기도 한다. 명제 "민수는 운동 신경이 좋다."는 "민수는 농구를 잘한다."는 명제를 함축하지는 않지만, 민수가 농구를 잘하는 이유를 그럴듯하게 설명해 준다. 그 역*의 관계도 마찬가지이다. 두 경우 각각 설명의 대상이 되는 명제와 설명해 주는 명제 사이에는 서로 설명적 연관이 있다고 말한다. 설명적 연관이 있는 두 명제는 서로 정합적이기 때문에 그중 하나가 참이면 추가되는 다른 하나도 참이다. 설명적 연관으로 '정합적이다'를 정의하게 되면 함축 관계를 이루는 명제들까지도 ㉤포괄할 수 있는 장점이 있다. 함축 관계를 이루는 명제들은 필연적*으로 설명적 연관이 있기 때문이다.

알아두자! 궁금한 어휘

*정의(定義): 어떤 말이나 사물의 뜻을 명백히 밝혀 규정함.

*무관(無關): 관계나 상관이 없음.

*역(逆): 반대 또는 거꾸로임.

*필연적(必然的): 사물의 관련이나 일의 결과가 반드시 그렇게 될 수밖에 없는 것.

1. 문맥상 ㉠~㉤과 바꿔 쓰기에 적절하지 않은 것은?

① ㉠: 받아들인
② ㉡: 일어나지
③ ㉢: 밝혀내기
④ ㉣: 지나치게
⑤ ㉤: 아우를

다 다의어 동 동음이의어 더 더 알아 둘 어휘

어휘	뜻 / 예문	더 알아 둘 어휘
인정 認 알 **인** / 定 정할 **정**	확실히 그렇다고 여김. 예 그의 능력이 매우 우수한 것으로 인정되었다.	더 **시인(是認)**: 어떤 내용이나 사실이 옳거나 그러하다고 인정함. 더 **용납(容納)**: 너그러운 마음으로 남의 말이나 행동을 받아들임.
발생 發 필 **발** / 生 날 **생**	어떤 일이나 사물이 생겨남. 예 한밤중 큰 소음이 발생하여 사람들의 잠을 깨웠다.	더 **생성(生成)**: 사물이 생겨남. 또는 사물이 생겨 이루어지게 함. 더 **야기(惹起)**: 일이나 사건 따위를 끌어 일으킴.
해결 解 풀 **해** / 決 결정할 **결**	제기된 문제를 해명하거나 얽힌 일을 잘 처리함. 예 문제의 해결은 당사자가 직접 해야 한다.	더 **밝히다**: 진리, 가치, 옳고 그름 따위를 판단하여 드러내 알리다. 더 **속결(速決)**: 빨리 결정하거나 빨리 처리함.
과도 過 지날 **과** / 度 법도 **도**	정도에 지나침. 예 과도한 지출로 파산 지경에 이르렀다.	더 **과잉(過剩)**: 예정하거나 필요한 수량보다 많아 남음.
포괄 包 쌀 **포** / 括 묶을 **괄**	일정한 대상이나 현상 따위를 어떤 범위나 한계 안에 모두 끌어 넣음. 예 한국어란 우리말과 우리글을 포괄하는 용어이다.	더 **포함(包含)**: 어떤 사물이나 현상 가운데 함께 들어 있거나 함께 넣음.

헷갈리는 단어, 홀로 사전 찾기로 더 확실하게 CHECK!

단어	뜻

STEP 2 정답 1. ③ '이 문제를 해결하기'의 '해결하다'는 '제기된 문제를 해명하거나 얽힌 일을 잘 처리'한다는 뜻이므로, '옳고 그름 따위를 판단하여 드러내 알리다.'라는 의미의 '밝히다'로 바꿔 쓰는 것은 적절하지 않다.

다음 글을 읽고 물음에 답하시오.

• 2017학년도 수능

논리실증주의자와 포퍼는 수학적 지식이나 논리학 지식처럼 경험과 무관하게 참으로 판별되는 분석 명제와, 과학적 지식처럼 경험을 통해 참으로 판별되는 종합 명제를 서로 다른 종류라고 구분한다. 그러나 콰인은 총체주의를 정당화하기 위해 이 구분을 부정하는 논증을 다음과 같이 제시한다. 논리실증주의자와 포퍼의 구분에 따르면 "총각은 총각이다."와 같은 동어 반복 명제와, "총각은 미혼의 성인 남성이다."처럼 동어 반복 명제로 환원*할 수 있는 것은 모두 분석 명제이다. 그런데 후자가 분석 명제인 까닭은 전자로 환원할 수 있기 때문이다. 이러한 환원이 가능한 것은 '총각'과 '미혼의 성인 남성'이 동의*적 표현이기 때문인데 그게 왜 동의적 표현인지 물어보면, 이 둘을 서로 대체하더라도 명제의 참 또는 거짓이 바뀌지 않기 때문이라고 할 것이다. 하지만 이것만으로는 두 표현의 의미가 같다는 것을 보장*하지 못해서, 동의적 표현은 언제나 반드시 대체 가능해야 한다는 필연성 개념에 다시 의존하게 된다. 이렇게 되면 동의적 표현이 동어 반복 명제로 환원 가능하게 하는 것이 되어, 필연성 개념은 다시 분석 명제 개념에 의존하게 되는 순환론에 빠진다. 따라서 콰인은 종합 명제와 구분되는 분석 명제가 존재한다는 주장은 근거가 없다는 결론에 ㉠도달한다.

알아두자! 궁금한 어휘

***환원(還元)**: 본디의 상태로 다시 돌아감.

***동의(同義)**: 뜻이 같음.

***보장(保障)**: 어떤 일이 어려움 없이 이루어지도록 조건을 마련하여 보증하거나 보호함.

2. 문맥상 ㉠과 바꿔 쓰기에 가장 적절한 것은?

① 잇따른다 ② 다다른다 ③ 봉착한다
④ 회귀한다 ⑤ 기인한다

다 다의어 동 동음이의어 더 더 알아 둘 어휘

도달
到 다다를 도 / 達 통할 달

목적한 곳이나 수준에 다다름.

예 목적지에 도달하려면 아직 한 시간 정도 남았다.

더 **다다르다:** 목적한 곳에 이르다.

더 **당도(當到):** 어떤 곳에 다다름.

더 **도래(到來):** 어떤 시기나 기회가 닥쳐옴.

봉착
逢 만날 봉 / 着 붙을 착

어떤 처지나 상태에 부닥침.

예 위기에 봉착하다.

더 **당면(當面):** 바로 눈앞에 당함.

더 **직면(直面):** 어떠한 일이나 사물을 직접 당하거나 접함.

회귀
回 돌아올 회 / 歸 돌아올 귀

한 바퀴 돌아 제자리로 돌아오거나 돌아감.

예 이 시기에는 연어의 회귀가 시작된다.

더 **귀환(歸還):** 다른 곳으로 떠나 있던 사람이 본래 있던 곳으로 돌아오거나 돌아감.

기인
起 일어날 기 / 因 인할 인

어떠한 것에 원인을 둠.

예 무역 적자는 주로 수출 부진에 기인한 것이다.

헷갈리는 단어, 홀로 사전 찾기로 더 확실하게 CHECK!

단어	뜻

STEP 2 정답 2. ② '결론에 도달한다.'의 '도달하다'는 '목적한 곳이나 수준에 다다르다.'의 의미를 가지고 있다. 이는 '목적한 곳에 이르다.'의 의미를 가진 '다다르다'와 바꿔 쓰기에 적절하다.

감찰 監 볼 **감** / 察 살필 **찰**	단체의 규율과 구성원의 행동을 감독하여 살핌. 예 검찰은 편파 수사 여부에 대하여 자체 감찰을 실시하였다.
고찰 考 생각할 **고** / 察 살필 **찰**	어떤 것을 깊이 생각하고 연구함. 예 문화에 대한 고찰 없이 인간의 삶을 이해하는 것은 불가능하다.
성찰 省 살필 **성** / 察 살필 **찰**	자기의 마음을 반성하고 살핌. 예 수도자는 자신의 내면적인 성찰과 자각을 게을리하지 않아야 한다.
통찰 洞 밝을 **통** / 察 살필 **찰**	예리한 관찰력으로 사물을 꿰뚫어 봄. 예 그녀의 문학 작품에서는 현대 사회에 대한 진지한 통찰이 드러난다.

Q1 감사원은 앞으로 공직자들의 비리를 철저히 [　　　　] 할 것이라고 발표했다.

감퇴 減 덜 **감** / 退 물러날 **퇴**	기운이나 세력 따위가 줄어 쇠퇴함. 예 몸의 저항력이 감퇴된 탓에 자주 감기에 걸린다.
쇠퇴 衰 쇠할 **쇠** / 退 물러날 **퇴**	기세나 상태가 쇠하여 전보다 못하여 감. 예 나이가 들면 기억력의 쇠퇴가 오기 마련이다.
쇠잔 衰 쇠할 **쇠** / 殘 쇠잔할 **잔**	쇠하여 힘이나 세력이 점점 약해짐. 예 천 년의 세월을 이어 오던 왕조는 쇠잔의 징조가 나타나기 시작했다.
퇴락 頹 무너질 **퇴** / 落 떨어질 **락**	낡아서 무너지고 떨어짐. 예 군함은 수십 년 동안 내려온 것이라 퇴락하여 보잘 것이 없었다.

Q2 김 훈장을 찾아가서 이러저러한 집이 있기는 있으나 음식도 험할 것이요, 비바람을 겨우 가릴 정도로 [　　　　] 한 방인데 어떻게 할까 보냐고 했었다.

강령 綱 벼리 **강** / 領 거느릴 **령**	일의 근본이 되는 큰 줄거리. 예 일을 시작할 때는 우선 강령을 세우고 이에 따라 세부 지침을 정해야 한다.
계획 計 셀 **계** / 劃 그을 **획**	앞으로 할 일의 절차, 방법, 규모 따위를 미리 헤아려 작정함. 또는 그 내용. 예 그 일은 사전에 계획된 것이다.
기획 企 꾀할 **기** / 劃 그을 **획**	일을 꾀하여 계획함. 예 공동생활을 체험해 볼 수 있도록 이번 수련회를 기획하였습니다.
포부 抱 안을 **포** / 負 질 **부**	마음속에 지니고 있는, 미래에 대한 계획이나 희망. 예 아이는 부모님께 자기가 가진 포부를 자랑스럽게 밝혔다.

Q3 선생님은 학생들의 용기와 ☐ 을/를 길러 주기 위해 노력하셨다.

거주 居 살 **거** / 住 살 **주**	일정한 곳에 머물러 삶. 예 개인의 거주 공간이 가족 공동의 거주 공간에서 분리되는 추세도 포함한다.
생계 生 날 **생** / 計 꾀할 **계**	살림을 살아 나갈 방도. 또는 현재 살림을 살아가고 있는 형편. 예 아버지의 퇴직으로 점차 가족의 생계가 어려워지기 시작했다.
생존 生 날 **생** / 存 있을 **존**	살아 있음. 또는 살아남음. 예 환경 오염이 인류의 생존을 위협하는 가장 큰 문제로 제시되었다.
생활 生 날 **생** / 活 살 **활**	생계나 살림을 꾸려 나감. 예 새롭게 직장을 구하면서 생활에 여유가 생겼다.

Q4 반추위에서 미생물들이 생성한 아세트산은 반추 동물의 세포로 직접 흡수되어 ☐ 에 필요한 에너지를 생성하는 데 주로 이용되고 체지방을 합성하는 데에도 쓰인다.

STEP 3 정답 A1 감찰 A2 퇴락 A3 포부 A4 생존

다음 글을 읽고 물음에 답하시오.

• 2014학년도 9월 모평B

"지식인일수록 불만이 많은 법입니다. 그러나, 그렇다고 제 몸을 없애 버리겠습니까? 종기가 났다고 말이지요. 당신 한 사람을 잃는 건, 무식한 사람 열을 잃는 것보다 더 큰 민족의 손실*입니다. 당신은 아직 젊습니다. 우리 사회에는 할 일이 태산* 같습니다. 나는 당신보다 나이를 약간 더 먹었다는 의미에서, 친구로서 충고하고 싶습니다. 조국의 품으로 돌아와서, 조국을 ㉠재건하는 일꾼이 돼 주십시오. 낯선 땅에 가서 고생하느니, 그쪽이 당신 개인으로서도 행복이라는 걸 믿어 의심치 않습니다. 나는 당신을 처음 보았을 때, 대단히 인상이 마음에 들었습니다. 뭐 어떻게 생각지 마십시오. 나는 동생처럼 여겨졌다는 말입니다. 만일 남한에 오는 경우에, 개인적인 ㉡조력을 제공할 용의*가 있습니다. 어떻습니까?"

명준은 고개를 처들고, 반듯하게 된 천막 천장을 올려다본다. 한층 가락을 낮춘 목소리로 혼잣말 외듯 나직이 말할 것이다.

"중립국."

설득자는, 손에 들었던 연필 꼭지로, 테이블을 툭 치면서, 곁에 앉은 미군을 돌아볼 것이다. 미군은, 어깨를 추스르며, 눈을 찡긋하고 웃겠지. 나오는 문 앞에서, 서기의 책상 위에 놓인 명부에 이름을 적고 천막을 나서자, 그는 마치 재채기를 참았던 사람처럼 몸을 벌떡 뒤로 젖히면서, 마음껏 웃음을 터뜨렸다. 눈물이 찔끔찔끔 번지고, 침이 걸려서 캑캑거리면서도 그의 웃음은 멎지 않았다.

준다고 바다를 마실 수는 없는 일. 사람이 마시기는 한 사발의 물. 준다는 것도 ㉢허황하고 가지거니 함도 철없는 일. 바다와 한 잔의 물. 그 사이에 놓인 골짜기와 눈물과 땀과 피. 그것을 셈할 줄 모르는 데 잘못이 있었다. 세상에서 뒤진 가난한 땅에 자란 지식 노동자의 슬픈 환상*. 과학을 믿은 게 아니라 마술을 믿었던 게지. 바다를 한 잔의 영생*수로 바꿔 준다는 마술사의 말을. 그들은 뻔히 알면서 ㉣권력이라는 약을 팔려고 말로 속인 꼬임을. 어리석게 신비한 술잔을 찾아 나섰다가, 낌새를 차리고 항구를 돌아보자, 그들은 항구를 차지하고 움직이지 않고 있었다. 참을 알고 돌아온 바다의 난파*자들을 그들은 감옥에 가둘 것이다. 못된 균을 옮기지 않기 위해서. 역사는 소걸음으로 움직인다. 사람의 커다란 모순과 업(業)에 비기면, 아무 자국도 못 낸 것이나 마찬가지다. 당대*까지 사람이 만들어 낸 물질 생산의 ㉤수확을 고르게 나누는 것만이 모든 시대에 두루 맞는 가능한 일이다.

– 최인훈, 「광장」 –

알아두자! 궁금한 어휘

*손실(損失): 잃어버리거나 축나서 손해를 봄.
*태산(泰山): 크고 많음을 비유적으로 이르는 말.
*용의(用意): 어떤 일을 하려고 마음을 먹음. 또는 그 마음.
*환상(幻想): 현실적인 기초나 가능성이 없는 헛된 생각이나 공상.
*영생(永生): 영원한 생명. 또는 영원한 삶.
*난파(難破): 배가 항해 중에 폭풍우 따위를 만나 부서지거나 뒤집힘.
*당대(當代): 일이 있는 바로 그 시대.

1. ㉠~㉤의 사전적 의미로 적절하지 않은 것은?

① ㉠: 잃었던 땅이나 권리 따위를 되찾음.
② ㉡: 힘을 써 도와줌.
③ ㉢: 헛되고 황당하며 미덥지 못함.
④ ㉣: 남을 복종시키거나 지배할 수 있는 공인된 권리와 힘.
⑤ ㉤: 어떤 일을 하여 얻은 성과를 비유적으로 이르는 말.

다 다의어 동 동음이의어 더 더 알아 둘 어휘

재건
再 다시 **재** / 建 세울 **건**

허물어진 건물이나 조직 따위를 다시 일으켜 세움.

예 전쟁이 끝난 뒤 모두가 도시의 재건에 힘썼다.

더 **수복(收復):** 잃었던 땅이나 권리 따위를 되찾음.

조력
助 도울 **조** / 力 힘 **력**

힘을 써 도와줌. 또는 그 힘.

예 김 선생의 조력으로 수술을 성공적으로 마쳤다.

허황
虛 빌 **허** / 荒 거칠 **황**

헛되고 황당하며 미덥지 못함.

예 허황한 희망에 얽매여 헛된 세월을 보냈다.

권력
權 권세 **권** / 力 힘 **력**

남을 복종시키거나 지배할 수 있는 공인된 권리와 힘. 특히 국가나 정부가 국민에 대하여 가지고 있는 강제력을 이른다.

예 그는 권력을 남용하여 거슬리는 사람마다 감옥에 집어넣었다.

수확
收 거둘 **수** / 穫 거둘 **확**

어떤 일을 하여 얻은 성과를 비유적으로 이르는 말.

예 이번 협상으로 인해 우리 회사가 큰 수확을 거두었다.

더 **성과(成果):** 이루어 낸 결실.

더 **추수(秋收):** 가을에 익은 곡식을 거두어들임.

문학 TIP

6 · 25 전쟁 (한국전쟁)

1950년 6월 25일 일어나 1953년 7월 27일에 휴전이 이루어지기까지 약 3년 동안 수많은 이들의 희생을 초래한 비극적인 사건.

하나의 민족이 둘로 나뉘어 서로를 향해 총을 겨누었고, 그로 인해 너무나도 많은 사람들이 희생되어야만 했던 6 · 25 전쟁에 대해서는 다들 잘 알고 있을 거야. 전쟁으로 인해 남과 북으로 분단된 가슴 아픈 현실이 오늘날까지도 지속되고 있다는 점에서 이는 결코 잊지 말아야 할 민족사의 중대한 사건이라고 할 수 있지. 이러한 역사적 중요성 때문에 우리 문학에서는 6 · 25 전쟁이 일어났던 시기를 시간적 배경으로 삼거나 전후의 사회상을 소재로 삼는 등, 여러 가지 방식으로 6 · 25 전쟁이나 분단된 현실에 대해 다루는 작품들을 많이 찾아볼 수 있어. 이러한 작품들을 '분단 소설'이라고 통칭하기도 해.

STEP 1 정답 1. ① '조국을 재건하는 일꾼'의 '재건'은 '허물어진 건물이나 조직 따위를 다시 일으켜 세움.'의 의미를 갖는다. '잃었던 땅이나 권리 따위를 되찾'는 것은 '수복'을 의미하며, 잃었던 땅과 권위를 되찾는 것은 허물어진 조직을 일으켜 세우는 것과 차이가 있다.

도덕(道德)	사회의 구성원들이 양심, 사회적 여론, 관습 따위에 비추어 스스로 마땅히 지켜야 할 행동 준칙이나 규범의 총체. 외적 강제력을 갖는 법률과 달리 각자의 내면적 원리로서 작용하며, 또 종교와 달리 초월자와의 관계가 아닌 인간 상호 관계를 규정한다.
윤리(倫理)	인간 행위의 규범에 관하여 연구하는 학문. 도덕의 본질 · 기원 · 발달, 선악의 기준 및 인간 생활과의 관계 따위를 다룬다.

사람과 동물의 차이점은 무엇일까? 이성적인 사고 능력을 갖추고 있다는 것, 다양한 문화를 만들고 계승할 줄 아는 존재라는 것 등, 사람을 사람이라고 규정하는 본질적 특성이 무엇인지에 대한 논의는 지속적으로 이루어져 왔어. 이러한 중요한 특성들 중에는 사람이 도덕의식을 가지고 행동할 줄 아는 윤리적 존재라는 점이 포함되어 있지. 이때 윤리적 존재라는 것은, 무조건적으로 본능에 따르는 것이 아니라, 마땅히 지켜야 하는 삶의 도리를 지킬 줄 아는 존재라는 것을 의미해. 그런데 이 '마땅히 지켜야 하는 삶의 도리'가 무엇인지에 대해서는 역사적 시기와 문화, 연구가에 따라 다양한 견해가 제시되어 왔어. 또한 우리가 '왜' 도덕적으로 행동하며, 도덕적 규범을 지켜야 하는지에 대해서도 다양한 논의가 진행되어 왔지. 그에 따라 '윤리'나 '도덕'을 다루는 지문에서는 윤리적 존재로서의 인간이란 어떤 존재이며, 도덕적 행위가 무엇이고, 윤리적으로 옳고 그름을 판단하는 기준은 무엇인지 등에 대한 내용이 전개되는 경우가 많아. 또한 인간이 목적하는 행복한 삶을 실현할 수 있는 사회를 구축하기 위한 이념들이 지문에 등장하기도 해.

• **2020학년도 6월 모평**

에피쿠로스는 신의 존재는 인정하나 신의 존재 방식이 인간이 생각하는 것과는 다르다고 보고, 신은 우주들 사이의 중간 세계에 살며 인간사에 개입하지 않는다는 이신론(理神論)적 관점을 주장한다. 그는 불사하는 존재인 신은 최고로 행복한 상태이며, 다른 어떤 것에게도 고통을 주지 않고, 모든 고통은 물론 분노와 호의와 같은 것으로부터 자유롭다고 말한다. 따라서 에피쿠로스는 인간의 세계가 신에 의해 결정되지 않으며, 인간의 행복도 자율적 존재인 인간 자신에 의해 완성된다고 본다.

(중략)

에피쿠로스는 이를 토대로 자유로운 삶의 근본을 규명하고 인생의 궁극적 목표인 행복을 이끄는 윤리학을 펼쳐 나간다. 결국 그는 인간이 신의 개입과 우주의 필연성, 사후 세계에 대한 두려움으로부터 벗어날 수 있도록 함으로써, 자신의 삶을 자율적이고 주체적으로 살 수 있는 길을 열어 주었다. 그리고 쾌락주의적 윤리학을 바탕으로 영혼이 안정된 상태에서 행복 실현을 추구할 수 있는 방안을 제시하였다.

위 지문의 에피쿠로스가 윤리학을 펼쳐 나갈 때 신과 인간의 관계를 고려한 것처럼, 서양에서는 문화적 배경에 따라 주로 신과 인간, 이성과 경험, 개인과 공동체의 관계를 중심으로 윤리학이 발전해 나갔어. 이때 두 대상 가운데 무엇을 더 중시하는지, 혹은 각 대상을 어떻게 규정하는지에 따라 학자들의 의견이 나뉘었지. 수능 국어의 독서 영역을 대비하면서 윤리학의 경향이나 흐름을 모두 알아둘 필요는 없어. 지문에서 각 학자가 어떠한 대상이나 가치를 중시하고 있는지를 위주로 생각하며 읽어 나가면 독해에 많은 도움이 될 거야.

정답 P. 194

DAY 03

지문을 통해 다시 읽어보기

• 2007학년도 6월 모평

도덕적 선택의 순간에 직면했을 때 상대방에게 개인적 선호(選好)를 드러내는 행동이 과연 도덕적으로 정당할까? 도덕 철학자들은 이 물음에 대해 대부분 부정적 반응을 보이며 도덕적 정당화의 조건으로 공평성(impartiality)을 제시한다. 공평주의자들의 관점에서 볼 때 특권을 가진 사람은 아무도 없다. 사람들은 인종, 성별, 연령에 관계없이 모두 신체와 생명, 복지와 행복에 있어서 동일한 가치를 지닌다. 따라서 어떤 개인에 대해 행위자의 선호를 표현하는 도덕적 선택은 결코 정당화될 수 없다. 공평주의자들은 사람들 간의 차별을 인정하지 않기 때문에 개인이 처해 있는 상황이 어떠한가에 따라 행동의 방향을 결정해야 한다고 말한다.

(중략)

철수는 근무 중 본부로부터 긴급한 연락을 받았다. 동해안 어떤 항구에서 혐의자 한 명이 일본으로 밀항을 기도한다는 첩보가 있으니 그를 체포하라는 것이었다. 철수가 잠복 끝에 혐의자를 체포했더니, 그는 하나밖에 없는 친형이었다. 철수는 고민 끝에 형을 놓아주고 본부에는 혐의자를 놓쳤다고 보고했다.

(중략)

철수의 행동은 도덕적으로 정당화될 수 있는가? 혐의자가 자신의 형임을 알고 놓아주었으므로 그의 행동은 형에 대한 개인적 선호를 표현한 것이다. 따라서 그는 모든 사람의 복지와 행복을 동일하게 간주해야 하는 공평성의 기준을 지키지 않았다. 그의 행동은 도덕적으로 정당화되기 어려워 보인다.

Q1 철수가 체포한 사람이 모르는 사람이었다면 철수는 그를 놓아주지 않았을 것이므로, 철수는 형에 대한 개인적 선호를 표현한 것이라고 볼 수 있다.

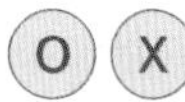

지문을 통해 다시 읽어보기

• 2011학년도 9월 모평

전통적 공리주의는 세 가지 요소에 기초하여 성립하는 대표적 윤리 이론이다. 첫째, 공리주의는 행동의 윤리적 가치가 행동의 결과에 의존한다는 결과주의이다. 행동은 전적으로 예상되는 결과에 의해서 선하거나 악한 것으로 판단된다. 둘째, 행동의 결과를 평가할 때의 유일한 기준은 바로 행동의 결과가 산출할, 계산 가능한 '행복의 양'이다. 이에 따르면 불행과 대비하여 행복의 양을 많이 산출할수록 선한 행동이 되며, 가장 선한 행동은 최대 다수의 최대 행복을 산출하는 것이다. 셋째, 행동을 하기 전 발생할 행복의 양을 계산할 때 개개인의 행복을 모두 동일하게 중요한 것으로 간주하므로 어느 누구의 행복도 다른 누구의 행복보다 더 중요하지는 않다. 그래서 두 사람의 행복을 비교할 때 오로지 그 둘에게 산출될 행복의 양들만을 고려한다. 이는 공리주의가 전형적인 공평주의라는 사실을 보여 준다.

〈보기〉

'갑'은 몸살로 집에 누워 있는 친구를 간호하러 가던 중, 교통사고로 심각하게 다친 운전자를 목격했다. '갑'은 도와야 한다는 생각에 그를 급히 응급실로 옮겨서 다행히도 목숨을 구할 수 있었다. 그러나 '갑'은 친구를 간호할 수는 없었다.

Q2 전통적 공리주의의 관점에서 '갑'의 행동을 선하다고 평가할 수 있는 이유는, '갑'이 다친 사람을 도우면 자신만이 행복해진다고 판단했기 때문이겠군.

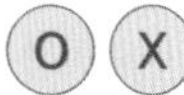

다음 글을 읽고 물음에 답하시오.

• 2016학년도 수능B

우리 삶에서 운이 작용해서 결과가 달라지는 일은 흔하다. 그러나 외적으로 드러나는 행위에 초점을 맞추는 '의무 윤리'든 행위의 ⓐ기반이 되는 성품*에 초점을 맞추는 '덕의 윤리'든, 도덕의 문제를 다루는 철학자들은 도덕적 평가가 운에 따라 달라져서는 안 된다고 생각한다. 이들의 생각처럼 도덕적 평가는 스스로가 통제*할 수 있는 것에 대해서만 이루어져야 한다. 운은 자신의 의지에 따라 통제할 수 없어서, 운에 따라 누구는 도덕적이게 되고 누구는 아니게 되는 일은 공평*하지 않기 때문이다.

그런데 어떤 철학자들은 운에 따라 도덕적 평가가 달라지는 일이 실제로 일어난다고 주장하고, 그런 운을 '도덕적 운'이라고 부른다. 그들에 따르면 세 가지 종류의 도덕적 운이 ⓑ거론된다. 첫째는 태생적 운이다. 우리의 행위는 성품에 의해 결정되며 이런 성품은 태어날 때 이미 결정되므로, 성품처럼 우리가 통제할 수 없는 요인이 도덕적 평가에 ⓒ개입되는 불공평한 일이 일어난다는 것이다.

(중략)

그들의 주장에 따라 도덕적 운의 존재를 인정하면 불공평한 평가만 할 수 있을 뿐인데, 이는 결국 도덕적 평가 자체가 불가능해짐을 의미한다. 도덕적 평가가 불가능한 대상은 강제나 무지와 같이 스스로가 통제할 수 없는 요인에 의해 결정되는 것에만 국한되어야 한다. 그런데 도덕적 운의 존재를 인정하면 그동안 도덕적 평가의 대상이었던 성품이나 행위에 대해 도덕적 평가를 내릴 수 없는 난점*에 직면하게 되는 것이다.

하지만 관점을 바꾸어 도덕적 운의 존재를 부정하고 도덕적 평가가 불가능한 경우를 강제나 무지에 의한 행위에 ⓓ국한한다면 이와 같은 난점에서 벗어날 수 있다. 도덕적 운의 존재를 부정하기 위해서는 도덕적 운이라고 생각되는 예들이 실제로는 도덕적 운이 아님을 보여 주면 된다. 우선 행위는 성품과는 별개의 것이므로 태생적 운의 존재가 부정된다. 또한 나쁜 상황에서 나쁜 행위를 할 것이라는 추측만으로 어떤 사람을 ⓔ폄하하는 일은 정당하지 못하므로 상황적 운의 존재도 부정된다. 끝으로 어떤 화가가 결과적으로 성공을 했든 안 했든 무책임함에 대해서는 똑같이 비난받아야 하므로 결과적 운의 존재도 부정된다. 실패한 화가를 더 비난하는 '상식'이 통용*되는 것은 화가의 무책임한 행위가 그가 실패했을 때보다 성공했을 때 덜 부각되기 때문이다.

알아두자! 궁금한 어휘

*성품(性品): 사람의 성질이나 됨됨이.

*통제(統制): 일정한 방침이나 목적에 따라 행위를 제한하거나 제약함.

*공평(公平): 어느 쪽으로도 치우치지 않고 고름.

*난점(難點): 곤란한 점.

*통용(通用): 일반적으로 두루 씀.

1. ⓐ~ⓔ의 사전적 의미로 적절하지 않은 것은?

① ⓐ: 기초가 되는 바탕. 또는 사물의 토대.

② ⓑ: 어떤 사항을 논제로 삼아 제기하거나 논의함.

③ ⓒ: 자신과 직접적 관계가 없는 일에 끼어듦.

④ ⓓ: 알맞게 이용하거나 어떤 상황에 맞추어 씀.

⑤ ⓔ: 어떤 대상이 지닌 가치를 깎아내림.

다 다의어 동 동음이의어 더 더 알아 둘 어휘

기반
基 터 **기** / 盤 소반 **반**

기초가 되는 바탕. 또는 사물의 토대.

예 생활의 기반을 다지다.

더 **기틀**: 어떤 일의 가장 중요한 계기나 조건.

더 **초석(礎石)**: 어떤 사물의 기초를 비유적으로 이르는 말.

거론
擧 들 **거** / 論 논의할 **론**

어떤 사항을 논제로 삼아 제기하거나 논의함.

예 그 문제에 대해서는 더 이상 거론하지 않기로 하였다.

개입
介 끼일 **개** / 入 들 **입**

자신과 직접적인 관계가 없는 일에 끼어듦.

예 두 사람 사이의 일에 제삼자가 개입해서는 안 된다.

더 **간섭(干涉)**: 직접 관계가 없는 남의 일에 부당하게 참견함.

더 **간여(干與)**: 어떤 일에 간섭하여 참여함.

더 **관여(關與)**: 어떤 일에 관계하여 참여함.

국한
局 판 **국** / 限 한계 **한**

범위를 일정한 부분에 한정함.

예 환경 오염은 도시에만 국한된 문제가 아니다.

더 **적용(適用)**: 알맞게 이용하거나 맞추어 씀.

더 **한정(限定)**: 수량이나 범위 따위를 제한하여 정함. 또는 그런 한도.

폄하
貶 떨어트릴 **폄** / 下 아래 **하**

가치를 깎아내림.

예 작가의 나이가 어리다는 이유로 그 작품을 함부로 폄하해서는 안 된다.

더 **폄훼(貶毁)**: 남을 깎아내려 헐뜯음.

헷갈리는 단어, 홀로 사전 찾기로 더 확실하게 CHECK!

단어	뜻

STEP 2 정답 1. ④ '국한'은 '범위를 일정한 부분에 한정함.'의 의미를 가지고 있다. '알맞게 이용하거나 어떤 상황에 맞추어 씀.'은 '적용'의 사전적 의미이다.

다음 글을 읽고 물음에 답하시오.

• 2016학년도 6월 모평A

도덕 실재론에서는 도덕적 판단과 도덕적 진리를 과학적 판단 및 과학적 진리와 마찬가지라고 본다. 즉 과학적 판단이 '참' 또는 '거짓'을 ⓐ판정할 수 있는 명제를 나타내고 이때 참으로 판정된 명제를 과학적 진리라고 부르는 것처럼, 도덕적 판단도 참 또는 거짓으로 판정할 수 있는 명제를 나타내고 참으로 판정된 명제가 곧 도덕적 진리라고 규정하는 것이다. 그런데 도덕 실재론에서 주장하듯, '도둑질은 옳지 않다'가 도덕적 진리라면, 그것이 참임을 판정하기 위해서는 도덕적으로 옳지 않음이라는 객관적*으로 실재하는 성질을 도둑질에서 찾아낼 수 있어야 한다.

한편 정서주의에서는 어떤 도덕적 행위에 대해 도덕적으로 옳음이나 도덕적으로 옳지 않음이라는 성질은 객관적으로 존재하지 않는 것이고 도덕적 판단도 참 또는 거짓으로 판정되는 명제를 나타내지 않는다. 따라서 정서주의에서는 '옳다' 혹은 '옳지 않다'는 도덕적 판단을 내리지만 도덕 실재론과 달리 과학적 진리와 같은 도덕적 진리는 없다는 입장을 보인다. 그렇다면 정서주의에서는 옳음이나 옳지 않음의 의미를 무엇으로 볼까? 도둑질과 같은 구체적인 행위에 대한 감정과 태도가 곧 옳음과 옳지 않음이라고 한다. 즉 '도둑질은 옳다'는 판단은 도둑질에 대한 승인 감정을 표현한 것이고, '도둑질은 옳지 않다'는 판단은 도둑질에 대한 ⓑ부인 감정을 표현한 것으로 이해한다.

(중략)

또한 옳음과 옳지 않음의 의미를 승인 감정과 부인 감정의 표현으로 이해하는 정서주의에 따르면 사람들 간의 도덕적 판단의 차이도 간단하게 설명할 수 있다. 윤리적인 문제에 대해 서로 ⓒ합의하지 못하는 의견 차이에 대해서도 굳이 어느 한 쪽 의견이 틀렸기 때문이라고 말할 필요가 없이 서로 감정과 태도가 다를 뿐이라고 설명할 수 있다. 이런 설명은 도덕적 판단의 차이로 인한 극단적인 대립*을 피할 수 있게 해 준다는 점에서 의의가 있다.

하지만 옳음과 옳지 않음을 감정과 동일시하는 정서주의에도 몇 가지 문제점이 ⓓ제기될 수 있다. 첫째, 감정이 변할 때마다 도덕적 판단도 변한다고 해야 하지만, 도덕적 판단은 수시로* 바뀌지 않는다. 둘째, 감정은 아무 이유 없이 변할 수 있지만 도덕적 판단은 뚜렷한 근거 없이 바뀔 수 없다. 셋째, 감정이 없다면 '도덕적으로 옳음'과 '도덕적으로 옳지 않음'도 없다고 해야 하지만, '도덕적으로 옳음'과 '도덕적으로 옳지 않음'이 없다는 것은 보편적 인식과 ⓔ배치된다.

알아두자! 궁금한 어휘

* 객관적(客觀的): 자기와의 관계에서 벗어나 제삼자의 입장에서 사물을 보거나 생각하는 것.
* 대립(對立): 의견이나 처지, 속성 따위가 서로 반대되거나 모순됨.
* 수시(隨時)로: 아무 때나 늘.

2. ⓐ~ⓔ의 사전적 뜻풀이로 옳지 않은 것은?

① ⓐ: 판별하여 결정함.
② ⓑ: 의논한 안건을 받아들이지 아니하기로 결정함.
③ ⓒ: 서로 의견이 일치함.
④ ⓓ: 의견이나 문제를 내어 놓음.
⑤ ⓔ: 서로 반대되어 어긋남.

다 다의어 동 동음이의어 더 더 알아 둘 어휘

판정
判 판가름할 **판** / 定 정할 **정**

판별하여 결정함.

예 심판의 판정에 따르다.

더 **판별(判別):** 옳고 그름이나 좋고 나쁨을 판단하여 구별함. 또는 그런 구별.

부인
否 아닐 **부** / 認 알 **인**

어떤 내용이나 사실을 옳거나 그러하다고 인정하지 아니함.

예 그는 잘못한 것을 부인하지는 않았다.

더 **부결(否決):** 의논한 안건을 받아들이지 아니하기로 결정함.

합의
合 합할 **합** / 意 뜻 **의**

서로 의견이 일치함. 또는 그 의견.

예 양국은 회담 개최에 합의했다.

더 **협의(協議):** 둘 이상의 사람이 서로 협력하여 의논함.

제기
提 끌 **제** / 起 일어날 **기**

의견이나 문제를 내어놓음.

예 실업률 증가가 심각한 사회 문제로 제기되고 있다.

더 **제언(提言):** 의견이나 생각을 내놓음. 또는 그 의견이나 생각.

배치
背 등 **배** / 馳 달릴 **치**

서로 반대로 되어 어그러지거나 어긋남.

예 그 일은 내 소신과 배치되는 것이었다.

동 **배치(排置):** 일정한 차례나 간격에 따라 벌여 놓음.

헷갈리는 단어, 홀로 사전 찾기로 더 확실하게 CHECK!

단어	뜻

STEP 2 정답 2. ② '부인'은 '어떤 내용이나 사실을 옳거나 그러하다고 인정하지 아니함.'이라는 의미로, '의논한 안건을 받아들이지 아니하기로 결정함.'은 '부결'의 사전적 의미이다.

검증 檢 검사할 **검** / 證 증거 **증**	검사하여 증명함. 철학에서는 어떤 명제의 참, 거짓을 사실에 비추어 검사하는 일을 의미함. 예 그 분이 총리 후보 자격이 있는지에 대해 검증할 추가 자료가 필요하다.
고증 考 생각할 **고** / 證 증거 **증**	예전에 있던 사물들의 시대, 가치, 내용 따위를 옛 문헌이나 물건에 기초하여 증거를 세워 이론적으로 밝힘. 예 도자기의 연대를 고증한 결과 이것은 고려 시대의 것으로 밝혀졌다.
논증 論 논할 **논** / 證 증거 **증**	옳고 그름을 이유를 들어 밝힘. 또는 그 근거나 이유. 예 기존의 이론으로는 이 가설을 논증할 수가 없었다.
명증 明 밝을 **명** / 證 증거 **증**	명백하게 증명함. 또는 명백한 증거. 예 나는 내 생각이 맞다는 것을 명증하기 위해 부단히 노력했다.
확증 確 굳을 **확** / 證 증거 **증**	확실히 증명함. 또는 그런 증거. 예 증거가 부족하여 그가 범인임을 확증할 수 없었다.

Q1 그 사극은 철저한 [   ] 과 개연성 있는 내용 전개로 큰 인기를 끌었다.

견해 見 볼 **견** / 解 풀 **해**	어떤 사물이나 현상에 대한 자기의 의견이나 생각. 예 개체화 현상에 대한 서로 다른 두 견해의 공통점과 차이점을 설명하였다.
관점 觀 볼 **관** / 點 점찍을 **점**	사물이나 현상을 관찰할 때, 그 사람이 보고 생각하는 태도나 방향 또는 처지. 예 인간에 대한 개념 규정은 관점에 따라 다양하다.
소견 所 바 **소** / 見 볼 **견**	어떤 일이나 사물을 살펴보고 가지게 되는 생각이나 의견. 예 나는 새롭게 제시된 안건에 대해 소견을 밝혔다.
의견 意 뜻 **의** / 見 볼 **견**	어떤 대상에 대하여 가지는 생각. 예 이번 회의에서 제시된 다양한 의견을 수렴하였다.

Q2 정부는 장기적인 [   ] 에서 유망 기업을 엄선해 지원해 주어야 한다.

결여 缺 이지러질 **결** / 如 같을 **여**	마땅히 있어야 할 것이 빠져서 없거나 모자람. 예 그에게는 성실성이 결여되어 있다.
결핍 缺 이지러질 **결** / 乏 모자랄 **핍**	있어야 할 것이 없어지거나 모자람. 예 체내에 산소가 결핍되면 생명이 위험해진다.
결함 缺 이지러질 **결** / 陷 빠질 **함**	부족하거나 완전하지 못하여 흠이 되는 부분. 예 그에게는 성격적 결함이 있다.
궁색 窮 다할 **궁** / 塞 막힐 **색**	아주 가난함. 예 사업에 실패한 그는 친구들 앞에서는 궁색을 드러내지 않으려 했다.
궁핍 窮 다할 **궁** / 乏 모자랄 **핍**	몹시 가난함. 예 그는 일 년 내내 궁핍한 생활에서 벗어나지 못했다.

Q3 이륙 직전 비행기 엔진에 심각한 (　　　　) 이/가 발견되어 잠시 운항이 중단되었다.

겸허 謙 겸손할 **겸** / 虛 빌 **허**	스스로 자신을 낮추고 비우는 태도가 있음. 예 각 당의 대변인들은 선거 결과를 겸허하게 받아들이겠다고 밝혔다.
공허 空 빌 **공** / 虛 빌 **허**	아무것도 없이 텅 비었거나, 실속이 없이 헛됨. 예 알맹이가 없는 공허한 글보다 내용이 충실한 글이 더 낫다.
허탈 虛 빌 **허** / 脫 벗을 **탈**	몸에 기운이 빠지고 정신이 멍함. 예 건강하던 몸과 마음이 완전히 균형을 잃고 허탈 상태에 빠졌다.
허황 虛 빌 **허** / 荒 거칠 **황**	헛되고 황당하며 미덥지 못하다. 예 그는 허황한 거짓말을 잘 한다.

Q4 그녀는 자신의 과거에 대해 아무 근거도 없는 (　　　　) 한 소문이 돌아다닌다는 이야기를 듣고는 코웃음을 쳤다.

STEP 3 정답 A1 고증 A2 관점 A3 결함 A4 허황

다음 글을 읽고 물음에 답하시오.

• 2014학년도 수능A

어머니는 조각마루 끝에 앉아 말이 없었다. 벽돌공장의 높은 굴뚝 그림자가 시멘트 담에 꺾어지며 좁은 마당을 덮었다. 동네 사람들이 골목으로 나와 뭐라고 소리치고 있었다. 통장은 그들 사이를 비집고 나와 방죽* 쪽으로 걸음을 옮겼다. 어머니는 식사를 끝내지 않은 밥상을 들고 부엌으로 들어갔다. 어머니는 두 무릎을 곧추세우고 앉았다. 그리고, 손을 들어 부엌 바닥을 한 번 치고 가슴을 한 번 쳤다. 나는 동사무소로 갔다. 행복동 주민들이 잔뜩 ㉠몰려들어 자기의 의견들을 큰 소리로 말하고 있었다. 들은 사람은 두셋밖에 안 되는데 수십 명이 거의 동시에 떠들어대고 있었다. 쓸데없는 짓이었다. 떠든다고 해결될 문제는 아니었다.

나는 바깥 게시판에 적혀 있는 공고문*을 읽었다. 거기에는 아파트 입주 절차와 아파트 입주를 포기할 경우 탈 수 있는 이주 보조금 액수 등이 적혀 있었다. 동사무소 주위는 시장바닥과 같았다. 주민들과 아파트 거간꾼들이 한데 ㉡뒤엉켜 이리 몰리고 저리 몰리고 했다. 나는 거기서 아버지와 두 동생을 만났다. 아버지는 도장포* 앞에 앉아 있었다. 영호는 내가 방금 물러선 게시판 앞으로 갔다. 영희는 골목입구에 세워놓은 검정색 승용차 옆에 서 있었다. 아침 일찍 일들을 찾아 나섰다가 철거 계고장*이 ㉢나왔다는 소리를 듣고 돌아온 것이었다. 누군들 이런 날 일을 할 수 있을까. 나는 아버지 옆으로 가 아버지의 공구들이 들어 있는 부대를 둘러메었다. 영호가 다가오더니 나의 어깨에서 그 부대를 내려 옮겨 메었다. 나는 자연스럽게 그것을 넘겨주면서 이쪽으로 걸어오는 영희를 보았다. 영희의 얼굴은 발갛게 상기되어 있었다. 몇 사람의 거간꾼*들이 우리를 ㉣둘러싸고 아파트 입주권을 팔라고 했다. 아버지가 책을 읽고 있었다. 우리는 아버지가 책을 읽는 것을 처음 보았다. 표지를 쌌기 때문에 무슨 책을 읽는지도 알 수 없었다. 영희가 허리를 굽혀 아버지의 손을 잡아끌었다. 아버지는 우리들의 얼굴을 물끄러미 쳐다보더니 자리를 털고 일어났다. "난장이가 간다"고 처음 보는 사람들이 말했다.

어머니는 대문 기둥에 붙어 있는 알루미늄 표찰*을 떼기 위해 식칼로 못을 뽑고 있었다. 내가 식칼을 받아 반대쪽 못을 뽑았다. 영호는 어머니와 내가 하는 일이 못마땅한 모양이었다. 그러나 마음에 드는 일이 우리에게 일어나 주기를 ㉤바랄 수는 없는 일이었다. 어머니는 무허가 건물 번호가 새겨진 알루미늄 표찰을 빨리 떼어 간직하지 않으면 나중에 괴로운 일이 생길 것이라는 것을 알고 있었다.

– 조세희, 「난장이가 쏘아 올린 작은 공」 –

알아두자! 궁금한 어휘

*방죽: 물이 밀려들어 오는 것을 막기 위하여 쌓은 둑.

*공고문(公告文): 널리 알리려는 의도로 쓴 글.

*도장포(圖章鋪): 도장을 돈을 받고 새겨 주는 가게.

*계고장(戒告狀): 행정상의 의무 이행을 재촉하는 내용을 담은 문서.

*거간(居間)꾼: 사고파는 사람 사이에 들어 흥정을 붙이는 일을 하는 사람.

*표찰(標札): 거주자의 성명을 써서 문 따위에 걸어 놓는 표.

1. 문맥상 ㉠~㉤과 바꿔 쓰기에 가장 적절한 것은?

① ㉠: 소집(召集)되어

② ㉡: 상종(相從)하여

③ ㉢: 출시(出市)되었다는

④ ㉣: 포위(包圍)하고

⑤ ㉤: 요청(要請)할

다 다의어 동 동음이의어 더 더 알아 둘 어휘

소집
召 부를 **소** / 集 모을 **집**

단체나 조직체의 구성원을 불러서 모음.

예 간부들을 소집하여 회사의 미래에 대해 의논했다.

상종
相 서로 **상** / 從 좇을 **종**

서로 따르며 친하게 지냄.

예 그 사람은 손버릇이 나빠 상종 못할 사람이다.

출시
出 날 **출** / 市 저자 **시**

상품이 시중에 나옴. 또는 상품을 시중에 내보냄.

예 새로운 전자기기 출시를 기념하는 행사가 열렸다.

더 **발부(發付)**: 증명서 따위를 발행하여 줌.

포위
包 꾸러미 **포** / 圍 에워쌀 **위**

주위를 에워쌈.

예 용의자가 경찰의 포위를 뚫고 달아나자 비상이 걸렸다.

요청
要 요긴할 **요** / 請 청할 **청**

필요한 어떤 일이나 행동을 청함.

예 나는 그의 간곡한 요청을 듣고 거절할 수 없었다.

더 **소망(所望)**: 어떤 일을 바람.

문학 TIP

산업화	생산 활동의 분업화와 기계화로 2차 · 3차 산업의 비율이 높아지는 현상과 그에 따른 사회, 문화 구조의 변화.
도시화	도시의 문화 형태가 도시 이외의 지역으로 발전 · 확대되는 현상

1970년대는 우리나라가 산업화 · 도시화를 겪으면서 경제적으로 엄청난 성장을 이룩하였던 시기라고 배운 적 있을 거야. 당시의 발전 속도는 물론 놀라운 것이었지만 그러한 성장의 이면에는 그로 인해 발생하게 된 다양한 사회적 문제들 역시 존재했어. 가장 대표적인 문제점으로는 경제적 성장과 발전만을 추구하는 과정에서 인간적인 가치와 윤리 의식에 대한 존중이 점차 희미해지기 시작했다는 점을 들 수 있지. 물질적인 가치가 다른 무엇보다 중시되면서 사람들 사이의 공동체적 유대감은 사라져가고, 그 자리를 개인주의, 이기주의 세태 등이 채우기 시작한 거야. 이러한 산업화 · 도시화의 물결에 적응하지 못한 이들은 결국 도시 빈민과 같은 소외 계층으로 전락하는 경우가 많았어.

STEP 1 정답 1. ④ '주위를 에워쌈.'의 의미를 가지고 있는 '포위하고'는 거간꾼들이 우리를 '둘러싸고' 있다는 말과 바꿔 쓰기에 적절하다.

유교(儒教)	중국의 공자가 창시했다고 보는 전통적인 학문을 종교적인 관점에서 이르는 말. 요(堯), 순(舜)으로부터 주공(周公)에 이르는 성인(聖人)을 이상으로 삼아 인(仁)*과 예(禮)*를 근본 개념으로 하여, 수신(修身)*에서 비롯하여 치국평천하(治國平天下)*에 이르는 실천을 그 중심 과제로 한다. *인: 공자가 주장한 유교의 도덕 또는 정치 이념. 윤리적인 모든 덕(德)의 기초로, 이것을 확산시켜 실천하면 이상적 상태에 도달할 수 있다고 봄. *예: 사람이 마땅히 지켜야 할 도리. *수신: 악을 물리치고 선을 북돋아서 마음과 행실을 바르게 닦아 수양함. *치국평천하: 나라를 잘 다스리고 온 세상을 평안하게 함.
도교(道教)	중국 선진(先秦) 시대 제자백가*의 하나. 노자와 장자의 허무, 염담(恬淡)*, 무위(無爲)*의 설을 받든 학파로, 만물의 근원으로서의 자연을 숭배하였다. *제자백가: 춘추 전국 시대의 여러 학파. *염담: 욕심이 없고 마음이 깨끗함. *무위: 자연에 따라 행하고 인위를 가하지 않는 것.
불교(佛教)	기원전 6세기경 인도의 석가모니가 창시한 후 동양 여러 나라에 전파된 종교. 이 세상의 고통과 번뇌를 벗어나 그로부터 해탈*하여 부처가 되는 것을 궁극적인 이상으로 삼는다. *해탈: 번뇌의 얽매임에서 풀리고 미혹의 괴로움에서 벗어남.

앞서 설명했듯 윤리는 사람으로서 마땅히 행하거나 지켜야 할 도리와 관련되어 있어. 앞부분에서 서양에서 윤리 사상에 어떻게 접근했는지 간단히 설명했으니, 이번에는 동양의 윤리 사상에 대해 간단하게 알아보도록 하자.

동양 윤리 사상은 세상을 하나의 살아 있는 생물처럼 보고 있어. 세계를 자연, 인간, 동물 등 세상에 존재하는 모든 것들이 아무 이유 없이 모인 결과가 아니라, 만물이 서로 영향을 끼치면서 더불어 살아가는 하나의 덩어리라고 본 거야. 따라서 동양 윤리는 기본적으로 사람이 만물과 조화를 이루면서 살아가야 한다고 보는 관점을 취해. 그러니 동양 윤리를 다루는 지문에서는 '사람'이나 '자연'을 어떻게 규정하고 있는지에 주목하는 것이 도움이 될 수 있어.

동양의 윤리 사상은 주로 중국의 유교와 도교, 그리고 인도의 불교를 중심으로 전개되었어. 그래서 동양 철학을 다루는 지문은 이 세 가지 사상에서 다루는 내용이나, 이로부터 파생된 학문과 관련된 경우가 많지. 일반적으로 유교 사상에서는 '인간'을 중심에 두고, 도덕적 경지를 이룬 인간인 '군자(君子)'가 되기 위해서는 어떤 수양을 해야 하는지에 관심을 가져. 도교는 '자연'과 '생명'에 관심을 가지며, 만물의 근원이자 법칙인 '도(道)'를 중요하게 여겨. 끝으로 불교에서는 '나'와 세상의 모든 존재가 서로 연결되어 있으며, 모든 생명이 소중하다는 진리를 깨달을 수 있도록 하는 것에 관심을 가져. 이때 시간의 흐름에 따라 각 사상의 주된 관심사나 목표가 조금씩 바뀌는 경우가 있을 수 있지만, 보다 세부적인 설명은 지문에서 직접 제시해 줄 테니까 걱정하지 않아도 돼!

참고로 '성리학'은 송나라 때에 유교가 불교와 도교의 사상을 비판적으로 수용하면서 등장한 학문이야. 성리학은 사람이 가지고 있는 본성과 만물을 통합적으로 설명하고자 했는데, 모든 만물은 자연의 다양한 재료를 의미하는 '기(氣)'와 자연 운행의 도리인 '이(理)'가 만나 생성된다고 보았지. 우리나라에 유교 의식이 사회적 규범의식으로 자리 잡은 것은 삼국 시대부터이고, 성리학이 도입된 것은 고려 말부터야. 조선의 유학자들은 성리학을 주체적으로 수용해서 도덕적인 이상 사회를 구현하기 위해 다양한 논의를 거듭했지. 이러한 논의들이 있었기에 우리나라의 성리학은 중국과 구분되는 학문적 성취를 이룰 수 있었던 거야.

정답 P. 194

DAY 04

지문을 통해 다시 읽어보기

• 2016학년도 6월 모평B

나비가 되어 자신조차 잊을 만큼 즐겁게 날아다니는 꿈을 꾸다 깨어난 장자(莊子)는 자신이 나비가 되는 꿈을 꾼 것인지 나비가 자신이 된 꿈을 꾸고 있는 것인지 의아해한다. 이 호접몽 이야기는 나를 잊은 상태를 묘사함으로써 '물아일체(物我一體)' 사상을 그 결론으로 제시하고 있다. 이 이야기 외에도 「장자」에는 '나를 잊는다'는 구절이 나오는 일화 두 편이 있다.

(중략)

다른 하나는 "스승님의 마음은 불 꺼진 재와 같습니다."라는 말을 제자에게 들은 남곽자기(南郭子綦)라는 사람이 "나는 나 자신을 잊었다."라고 대답한 이야기이다. 여기서 '나 자신'은 마음을 가리키며, 마음을 잊었다는 것은 불꽃처럼 마음속에 치솟던 분별 작용이 사라졌음을 뜻한다. 달리 말해, 이는 텅 빈 마음이 되었다는 말이며 흔히 명경지수(明鏡止水)의 비유로 표현되는 정적(靜寂)의 상태를 뜻한다. 이런 고요한 마음을 유지해야 천지만물을 있는 그대로 받아들일 수 있다.

(중략)

둘째 이야기에서는 세상을 기웃거리면서 시비를 따지려 드는 '편협한 자아'를 잊은 것이라고 볼 수 있다. 참된 자아를 잊은 채 대상에 탐닉하는 식으로 자아와 세계가 관계를 맺게 되면 그 대상에 꼼짝없이 종속되어 괴로움이 증폭된다고 장자는 생각한다. 한편 편협한 자아를 잊었다는 것은 편견과 아집의 상태에서 벗어나 세계와 자유롭게 소통하는 합일의 경지에 도달할 수 있음을 의미한다.

Q1 불 꺼진 재와 같은 마음의 소유자라면 만물과 자유롭게 소통하겠군.

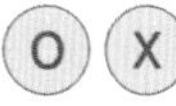

지문을 통해 다시 읽어보기

• 2010학년도 수능

조선 성리학자들은 '세계를 어떻게 바라보고, 자신이 추구하는 삶을 어떻게 실현할 것인가' 하는 문제와 관련하여 지(知)와 행(行)에 깊은 관심을 기울였다. 그들은 특히 도덕적 실천과 결부하여 지와 행의 문제를 다루었는데, 그 기본적인 입장은 '지행병진(知行竝進)'이었다. 그들은 지와 행이 서로 선후(先後)가 되어 돕고 의지하면서 번갈아 앞으로 나아가는 '상자호진(相資互進)' 관계에 있다고 생각했다. 또한 만물의 이치가 마음에 본래 갖추어져 있다고 여기고 도덕적 수양을 통해 그 이치를 찾고자 하였다.

18세기에 들어 일부 실학자들은 지행론에 대해 새롭게 접근하였다. 홍대용은 지와 행의 병진을 전제하면서도, 도덕적 수양 외에 사회적 실천의 측면에서 행을 바라보았다. 그는 이용후생의 중요성을 강조하여 민생을 풍요롭게 하는 데 관심을 기울였다. 그에게 지는 도덕 법칙만이 아닌 실용적인 지식을 포함하는 것이었으며, 행이 지보다 더욱 중요한 것이었다.

Q2 성리학자들은 만물의 이치가 외부 세계로부터 온다고 생각했다.

STEP 2 독서 독해 증진

다음 글을 읽고 물음에 답하시오.

• 2015학년도 9월 모평B

전국 시대(戰國時代)의 사상계가 양주(楊朱)와 묵적(墨翟)의 사상에 ⓐ경도되어 유학의 영향력이 약화되고 있다고 판단한 맹자(孟子)는 유학의 수호자를 자임*하면서 공자(孔子)의 사상을 계승하는 한편, 다른 학파의 사상적 도전에 맞서 유학 사상의 이론화 작업을 전개하였다. 그는 공자의 춘추 시대(春秋時代)에 비해 사회 혼란이 ⓑ가중되는 시대적 환경 속에서 사회 안정을 위해 특히 '의(義)'의 중요성을 강조하였다.

맹자는 '의'가 이익의 추구와 구분되어야 한다고 주장하였다. 이러한 입장에서 그는 사적*인 욕망으로부터 비롯된 이익의 추구는 개인적으로는 '의'의 실천을 가로막고, 사회적으로는 혼란을 야기한다고 보았다. 특히 작은 이익이건 천하의 큰 이익이건 '의'에 앞서 이익을 내세우면 천하는 필연적으로 상하 질서의 문란*이 초래될 것이라고 역설하였다. 그래서 그는 사회 안정을 위해 사적인 욕망과 ⓒ결부된 이익의 추구는 '의'에서 배제되어야 한다고 주장하였다.

맹자는 '의'의 실천을 위한 근거와 능력이 인간에게 갖추어져 있음을 ⓓ제시한 바탕 위에서, 이 도덕적 마음을 현실에서 실천하는 노력이 필요하다고 ⓔ역설하였다. 그는 본래 갖추고 있는 선한 마음의 확충*과 더불어 욕망의 절제*가 필요하다고 보았으며, 특히 생활에서 마주하는 사소한 일에서도 '의'를 실천해야 함을 강조하였다.

알아두자! 궁금한 어휘

*자임(自任): 임무를 자기가 스스로 맡음.

*사적(私的): 개인에 관계된 것.

*문란(紊亂): 도덕, 질서, 규범 따위가 어지러움.

*확충(擴充): 늘리고 넓혀 충실하게 함.

*절제(節制): 정도에 넘지 아니하도록 알맞게 조절하여 제한함.

1. ⓐ~ⓔ의 사전적 의미로 적절하지 않은 것은?

① ⓐ: 잘못 보거나 잘못 생각함.
② ⓑ: 책임이나 부담 등을 더 무겁게 함.
③ ⓒ: 일정한 사물이나 현상을 서로 연관시킴.
④ ⓓ: 어떠한 의사를 말이나 글로 나타내어 보임.
⑤ ⓔ: 자기의 뜻을 힘주어 말함.

다 다의어 동 동음이의어 더 더 알아 둘 어휘

어휘	뜻과 예문	더 알아 둘 어휘
경도 傾 기울 **경** / 倒 기울일 **도**	온 마음을 기울여 사모하거나 열중함. 예 특정 사관에 경도되면 부작용이 커질 수 있다.	더 **오인(誤認):** 잘못 보거나 잘못 생각함.
가중 加 더할 **가** / 重 무거울 **중**	부담이나 고통 따위를 더 크게 하거나 어려운 상태를 심해지게 함. 예 사회적 혼란의 가중으로 국력이 약해졌다.	
결부 結 맺을 **결** / 付 줄 **부**	일정한 사물이나 현상을 서로 연관시킴. 예 그 두 문제는 매우 밀접히 결부되어 있다.	더 **결합(結合):** 둘 이상의 사물이나 사람이 서로 관계를 맺어 하나가 됨.
제시 提 끌 **제** / 示 보일 **시**	어떠한 의사를 말이나 글로 나타내어 보임. 예 그는 매력적인 협상안을 제시하며 설득에 나섰다.	
역설 力 힘 **역** / 說 말씀 **설**	자기의 뜻을 힘주어 말함. 예 신임 사장은 물류 사업으로의 진출을 재창업의 계기로 삼아야 한다고 역설했다.	동 **역설(逆說):** 일반적으로는 모순을 야기하지 아니하나 특정한 경우에 논리적 모순을 일으키는 논증.

헷갈리는 단어, 홀로 사전 찾기로 더 확실하게 CHECK!

단어	뜻

STEP 2 정답 1. ① '사상에 경도되어'의 '경도'는 '온 마음을 기울여 사모하거나 열중함.'의 의미를 가지고 있다. '잘못 보거나 잘못 생각함.'은 '오인'의 사전적 의미이다.

다음 글을 읽고 물음에 답하시오.

• 2014학년도 9월 모평B

유학자들은 자신이 먼저 인격자*가 될 것을 강조하지만 궁극적*으로는 자신뿐 아니라 백성 또한 올바른 행동을 할 수 있도록 ㉠이끌어야 한다는 생각을 원칙으로 삼는다. 주희도 자신이 명덕*을 밝힌 후에는 백성들도 그들이 지닌 명덕을 밝혀 새로운 사람이 될 수 있도록 ㉡가르쳐야 한다고 본다. 백성을 가르쳐 그들을 새롭게 만드는 것이 바로 '신민(新民)'이다. 주희는『대학』을 새로 편찬*하면서 고본(古本)『대학』의 '친민'을 '신민'으로 ㉢고쳤다. '친(親)'보다는 '신(新)'이 '백성을 새로운 사람으로 만든다'는 취지*를 더 잘 표현한다고 보았던 것이다. 반면, 정약용은 친민을 신민으로 고치는 것은 옳지 않다고 본다. 정약용은 '친민'을 백성들이 효, 제, 자의 덕목을 실천하도록 이끄는 것이라 해석한다. 즉 백성들로 하여금 자식이 어버이를 사랑하여 효도하고 어버이가 자식을 사랑하여 자애의 덕행을 실천하도록 이끄는 것이 친민이다. 백성들이 이전과 달리 효, 제, 자를 실천하게 되었다는 점에서 새롭다는 뜻은 있지만 본래 글자를 고쳐서는 안 된다고 보았다.

주희와 정약용 모두 개인의 인격 완성과 인륜* 공동체의 실현을 이상으로 하였다. 하지만 그 이상의 실현 방법에 있어서는 생각이 달랐다. 주희는 개인이 마음을 어떻게 수양하여 도덕적 완성에 ㉣이를 것인가에 관심을 둔 반면, 정약용은 당대의 학자들이 마음 수양에 치우쳐 개인과 사회를 위한 구체적인 덕행의 실천에는 한 걸음도 나아가지 못하는 문제를 ㉤바로잡고자 하는 데 관심이 있었다.

알아두자! 궁금한 어휘

*인격자(人格者): 인격을 갖춘 사람.

*궁극적(窮極的): 더할 나위 없는 지경에 도달하는 것.

*명덕(明德): 사람의 마음에 있는 맑은 본성.

*편찬(編纂): 여러 가지 자료를 모아 체계적으로 정리하여 책을 만듦.

*취지(趣旨): 어떤 일의 근본이 되는 목적이나 긴요한 뜻.

*인륜(人倫): 군신 · 부자 · 형제 · 부부 따위에서 지켜야 할 도리.

2. 문맥상 ㉠~㉤과 바꿔 쓰기에 가장 적절한 것은?

① ㉠: 인도(引導)해야

② ㉡: 지시(指示)해야

③ ㉢: 개편(改編)했다

④ ㉣: 도착(到着)할

⑤ ㉤: 쇄신(刷新)하고자

다 다의어 동 동음이의어 더 더 알아 둘 어휘

인도
引 끌 **인** / 導 이끌 **도**

이끌어 지도함.

예 선생님의 인도로 시험을 성공적으로 치를 수 있었다.

더 **이끌다:** 사람, 단체, 사물, 현상 따위를 인도하여 어떤 방향으로 나가게 하다.

지시
指 가리킬 **지** / 示 보일 **시**

가리켜 보임.

예 그는 내가 걸어갈 길을 지시하여 주었다.

다 **지시(指示):** 일러서 시킴. 또는 그 내용.

더 **지도(指導):** 어떤 목적이나 방향으로 남을 가르쳐 이끎.

개편
改 고칠 **개** / 編 엮을 **편**

책이나 과정 따위를 고쳐 다시 엮음.

예 개편된 교육 과정에 따라 학습을 진행해야 한다.

더 **고치다:** 이름, 제도 따위를 바꾸다.

더 **수정(修訂)하다:** 글이나 글자의 잘못된 점을 고치다.

도착
到 다다를 **도** / 着 붙을 **착**

목적한 곳에 다다름.

예 우리는 출발한 지 세 시간 후에 목적지에 도착 예정이었다.

더 **이르다:** 어떤 정도나 범위에 미치다.

더 **도달(到達)하다:** 목적한 곳이나 수준에 다다르다.

쇄신
刷 쓸 **쇄** / 新 새로울 **신**

그릇된 것이나 묵은 것을 버리고 새롭게 함.

예 신임 회장은 효율적인 경영을 위해 조직 개편 및 인사 쇄신을 단행하였다.

더 **바로잡다:** 그릇된 일을 바르게 만들거나 잘못된 것을 올바르게 고치다.

헷갈리는 단어, 홀로 사전 찾기로 더 확실하게 CHECK!

단어	뜻

STEP 2 정답 2. ① '이끌다'는 '사람, 단체, 사물, 현상 따위를 인도하여 어떤 방향으로 나가게 하다.'의 의미를 가지고 있다. 이와 바꿔 쓰기에 가장 적절한 것은 '이끌어 지도하다.'의 의미를 가진 '인도하다'이다.

계도 啓 열 **계** / 導 인도할 **도**	남을 깨치어 이끌어 줌. 일깨움. 예 선생님의 계도로 학생들이 학업에 충실하게 되었다.
교도 敎 가르칠 **교** / 導 인도할 **도**	가르쳐서 이끎. 예 그는 오직 독서와 저술과 후생을 교도하는 일에 정열을 쏟았다.
교화 敎 가르칠 **교** / 化 될 **화**	가르치고 이끌어서 좋은 방향으로 나아가게 함. 예 불량 청소년들의 교화를 위해 힘썼다.
선도 善 착할 **선** / 導 인도할 **도**	올바르고 좋은 길로 이끎. 예 청소년을 올바르게 선도하다.

Q1 정부는 자동차 전용 도로에서 안전벨트를 착용하지 않는 행위와 관련된 새로운 규정을 6월 한 달 동안의 [   ] 기간을 거쳐 7월 1일부터 시행하기로 했다.

고려 考 생각할 **고** / 慮 생각 **려**	생각하고 헤아려 봄. 예 그 문제에 대한 결정은 아직 고려 중이다.
구상 構 얽을 **구** / 想 생각 **상**	앞으로 이루려는 일에 대하여 그 일의 내용이나 규모, 실현 방법 따위를 어떻게 정할 것인지 이리저리 생각함. 또는 그 생각. 예 그녀는 미국에 사는 한국인에 관한 영화를 구상 중이다.
궁리 窮 다할 **궁** / 理 다스릴 **리**	마음속으로 이리저리 따져 깊이 생각함. 또는 그런 생각. 예 궁리 끝에 생각해 낸 묘안이었다.
착안 着 붙을 **착** / 眼 눈 **안**	어떤 일을 주의하여 봄. 또는 어떤 문제를 해결하기 위한 실마리를 잡음. 예 이 장난감은 용수철의 원리에서 착안된 것이다.

Q2 실제 기체의 분자 자체 부피와 분자 사이의 인력에 의한 압력 변화를 [   ] 하여 이상 기체 상태 방정식을 보정하면 $P=RT/(V-b) - a/V^2$가 된다.

공모 公 공평할 **공** / 募 모을 **모**	일반에게 널리 공개하여 모집함. 예 새로 출시될 제품명 짓기 사내 공모에 참여하다.
모집 募 모을 **모** / 集 모을 **집**	사람이나 작품, 물품 따위를 일정한 조건 아래 널리 알려 뽑아 모음. 예 학교마다 우수한 학생을 모집하기 위해 노력한다.
선발 選 가릴 **선** / 拔 뽑을 **발**	많은 가운데서 골라 뽑음. 예 그는 이번 대표팀 선발에서 탈락하였다.
소집 召 부를 **소** / 集 모을 **집**	단체나 조직체의 구성원을 불러서 모음. 예 회장은 즉시 이사들을 소집하여 대책을 의논하였다.

Q3 정부는 태풍으로 인한 국민들의 피해를 최소화하기 위해 각 부처의 장들을 [　　　　] 하였다.

공시적 共 함께 **공** / 時 때 **시**	어떤 시기를 횡적으로 바라보는 것. 예 하나의 시대 상황만을 연구할 때에는 공시적 관점으로 바라봐야 한다.
세속적 世 인간 **세** / 俗 풍속 **속**	세상의 일반적인 풍속을 따르는. 예 그 작품의 주인공은 현실을 기반으로 하여 살아가는 세속적 인물들이다.
토속적 土 흙 **토** / 俗 풍속 **속**	그 지방의 특유한 풍속을 닮은. 예 우리나라의 토속적 종교라면 우리의 생리나 병리에 잘 맞을 것이다.
통속적 通 통할 **통** / 俗 풍속 **속**	일반에게 널리 통하고, 대중적이며 보편적인. 예 상품화된 통속적 연애 소설을 찾는 독자들이 늘어났다.
통시적 通 통할 **통** / 時 때 **시**	어떤 시기를 역사적으로 바라보는. 예 국어사의 관점에서 주격 조사의 형태 변화를 통시적으로 고찰해 보았다.

Q4 민속두부마을은 [　　　　] 인 분위기를 내기 위해 초가지붕에 볏짚 마감을 하고 벽면을 황토로 처리했으며 처마 끝에는 청사초롱을 매달아 시선을 모을 수 있게 했다.

STEP 3 정답 A1 계도 A2 고려 A3 소집 A4 토속적

[1~2] 다음 글을 읽고 물음에 답하시오.

• 2020학년도 9월 모평

지욱은 차츰 선생의 그런 신념*이 두려워지기 시작했다. 지욱의 이해와 능력으로는 감당할 수 없는 어떤 무거운 압박감이 그를 못 견디게 짓눌러 왔다. 믿음이 논리를 초월할 수도 있다고는 했지만 그러나 논리적인 이해가 불가능한 신념은 ⓐ맹목적인 아집*에 그칠 위험성이 있었다. 뿐만 아니라 그 자신감이 넘치고 있는 선생의 신념은 털끝만큼 한 자기 회의마저 용납을 하지 않고 있었다. ⓑ회의가 없는 신념은 맹목적인 자기 독단*에 흐를 위험 또한 큰 것이었다. 그리고 무엇보다도 그것은 지욱이 그에게 소망해 온 어떤 감동적인 자서전적 인물상으로는 치명적인 ⓒ결함일 수 있었다. 회의가 없는 자서전이야말로 영락없이 한 거인의 동상에 불과할 뿐이었다. 지욱이 최상윤의 신념을 두려워한 것은 그 자신 최상윤 선생에게서와 같은 어떤 의식의 경화* 현상을 싫어해 온 성격 이외에도, 그와 같은 위험성을 어슴푸레 느끼고 있었기 때문이다. 하나 그보다도 지욱이 더더욱 그 선생의 신념을 두려워한 것은 그의 너무나도 일사불란한 언동이나 생활 방식에서 오히려 어떤 씻을 수 없는 ⓓ가식의 냄새를 맡고 있었기 때문이다.

(중략)

"이거 아무리 맘에 없는 웃음을 팔아먹고 사는 무식쟁이라고 누구한테 지금 설교를 하려는 거야 뭐야, 건방지게. 그래 내가 지금 당신 같은 위인*의 신세 하소연이나 들자고 이런 델 찾아온 줄 알아? 그렇게 내가 한가한 사람으로 보이느냐 말야. 왜 내 일을 안 하겠다는 건지 그걸 말해 보라는 거야. 이유를……"

"아니, 그런 게 아니라 ……"

갑자기 반말 투로 윽박질러 오는 피문오 씨의 어조에 지욱은 새삼 가슴이 내려앉는 표정이었으나, 이미 ⓔ본색을 드러내기 시작한 피문오 씨의 행패*는 걷잡을 수가 없을 지경이었다.

"그게 아니라니? 아니 이거 당신 정말 이런 식으로 날 바보 취급하고 나설 테야? 당신 눈엔 정말로 내가 그렇게 얼렁뚱땅 되잖은 소리로도 그냥 넘어갈 것 같아 보인 모양이지? 그래, 뭐가 어째? 내 일을 하지 않게 된 게 내 탓이 아니구 당신의 그 알량한 양심 때문이라구? 내가 그래 그 알량한 당신의 양심에 들러리라도 서야 한다는 거야 뭐야. 업어치나 메치나 그게 그놈 아들놈 같은 소릴 가지고, 정 내게 ㉠말재간을 한번 부려 보고 싶어서 이래? 당신 눈엔 이 피문오가 그래 그만 ㉡말귀도 못 알아들을 바보 멍청이로만 보이느냔 말야? 내 아까부터 참자 참자 하다 보니 이 친구 아주 형편없이 맹랑한 데가 있는 작자로구만 그래."

피문오 씨는 이제 스스로도 분을 참을 수 없게 된 것 같았다. 벌건 얼굴에 튀어나올 듯 두 눈알을 부라려 대면서 장갑을 몰아쥔 한쪽 손을 피스톤처럼 마구 지욱의 턱 앞으로 내질러 대고 있었다.

지욱은 그만 기가 콱 질리고 말았다. ㉢무슨 말을 할래도 목이 말라 소리가 되어 나오질 않았다. 그는 부들부들 떨려 오는 두 다리를 간신히 버티고 선 채 절망적인 눈초리로 피문오 씨의 폭풍우 같은 수모를 고스란히 견디고 있었다.

알아두자! 궁금한 어휘

* **신념(信念)**: 굳게 믿는 마음.
* **아집(我執)**: 자기중심의 좁은 생각에 집착하여 다른 사람의 의견이나 입장을 고려하지 아니하고 자기만을 내세우는 것.
* **독단(獨斷)**: 남과 상의하지 않고 혼자서 판단하거나 결정함.
* **경화(硬化)**: 주장이나 의견, 태도, 사고방식 따위가 강경해짐.
* **위인(爲人)**: 됨됨이로 본 그 사람.
* **행패(行悖)**: 체면에 어그러지는 난폭한 짓을 버릇없이 함.

정답 P. 195

불현듯 최상윤 선생의 일이 이 처참스런 곤욕*을 견뎌 낼 수 있는 어떤 서광* 처럼 머릿속으로 떠올라 왔다. 최상윤 선생과의 약속이 그의 참을성에는 상당한 힘을 보태기 시작했다. 이런 자의 자서전 따윌 대필하려 했다니! 최상윤 선생과 같은 분에게조차 내 주관을 굽힐 수 없었던 이 지욱이 아닌가. 이런 자의 책을 쓰면서 그의 밑구멍을 핥느니 차라리 선생의 발밑에라도 나가 엎드려 선생의 신념을 찬미*함이 낫지 않으냐. 참자! 작자의 일을 피하자면 이쯤 굴욕은 즐거이 참아 넘기자. 참아서 넘겨야 한다 —

하지만 피문오 씨는 그 정도로는 물론 분통이 풀릴 수가 없는 모양이었다.

"어디 선생! ㉣말씀을 좀 해 보시라구. 아니 글에서는 그처럼 잘난 체 말이 많더니, 제 잘난 소리나 시부렁거릴 줄 알았지 선생도 남의 말을 알아듣는 덴 귀가 꽉 멀어 버리셨나. 왜 통 대답이 없으셔? 그렇담 내가 좀 더 수고를 해 주실까? 어째서 내 일을 하지 않게 되었느냐, 내 일을 하기가 싫어졌느냐…… 그 이율 좀 더 솔직하게 말해 달라 이거야. 이 무식한 놈도 좀 분명하게 알아듣고 납득이 가게끔 말씀이야. 알아들어? 그래도 못 알아들으시겠다면 ㉤내 좀 더 똑똑히 말을 해 줄까?"

묵묵히 입을 다물고 있는 지욱을 마음 내키는 대로 매도해 대다 말고 피문오 씨는 무슨 생각을 해 냈는지 갑자기 목을 잔뜩 가다듬었다. 그리고는 청승*맞도록 능청스런 목소리로 허공을 향해 외쳐 대기 시작했다.

"고장 난 시계나 라디오들 고칩시다아 — 채권 삽니다아 — 부서진 우산이나 빈 병 삽니다아 — 자서전이나 회고록들 쓰십시다아 —"

고저단속(高低斷續)을 적당히 조화시켜 가며 길게 외쳐 대고 난 피문오 씨가 이젠 좀 알아듣겠느냐는 듯 여유만만한 표정으로 지욱을 이윽히 건너다보았다.

– 이청준, 「자서전들 쓰십시다」 –

*곤욕(困辱): 심한 모욕.
*서광(瑞光): 상서로운 빛.
*찬미(讚美): 아름답고 훌륭한 것이나 위대한 것 따위를 기리어 칭송함.
*청승: 궁상스럽고 처량하여 보기에 언짢은 태도나 행동.

1. 문맥상 의미를 고려할 때, ㉠~㉤에 대한 설명으로 적절하지 않은 것은?

① ㉠: 피문오가 지욱의 말을 무시하고자 하는 경멸의 감정을 담고 있다.
② ㉡: 지욱에게서 무시당하고 있다고 여기는 피문오의 성난 감정을 담고 있다.
③ ㉢: 피문오에게서 수모를 당하는 지욱이 항변도 못하고 주눅이 든 상태를 나타낸다.
④ ㉣: 피문오가 지욱의 해명을 요구하면서 닦달하고 있음을 나타낸다.
⑤ ㉤: 침묵하는 지욱에게 피문오가 자신에 대한 의구심을 풀 것을 독촉하고 있음을 나타낸다.

2. ⓐ~ⓔ의 사전적 의미로 적절하지 않은 것은?

① ⓐ: 주관이나 원칙이 없이 덮어놓고 행동하는 것.
② ⓑ: 의심을 품음.
③ ⓒ: 조심하지 아니하여 잘못함.
④ ⓓ: 말이나 행동 따위를 거짓으로 꾸밈.
⑤ ⓔ: 본디의 특색이나 정체.

[3~4] 다음 글을 읽고 물음에 답하시오.

• 2019학년도 9월 모평

근대 도시의 삶의 양식은 많은 학자들의 관심을 끌어 왔다. 오랫동안 지배적* 인 관점으로 받아들여진 것은 삶의 양식 중 노동 양식에 주목하는 생산학파의 견해였다. 생산학파는 산업 혁명*을 통해 근대 도시 특유의 노동 양식이 형성되는 점에 관심을 기울였다. 그들은 우선 새로운 테크놀로지를 갖춘 근대 생산 체제가 대규모의 노동력을 각지로부터 도시로 끌어 모으는 현상에 주목했다. 또한 다양한 습속을 지닌 사람들이 어떻게 대규모 기계의 리듬에 맞추어 획일적*으로 움직이는 노동자가 되는지 탐구했다. 예를 들어, 미셸 푸코는 노동자를 집단 규율에 맞춰 금욕 노동을 하는 유순한 몸으로 만들어 착취하기 위해 어떤 훈육 전략이 동원*되었는지 연구하였다. 또한 생산학파는 노동자가 기계화된 노동으로 착취당하는 동안 감각과 감성으로 체험하는 내면세계를 상실하고 사물로 전락했다고 고발하였다. 이렇게 보면 근대 도시는 어떠한 쾌락과 환상도 끼어들지 못하는 거대한 생산 기계인 듯하다.

이에 대하여 소비학파는 근대 도시인이 내면세계를 상실한 사물로 전락한 것은 아니라고 하면서 생산학파를 비판하기 시작했다. 예를 들어, 콜린 캠벨은 금욕주의 정신을 지닌 청교도들조차 소비 양식에서 자기 환상적 쾌락주의를 가지고 있었다고 주장하였다. 결핍을 충족시키려는 욕망과 실제로 욕망이 충족된 상태 사이에는 시간적 간극이 존재할 수밖에 없다. 그런데 근대 도시에서는 이 간극*이 좌절이 아니라 오히려 욕망이 충족된 미래 상태에 대한 주관적 환상을 자아낸다. 생산학파와 달리 캠벨은 새로운 테크놀로지의 발달 덕분에 이런 환상이 단순한 몽상이 아니라 실현 가능한 현실이 될 것이라는 기대를 불러일으킨다고 보았다. 그는 이런 기대가 쾌락을 유발하여 근대 소비 정신을 북돋웠다고 긍정적으로 평가했다.

근래 들어 노동 양식에 주목한 생산학파와 소비 양식에 주목한 소비학파의 입장을 ⓐ<u>아우르려는</u> 연구가 진행되고 있다. 일찍이 근대 도시의 복합적 특성에 주목했던 발터 벤야민은 이러한 연구의 선구자* 중 한 명으로 재발견되었다. 그는 새로운 테크놀로지의 도입이 노동의 소외*를 심화한다는 점은 인정하였다. 하지만 소비 행위의 의미가 자본가에게 이윤을 ⓑ<u>가져다주는</u> 구매 행위로 축소될 수는 없다고 생각했다. 소비는 그보다 더 복합적인 체험을 가져다주기 때문이다. 벤야민은 이런 사실을 근대 도시에 대한 탐구를 통해 설명한다. 근대 도시에서는 옛것과 새것, 자연적인 것과 인공적인 것 등 서로 다른 것들이 병치*되고 뒤섞이며 빠르게 흘러간다. 환상을 자아내는 다양한 구경거리도 근대 도시 곳곳에 등장했다. 철도 여행은 근대 이전에는 정지된 이미지로 체험되었던 풍경을 연속적으로 이어지는 파노라마로 체험하게 만들었다. 또한 유리와 철을 사용하여 만든 상품 거리인 아케이드는 안과 밖, 현실과 꿈의 경계가 모호해지는* 체험을 가져다주었다. 벤야민은 이러한 체험이 근대 도시인에게 충격을 가져다준다고 보았다. 또한 이러한 충격 체험을 통해 새로운 감성과 감각이 일깨워진다고 말했다.

벤야민은 근대 도시의 복합적 특성이 영화라는 새로운 예술 형식에 드러난다

알아두자! 궁금한 어휘

* **지배적(支配的)**: 매우 우세하거나 주도적인 것.
* **산업 혁명(産業革命)**: 18세기 후반부터 약 100년 동안 유럽에서 일어난 생산 기술과 그에 따른 사회 조직의 큰 변화.
* **획일적(劃一的)**: 모두가 한결같아서 다름이 없는 것.
* **동원(動員)**: 어떤 목적을 달성하고자 사람을 모으거나 물건, 수단, 방법 따위를 집중함.
* **간극(間隙)**: 두 가지 사건, 두 가지 현상 사이의 틈.
* **선구자(先驅者)**: 어떤 일이나 사상에서 다른 사람보다 앞선 사람.
* **소외(疏外)**: 어떤 무리에서 기피하여 따돌리거나 멀리함.
* **병치(竝置)**: 두 가지 이상의 것을 한곳에 나란히 두거나 설치함.
* **모호(模糊)하다**: 말이나 태도가 흐리터분하여 분명하지 않다.

정답 P. 196

고 주장했다. 19세기 말에 등장한 신기한 구경거리였던 영화는 벤야민에게 근대 도시의 작동 방식과 리듬에 상응하는 매체다. 영화는 조각난 필름들이 일정한 속도로 흘러가면서 움직임을 만들어 낸다는 점에서 공장에서 컨베이어 벨트가 만들어 내는 기계의 리듬을 ⓒ떠올리게 한다. 또한 관객이 아닌 카메라라는 기계 장치 앞에서 연기를 해야 하는 배우나 자신의 전문 분야에만 참여하는 스태프는 작품의 전체적인 모습을 파악하기 어렵다. 분업화로 인해 노동으로부터 소외되는 근대 도시인의 모습이 영화 제작 과정에서도 드러나는 것이다. 하지만 동시에 영화는 일종의 충격 체험을 통해 근대 도시인에게 새로운 감성과 감각을 불러일으키는 매체이기도 하다. 예측 불가능한 이미지의 연쇄*로 이루어진 영화를 체험하는 것은 이질적인 대상들이 복잡하고 불규칙하게 뒤섞인 근대 도시의 일상 체험과 유사하다. 서로 다른 시 · 공간의 연결, 카메라가 움직일 때마다 변화하는 시점, 느린 화면과 빠른 화면의 교차 등 영화의 형식 원리는 ㉮정신적 충격을 발생시킨다. 영화는 보통 사람의 육안이라는 감각적 지각의 정상적 범위를 넘어선 체험을 가져다준다. 벤야민은 이러한 충격 체험을 환각, 꿈의 체험에 ⓓ빗대어 '시각적 무의식'이라고 불렀다. 관객은 영화가 제공하는 시각적 무의식을 체험함으로써 일상적 공간에 대해 새로운 의미를 발견하게 된다. 영화관에 모인 관객은 이런 체험을 집단적으로 공유하면서 동시에 개인적인 꿈의 세계를 향유*한다.

근대 도시와 영화의 체험에 대한 벤야민의 견해는 생산학파와 소비학파를 포괄할 수 있는 이론적 단초*를 제공한다. 벤야민은 근대 도시인이 사물화된 노동자이지만 그 자체로 내면세계를 지닌 꿈꾸는 자이기도 하다는 사실을 보여 준다. 벤야민이 말한 근대 도시는 착취의 사물 세계와 꿈의 주체 세계가 교차하는 복합 공간이다. 이렇게 벤야민의 견해는 근대 도시에 대한 일면적*인 시선을 ⓔ바로잡는 데 도움을 준다.

*연쇄(連鎖): 사물이나 현상이 사슬처럼 서로 이어져 통일체를 이룸.

*향유(享有): 누리어 가짐.

*단초(端初): 일이나 사건을 풀어 나갈 수 있는 첫머리.

*일면적(一面的): 한 방면으로 치우치는 것.

3. ㉮에 대한 이해로 적절하지 않은 것은?

① 관객에게 새로운 감성과 감각을 불러일으킨다.
② 영화가 다루고 있는 독특한 주제에서 발생한다.
③ 근대 도시의 일상 체험에서 유발되는 충격과 유사하다.
④ 촬영 기법이나 편집 등 영화의 형식적 요소에 의해 관객에게 유발된다.
⑤ 육안으로 지각 가능한 범위를 넘어서는 영화적 체험으로부터 발생한다.

4. 문맥상 ⓐ~ⓔ와 바꿔 쓰기에 가장 적절한 것은?

① ⓐ: 봉합(縫合)하려는
② ⓑ: 보증(保證)하는
③ ⓒ: 연상(聯想)하게
④ ⓓ: 의지(依支)하여
⑤ ⓔ: 개편(改編)하는

[5~6] 다음 글을 읽고 물음에 답하시오.

• 2016학년도 9월 모평B

기술이 급속하게 발달함에 따라 인간의 삶은 더욱 여유롭고 의미 있는 것으로 될 것인가, 아니면 더욱 바쁘고 의미 없는 것으로 전락*할 것인가? '사색적 삶'과 '활동적 삶'을 대비하여 사회 변화를 이해하는 방식은 이런 물음의 답을 구하는 데 도움이 된다.

최초로 인간의 삶을 사색적 삶과 활동적 삶으로 구분한 사람은 아리스토텔레스이다. 그는 진리, 즐거움, 고귀함을 ⓐ추구하는 사색적 삶의 영역이 생계를 위한 활동적 삶의 영역보다 상위에 있다고 보았다. 이러한 인식은 근대 이전의 오랜 역사 속에서 사회 질서의 기본 원리로 자리 잡아 왔다.

근대에 접어들어 과학 혁명과 청교도 윤리의 등장으로 활동적 삶과 사색적 삶에 대한 인식은 달라지기 시작했다. 16, 17세기 과학 혁명으로 실험 정신과 경험적 지식이 중시되면서 사색적 삶의 영역에 속한 과학적 탐구와 활동적 삶의 영역에 속한 기술 사이의 거리가 좁혀졌다. 또한 직업을 신의 소명*으로 이해하고, 근면과 ⓑ검약에 의한 개인의 성공을 구원의 징표로 본 청교도 윤리는 생산 활동과 부의 축적에 대한 부정적 인식을 불식*하는 계기가 되었다. 이로써 활동적 삶과 사색적 삶이 대등한 위상*을 갖게 된 것이다.

18, 19세기 산업 혁명을 계기로 활동적 삶은 사색적 삶보다 중요성이 더 커지게 되었다. 생산 기술에 과학적 지식이 ⓒ응용되고 기계의 사용이 본격화*되면서 기계의 속도에 기초하여 노동 규율이 확립되었고, 인간의 삶은 시간적 규칙성을 따르도록 재조직되었다. 나아가 시간이 관리의 대상으로 부각되면서 시간-동작 연구를 통해 가장 효율적인 작업 동선(動線)을 ⓓ모색했던 테일러의 과학적 관리론은 20세기 초부터 생산 활동을 합리적으로 조직하는 중요한 원리로 자리 잡았다. 이로써 두뇌에 의한 노동과 근육에 의한 노동이 분리되어 인간의 육체노동이 기계화되는 결과가 초래되었다. 또한 과학을 기술 개발에 활용하기 위한 시스템이 요구되어 공학, 경영학 등의 실용 학문과 산업체 연구소들이 출현하였다. 이는 전통적으로 사색적 삶의 영역에 속했던 진리 탐구마저 활동적 삶의 영역에 속하는 생산 활동의 논리에 ⓔ포섭되었음을 단적으로 보여 준다.

이처럼 산업 혁명 이후 기계 문명이 발달하고 그에 힘입어 자본주의 시장 메커니즘이 사회를 전면적으로 지배하게 됨에 따라 근면*과 속도가 강조되었다. 활동적 삶이 지나치게 강조된 데 대한 반작용*으로, '의미 없는 부지런함'이 만연해진 세태에 대한 비판의 목소리가 나타나 성찰에 의한 사색적 삶의 중요성을 역설하기도 하였다.

이제 20세기 말 정보화와 세계화를 계기로 시간적·공간적 거리가 압축되어 세계가 동시적 경험이 가능한 공간으로 인식되면서 인간의 삶은 이전과 크게 달라졌다. 기술의 비약적 발달로 의식주 등 생활의 기본 욕구는 충족되었지만, 현대인들은 더욱 다양해진 욕구와 성취 욕망을 충족하기 위해 스스로를 소진하고 있다. 경쟁이 세계로 확대됨에 따라 사람들이 타인과의 경쟁에서 이기는 동시에 자신의 능력을 극한으로 끌어올리기 위해 스스로를 끝없이 몰아세울 수밖에 없

알아두자! 궁금한 어휘

* **전락(轉落)**: 나쁜 상태나 타락한 상태에 빠짐.
* **소명(召命)**: 사람이 하나님의 일을 하도록 하나님의 부르심을 받는 일.
* **불식(拂拭)**: 먼지를 떨고 훔친다는 뜻으로, 의심이나 부조리한 점 따위를 말끔히 떨어 없앰을 이르는 말.
* **위상(位相)**: 어떤 사물이 다른 사물과의 관계 속에서 가지는 위치나 상태.
* **본격화(本格化)**: 본격적이 됨.
* **근면(勤勉)**: 부지런히 일하며 힘씀.
* **반작용(反作用)**: 어떤 움직임에 대하여 그것을 거스르는 반대의 움직임이 생겨남.

정답 P. 196

는 내면화된 강박*증에 시달리고 있는 것이다. 결국 기술의 발달이 인간의 삶을 여유롭고 의미 있는 것으로 만들어 줄 것이라는 기대와 달리, 사색적 삶은 설 자리를 잃고 활동적인 삶이 폭주하게 된 것이다.

*강박(強迫): 어떤 생각이나 감정에 사로잡혀 심리적으로 심하게 압박을 느낌.

5. 윗글을 이해한 내용으로 가장 적절한 것은?

① 아리스토텔레스는 생존을 위한 필요에서 비롯된 생산 활동이 사색적 삶보다 더 중요하다고 보았다.
② 과학 혁명의 시대에는 활동적 삶의 위상이 사색적 삶의 위상보다 높았다.
③ 청교도 윤리는 성공과 부를 추구하는 태도에 대한 부정적인 인식을 심화시켰다.
④ 시간-동작 연구는 인간의 노동이 두뇌노동과 근육노동으로 분리되는 데 영향을 주었다.
⑤ 공학, 경영학 등의 실용 학문은 기술을 과학에 활용하기 위해 출현했다.

6. ⓐ~ⓔ의 사전적 의미로 적절하지 않은 것은?

① ⓐ: 목적을 이룰 때까지 뒤쫓아 구함.
② ⓑ: 돈이나 물건, 자원 따위를 낭비하지 않고 아껴 씀.
③ ⓒ: 어떤 이론이나 지식을 다른 분야의 일에 적용하여 이용함.
④ ⓓ: 일이나 사건 따위를 해결할 수 있는 방법이나 실마리를 더듬어 찾음.
⑤ ⓔ: 어떤 대상을 너그럽게 감싸 주거나 받아들임.

헷갈리는 단어, 홀로 사전 찾기로 더 확실하게 CHECK!

단어	뜻

DAY 06 STEP 1 문학 독해 증진

다음 글을 읽고 물음에 답하시오.

• 2019학년도 수능

"신이 무인년에 북경에 잡혀가다가 중간에 도망한 죄는 만사무석이오나, 대명(大明)*과 함께 호왕*을 베어 병자년 원수를 갚고 세자와 대군을 모셔오고자 하였더니, 간인에게 속아 북경에 잡혀갔다가 천행*으로 살아 돌아옵더니, 의주(義州)에서 잡혀 아무 ⓐ연고인 줄 알지 못하옵고 오늘을 당하와 천안(天顔)을 뵈오니 이제 죽어도 한이 없사옵니다."

상이 들으시고 대경하사 신하더러 왈,

"경업을 무슨 죄로 잡아온고?"

하시고 자점을 패초(牌招)*하사 실사를 물으시니, 자점이 속이지 못하여 주왈,

"경업이 역적이옵기로 잡아 가두고 계달코자 하였나이다."

경업이 ⓑ대로하여 고성대매 왈,

"이 몹쓸 역적아! 들으라. 벼슬이 높고 국록*이 족하거늘 무엇이 부족하여 모반할* 마음을 두어 나를 해코자 하느뇨?"

자점이 듣고 무언*이거늘, 상이 노하여 왈,

"경업은 삼국의 유명한 장수요, 또한 만고충신이거늘 네 무슨 일로 죽이려 하느뇨?"

하시고,

"자점과 함께한 자를 금부*에 가두고 경업은 물러가 쉬게 하라."

하시다.

경업이 ⓒ사은하고 퇴궐할새, 자점은 궐문 밖에 나와 심복 수십 명을 매복하였다가, 경업이 나옴을 보고 불시에 달려들어 난타하니, 경업이 아무리 용맹한들 손에 촌철이 없는지라. 여러 번 맞아 중상하매 자점이 용사들을 분부하여 경업을 옥에 가두고 금부로 가니라.

이때 대군이 시자(侍者)더러 문왈,

"임 장군이 입성하였으나 지금 어디 있느뇨?"

시자가 대왈,

"소인 등은 모르나이다."

대군이 의심하여 바삐 입궐하여 경업의 거처를 묻되, 상이 수말을 이르시니 대군이 주왈,

"자점이 이런 만고충신을 해하려 하오니 이는 역적이라. 엄치하소서."

하고, 명일*을 기다려 친히 경업을 가 보려 하시더라.

차시, 경업이 자점에게 매를 많이 받아 천명이 ⓓ진하게 되매 분기대발하여 신음하다 죽으니, 시년 사십팔 세요, 기축(己丑) 9월 26일이라.

(중략)

하고 울며 가거늘, 상이 놀라 깨달으시니 경업이 앞에 있는 듯 한지라. 상이 슬픔을 이기지 못하시고 날이 밝으매 자점을 올려 국문하시니*, 자점이 자복하여 역심을 품은 일과 경업을 ⓔ모해한 일을 승복하거늘, 상이 노하여 자점의 삼족을 다 내어,

– 작자 미상, 「임장군전」 –

*패초: 임금이 승지를 시켜 신하를 부름.

알아두자! 궁금한 어휘

*대명(大明): 중국의 명나라를 높여 이르던 말.

*호왕(胡王): 오랑캐 나라의 왕.

*천행(天幸): 하늘이 준 큰 행운.

*국록(國祿): 나라에서 주는 녹봉.

*모반(謀叛)하다: 자기 나라를 배반하고 남의 나라를 좇기를 꾀하다.

*무언(無言): 말이 없음.

*금부(禁府): 조선 시대에, 임금의 명령을 받들어 중죄인을 신문하는 일을 맡아 하던 관아.

*명일(明日): 오늘의 바로 다음 날.

*국문(鞠問)하다: 관아에서 형장(刑杖)을 가하여 중죄인을 신문하다.

1. ⓐ~ⓔ의 문맥적 의미를 활용하여 만든 문장으로 적절하지 않은 것은?

① ⓐ: 아무 연고도 없는 타지 생활은 쉽지 않았다.
② ⓑ: 아버지께서는 형의 철없는 행동을 들으시고 대로하셨다.
③ ⓒ: 1층에서 고객 사은 행사가 진행 중이다.
④ ⓓ: 기력이 진하여 더 이상 움직일 수 없었다.
⑤ ⓔ: 그 사람을 모해하려는 속셈임에 틀림없었다.

다 다의어 동 동음이의어 더 더 알아 둘 어휘

연고
緣 인연 **연** / 故 옛 **고**

일의 까닭.(=사유(事由)).
예 그는 무슨 연고로 이 일이 시작되었는지 의문이었다.

다 **연고(緣故)**: 혈통, 정분, 법률 따위로 맺어진 관계.

대로
大 큰 **대** / 怒 성낼 **로**

크게 화를 냄.
예 할아버지는 아이의 버릇없는 행동을 보고 대로하여 고함을 지르셨다.

사은
謝 사례할 **사** / 恩 은혜 **은**

받은 은혜에 대하여 감사히 여겨 사례함.
예 추석맞이 사은 행사를 기획 중이다.

진하다
盡 다할 **진**

다하여 없어지다.
예 기운이 진하여서야 아이는 울음을 그쳤다.

모해
謀 꾀할 **모** / 害 해로울 **해**

꾀를 써서 남을 해침.
예 누군가를 모해할 계략을 세우고 있었다.

더 **모함(謀陷)**: 나쁜 꾀로 남을 어려운 처지에 빠지게 함.
더 **음해(陰害)**: 몸을 드러내지 아니한 채 음흉한 방법으로 남에게 해를 가함.

문학 TIP 고전소설 속 중국의 신분, 관직 (1)

황제(皇帝), 천자(天子), 상(上)	주권자(최고의 권력을 가진 자)	상서(尙書)	장관급의 직위
태후(太后)	황제의 모친	대사도(大司徒)	나라의 토지를 관장하던 벼슬
황후(皇后)	황제의 부인	시랑(侍郞)	차관급의 직위
태자(太子)	황제의 장남	평장사(平章事)	정이품 벼슬
부마(駙馬)	황제의 사위	한림학사(翰林學士)	현 대통령 비서실장
승상(丞相)	국무총리급의 직위	소부(少傅)	종이품 벼슬

STEP 1 정답 1. ① '아무 연고인 줄 알지 못하옵고'의 '연고'는 '일의 까닭'을 의미하는 것으로, ①에서 '혈통, 정분, 법률 따위로 맺어진 관계'의 의미로 사용된 '연고'와는 문맥적 의미가 다르다.

물가(物價)	물건의 값. 여러 가지 상품이나 서비스의 가치를 종합적이고 평균적으로 본 개념.
GDP (Gross Domestic Product)	국내총생산. GNP(국민총생산)에서 해외로부터의 순소득을 뺀 것이며, 어느 한 나라의 순전한 국내 경제 활동의 지표로 쓰여짐.
금리(金利)	원금에 지급되는 기간당 이자를 비율로 표시한 것으로, 같은 의미로 '이자율'이라는 표현을 사용하기도 함.

사람들은 누구나 일상생활에서 다양한 상품을 구매하면서 살아가고 있어. 그런데 우리가 지금 구매하는 상품의 가격과 20년 전 사람들이 구매했던 상품의 가격이 같다고 할 수 있을까? 또 앞으로 20년이 지났을 때 우리는 여전히 지금과 똑같은 가격으로 물건을 구매할 수 있을까? 이러한 질문에 대한 답은 '물가'가 쥐고 있어.

• 2014학년도 사관학교B

상품 판매 가격은 물가 변동에 따라 오르내리기 때문에 GDP를 집계 당시의 상품 판매 가격으로 산출하면 그 결과는 물가 변동의 영향을 그대로 받는다. 올해에 작년과 똑같은 수준으로 재화를 생산하고 판매했더라도 올해 물가 변동에 따라 상품 판매 가격이 크게 올랐다면 올해 GDP는 가격 상승분만큼 부풀려져 작년 GDP보다 커진다. 이런 까닭으로 올해 GDP가 작년 GDP보다 커졌다 하더라도 생산 수준이 작년보다 실질적으로 올랐다고 볼 수는 없다. 심지어 GDP가 작년보다 커졌더라도 실질적으로 생산 수준이 떨어졌을 수도 있는 것이다.

물가는 상품의 판매 가격에 영향을 미치는 중요한 요인이야. 그런데 사실 한 상품의 가격이 급작스럽게 변한다고 하더라도, 그 변화 내용을 가지고 다른 여러 가지 상품의 가격도 변화하게 될 것이라고 판단하기는 어려워. 하지만 여러 상품의 가격을 총체적으로 묶어서 표현하는 물가는 달라. 하나의 상품의 가격이 변화했을 때와 달리, 물가가 변화했다고 하면 전반적인 상품 가격이 변화하게 되었다는 것을 나타내거든. 그런데 물가가 계속해서 오르게 되면 어떤 일이 벌어질까? 물가가 지속적으로 상승하는 현상을 인플레이션이라고 해. 물가가 적당히 상승하고 상품 가격이 전반적으로 높아져서 이윤을 얻은 기업의 생산 활동이 원활히 이루어지는 수준의 인플레이션은 큰 문제가 되지 않아. 하지만 이러한 적정 수준보다 높은 인플레이션이 발생하면 문제가 생기지. 전반적인 물가가 필요 이상으로 높아졌다는 것은, 이전에는 싸게 살 수 있던 물건을 이제는 비싼 돈을 주고 사야 한다는 것을 의미하니까 우리가 지불하는 돈, 즉 화폐의 가치가 떨어지게 돼. 그렇다면 반대로 물가가 계속해서 떨어지면 어떻게 될까? 이런 현상을 디플레이션이라고 해. 일반적으로 물가는 점차 상승하는 경향이 있어서 디플레이션이 발생하는 경우는 매우 드물지만, 그 드문 현상이 1920년대의 대공황 시기에 전세계적으로 발생했었어. 디플레이션이 발생하면 물건을 더 싼값에 살 수 있으니까 좋은 것 아니냐고? 천만의 말씀! 디플레이션은 인플레이션보다 더 심각한 문제를 일으켜. 물가가 하락하면 상품의 가격도 전반적으로 줄어들면서 기업이 상품을 판매함으로써 얻는 이득이 줄고, 기업의 이득이 줄어들면 노동자를 고용하거나 경제 발전을 위한 투자를 하기 어려워져 사회 전반의 소득이 줄게 되고, 상품을 덜 구매하게 되어, 기업의 이득은 더더욱 줄지. 이런 악순환이 계속되면 경제 상황이 더욱 악화되겠지?

물가 안정을 위해서는 중앙은행이 이자율이나 통화량을 조절하기도 해. '이자율'은 다른 말로 '금리'라고 표현하는데 돈을 빌려쓴 사람은 그 대가로 일정 기간 동안 일정한 값이나 비율의 이자를 지급해. 이때 '금리' 혹은 '이자율'은 이자를 원금으로 나눈 비율을 말해. 예를 들어 100 만원을 빌린 사람이 1년 뒤 2 만원의 이자를 낸다면 금리는 2%가 되는 거지!

정답 P. 196

지문을 통해 다시 읽어보기

• 2014학년도 사관학교B

경제지표 중 GDP만큼 중요한 'GNI(국민총소득)'라는 것도 있다. GNI는 GDP에 외국과 거래하는 교역 조건의 변화로 생기는 실질적 무역 손익을 합산해 집계한다. 그렇다면 GDP가 있는데도 GNI를 따로 만들어 쓰는 이유는 무엇일까? 만약 수입 상품 단가가 수출 상품 단가보다 올라 대외 교역 조건이 나빠지면 전보다 많은 재화를 생산 · 수출하고도 제품 · 부품 수입 비용이 증가하여 무역 손실이 발생할 수도 있다. 이때 GDP는 무역 손실에 따른 실질 소득의 감소를 제대로 반영하지 못하기 때문에 GNI가 필요한 것이다. 결국 GDP가 국민경제의 크기와 생산 능력을 나타내는 데 중점을 두는 지표라면 GNI는 국민경제의 소득 수준과 소비 능력을 나타내는 데 중점을 두는 지표라고 할 수 있다.

Q1 GDP가 있는데도 GNI를 따로 만들어 쓰는 이유는 국가 간의 물가 수준의 차이를 정확히 재기 위해서이다.

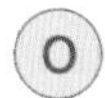 

지문을 통해 다시 읽어보기

• 2014학년도 사관학교B

상품 판매 가격은 물가 변동에 따라 오르내리기 때문에 GDP를 집계 당시의 상품 판매 가격으로 산출하면 그 결과는 물가 변동의 영향을 그대로 받는다. 올해에 작년과 똑같은 수준으로 재화를 생산하고 판매했더라도 올해 물가 변동에 따라 상품 판매 가격이 크게 올랐다면 올해 GDP는 가격 상승분만큼 부풀려져 작년 GDP보다 커진다. 이런 까닭으로 올해 GDP가 작년 GDP보다 커졌다 하더라도 생산 수준이 작년보다 실질적으로 올랐다고 볼 수는 없다. 심지어 GDP가 작년보다 커졌더라도 실질적으로 생산 수준이 떨어졌을 수도 있는 것이다. 그래서 실질적인 생산 수준을 판단할 수 있는 GDP를 산출할 필요가 있다. 그러자면 먼저 어느 해를 기준 시점으로 정해 놓고, 산출하고자 하는 해의 가격을 기준 시점의 물가 수준으로 환산해 GDP를 산출하면 된다. 기준 시점의 물가 수준으로 환산해 산출한 GDP를 '실질 GDP'라고 하고, 기준 시점의 물가 수준으로 환산하지 않은 GDP를 실질 GDP와 구분하기 위해 '명목 GDP'라고 부르기도 한다. 예를 들어 기준 시점을 1995년으로 하여 2000년의 실질 GDP를 생각해 보자. 1995년에는 물가 수준이 100이었고 명목 GDP는 3천 원이며, 2000년에는 물가 수준은 200이고 명목 GDP는 6천 원이라고 가정하자. 이 경우 명목 GDP는 3천 원에서 6천 원으로 늘었지만, 물가 수준 역시 두 배로 올랐으므로 결국 실질 GDP는 동일하다.

Q2 2017년의 물가 수준이 100이고 명목 GDP는 7,000원이며, 2018년의 물가 수준이 200이고 명목 GDP는 14,000원이었다. 2017년을 기준 연도로 할 때, 2018년도의 '실질 GDP'를 산출하면 7,000원임을 알 수 있다. (단, 기준 연도의 실질 GDP는 명목 GDP와 동일한 것으로 간주한다.)

 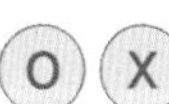

다음 글을 읽고 물음에 답하시오.

• 2018학년도 6월 모평

통화* 정책은 중앙은행*이 물가 안정과 같은 경제적 목적의 달성을 위해 이자율이나 통화량*을 조절하는 것이다. 대표적인 통화 정책 수단인 '공개 시장 운영'은 중앙은행이 민간 금융기관을 상대로 채권*을 매매*해 금융 시장의 이자율을 정책적으로 결정한 기준 금리 수준으로 접근시키는 것이다. 중앙은행이 채권을 매수*하면 이자율은 하락하고, 채권을 매도*하면 이자율은 상승한다. 이자율이 하락하면 소비와 투자가 확대되어 경기가 활성화되고 물가 상승률이 오르며, 이자율이 상승하면 경기가 위축되고 물가 상승률이 떨어진다. 이와 같이 공개 시장 운영의 영향은 경제 전반에 ⓐ파급된다.

중앙은행의 통화 정책이 의도한 효과를 얻기 위한 요건 중에는 '선제성'과 '정책 신뢰성'이 있다. 먼저 통화 정책이 선제적이라는 것은 중앙은행이 경제 변동을 예측해 이에 미리 대처한다는 것이다. 기준 금리를 결정하고 공개 시장 운영을 실시하여 그 효과가 실제로 나타날 때까지는 시차가 발생하는데 이를 '정책 외부 시차'라 하며, 이 때문에 선제성이 문제가 된다. 예를 들어 중앙은행이 경기 침체 국면에 들어서야 비로소 기준 금리를 인하한다면, 정책 외부 시차로 인해 경제가 스스로 침체 국면을 벗어난 다음에야 정책 효과가 ⓑ발현될 수도 있다. 이 경우 경기 과열과 같은 부작용이 ⓒ수반될 수 있다. 따라서 중앙은행은 통화 정책을 선제적으로 운용하는 것이 바람직하다.

또한 통화 정책은 민간의 신뢰가 없이는 성공을 거둘 수 없다. 따라서 중앙은행은 정책 신뢰성이 손상되지 않게 ⓓ유의해야 한다. 그런데 어떻게 통화 정책이 민간의 신뢰를 얻을 수 있는지에 대해서는 견해 차이가 있다. 경제학자 프리드먼은 중앙은행이 특정한 정책 목표나 운용 방식을 '준칙'으로 삼아 민간에 약속하고 어떤 상황에서도 이를 지키는 '준칙주의'를 주장한다. 가령 중앙은행이 물가 상승률 목표치를 민간에 약속했다고 하자. 민간이 이 약속을 신뢰하면 물가 불안 심리가 진정된다. 그런데 물가가 일단 안정되고 나면 중앙은행으로서는 이제 경기를 ⓔ부양하는 것도 고려해 볼 수 있다. 문제는 민간이 이 비일관성을 인지하면 중앙은행에 대한 신뢰가 훼손된다는 점이다. 준칙주의자들은 이런 경우에 중앙은행이 애초의 약속을 일관되게 지키는 편이 바람직하다고 주장한다.

알아두자! 궁금한 어휘

* **통화(通貨)**: 유통 수단이나 지불 수단으로서 기능하는 화폐.
* **중앙은행(中央銀行)**: 한 나라의 금융과 통화 정책의 주체가 되는 은행. 은행권을 발행하고 국고의 출납을 다루며 금융 정책을 시행한다. 우리나라의 경우 한국은행이 이에 해당한다.
* **통화량(通貨量)**: 나라 안에서 실제로 쓰고 있는 돈의 양.
* **채권(債券)**: 국가, 지방 자치 단체, 은행, 회사 따위가 사업에 필요한 자금을 빌려 쓰기 위하여 발행하는 유가 증권.
* **매매(賣買)**: 물건을 팔고 사는 일.
* **매수(買收)**: 물건을 사들임.
* **매도(賣渡)**: 값을 받고 물건의 소유권을 다른 사람에게 넘김.

1. ⓐ~ⓔ의 문맥적 의미를 활용하여 만든 문장으로 적절하지 않은 것은?

① ⓐ: 그의 노력으로 소비자 운동이 전국적으로 파급되었다.
② ⓑ: 의병 활동은 민중의 애국 애족 의식이 발현한 것이다.
③ ⓒ: 이 질병은 구토와 두통 증상을 수반하는 경우가 많다.
④ ⓓ: 기온과 습도가 높은 요즘 건강관리에 유의해야 한다.
⑤ ⓔ: 장남인 그가 늙으신 부모와 어린 동생들을 부양하고 있다.

파급
波 물결 **파** / 及 미칠 **급**

어떤 일의 여파나 영향이 차차 다른 데로 미침.

예 굉장한 파급 효과가 예상됩니다.

발현
發 필 **발** / 現 나타날 **현**

속에 있거나 숨은 것이 밖으로 나타나거나 그렇게 나타나게 함. 또는 그런 결과.

예 자유롭게 창의성을 발현하다.

수반
隨 따를 **수** / 伴 짝 **반**

붙좇아서 따름.

예 겨울철 산행은 많은 위험을 수반한다.

다 **수반(隨伴):** 어떤 일과 더불어 생김.

유의
留 머무를 **유** / 意 뜻 **의**

마음에 새겨 두어 조심하며 관심을 가짐.

예 항상 건강에 유의하십시오.

더 **유념(留念):** 잊거나 소홀히 하지 않도록 마음속에 깊이 간직하여 생각함.

부양
浮 뜰 **부** / 揚 오를 **양**

가라앉은 것이 떠오름. 또는 가라앉은 것을 떠오르게 함.

예 경기가 좋지 않을 때에는 적절한 부양 대책을 실시해야 한다.

동 **부양(扶養):** 생활 능력이 없는 사람의 생활을 돌봄.

헷갈리는 단어, 홀로 사전 찾기로 더 확실하게 CHECK!

단어	뜻

STEP 2 정답 1. ⑤ '경기를 부양하는 것도 고려'할 때의 '부양(浮揚)'은 '가라앉은 것이 떠오름. 또는 가라앉은 것을 떠오르게 함.'이라는 의미이고, ⑤의 '부양(扶養)'은 문맥을 고려하면 '생활 능력이 없는 사람의 생활을 돌봄.'이라는 의미를 지닌다.

다음 글을 읽고 물음에 답하시오.

• 2018학년도 수능

정책 수단 선택의 사례로 환율*과 관련된 경제 현상을 살펴보자. 외국 통화에 대한 자국 통화의 교환 비율을 의미하는 환율은 장기적으로 한 국가의 생산성과 물가 등 기초 경제 여건*을 반영하는 수준으로 수렴*된다. 그러나 단기적으로 환율은 이와 ⓐ괴리되어 움직이는 경우가 있다. 만약 환율이 예상과는 다른 방향으로 움직이거나 또는 비록 예상과 같은 방향으로 움직이더라도 변동 폭이 예상보다 크게 나타날 경우 경제 주체들은 과도한 위험에 ⓑ노출될 수 있다. 환율이나 주가 등 경제 변수가 단기에 지나치게 상승 또는 하락하는 현상을 오버슈팅(overshooting)이라고 한다.

(중략)

가령 국내 통화량이 증가하여 유지될 경우, 물가가 경직*적이어서 실질 통화량은 증가하고 이에 따라 시장 금리는 하락한다. 국가 간 자본 이동이 자유로운 상황에서, 시장 금리 하락은 투자의 기대 수익률 하락으로 이어져, 단기성 외국인 투자 자금이 해외로 빠져나가거나 신규 해외 투자 자금 유입을 위축시키는 결과를 ⓒ초래한다. 이 과정에서 자국 통화의 가치는 하락하고 환율은 상승한다. 통화량의 증가로 인한 효과는 물가가 신축적*인 경우에 예상되는 환율 상승에, 금리 하락에 따른 자금의 해외 유출이 유발하는 추가적인 환율 상승이 더해진 것으로 나타난다. 이러한 추가적인 상승 현상이 환율의 오버슈팅인데, 오버슈팅의 정도 및 지속성은 물가 경직성이 클수록 더 크게 나타난다. 시간이 경과함에 따라 물가가 상승하여 실질 통화량이 원래 수준으로 돌아오고 해외로 유출되었던 자금이 시장 금리의 반등으로 국내로 ⓓ복귀하면서, 단기에 과도하게 상승했던 환율은 장기에는 구매력 평가설에 기초한 환율로 수렴된다.

단기의 환율이 기초 경제 여건과 괴리되어 과도하게 급등락하거나 균형 환율 수준으로부터 장기간 이탈하는 등의 문제가 심화되는 경우를 예방하고 이에 대처하기 위해 정부는 다양한 정책 수단을 동원한다. 오버슈팅의 원인인 물가 경직성을 완화*하기 위한 정책 수단 중 강제성이 낮은 사례로는 외환의 수급 불균형 해소를 위해 관련 정보를 신속하고 정확하게 공개하거나, 불필요한 가격 규제를 축소하는 것을 들 수 있다. 한편 오버슈팅에 따른 부정적 파급 효과를 완화하기 위해 정부는 환율 변동으로 가격이 급등한 수입 필수 품목에 대한 세금을 조절함으로써 내수*가 급격히 위축되는 것을 방지하려고 하기도 한다. 또한 환율 급등락으로 인한 피해에 대비하여 수출입 기업에 환율 변동 보험을 제공하거나, 외화 차입* 시 지급 보증을 제공하기도 한다. 이러한 정책 수단은 직접성이 높은 특성을 가진다. 이와 같이 정부는 기초 경제 여건을 반영한 환율의 추세는 용인하되, 사전적 또는 사후적인 미세 조정 정책 수단을 활용하여 환율의 단기 급등락에 따른 위험으로부터 실물 경제와 금융 시장의 안정을 ⓔ도모하는 정책을 수행한다.

알아두자! 궁금한 어휘

* **환율(換率)**: 자기 나라 돈과 다른 나라 돈의 교환 비율.
* **여건(與件)**: 주어진 조건.
* **수렴(收斂)**: 의견이나 사상 따위가 여럿으로 나뉘어 있는 것을 하나로 모아 정리함.
* **경직(硬直)**: 사고방식, 태도, 분위기 따위가 부드럽지 못하여 융통성이 없고 엄격하게 됨.
* **신축적(伸縮的)**: 일의 형편에 따라 적절하게 대처할 수 있는 것.
* **완화(緩和)**: 긴장된 상태나 급박한 것을 느슨하게 함.
* **내수(內需)**: 국내에서의 수요(需要).
* **차입(借入)**: 돈이나 물건을 꾸어 들임.

2. 문맥상 ⓐ~ⓔ와 바꿔 쓰기에 적절하지 않은 것은?

① ⓐ: 동떨어져 ② ⓑ: 드러낼 ③ ⓒ: 불러온다
④ ⓓ: 되돌아오면서 ⑤ ⓔ: 꾀하는

다 다의어 동 동음이의어 더 더 알아 둘 어휘

괴리
乖 어그러질 **괴** / 離 떠날 **리**

서로 어그러져 동떨어짐.
예 현실과 이상의 괴리가 나타난다.

노출
露 드러낼 **노** / 出 날 **출**

겉으로 드러나거나 드러냄.
예 불필요한 감정 노출을 자제하다.

더 **드러나다:** 가려 있거나 보이지 않던 것이 보이게 되다. (드러내다: '드러나다'의 사동사)

초래
招 부를 **초** / 來 올 **래**

일의 결과로서 어떤 현상을 생겨나게 함.
예 한순간의 부주의가 엄청난 사고를 초래하였다.

복귀
復 돌아올 **복** / 歸 돌아올 **귀**

본디의 자리나 상태로 되돌아감.
예 원상 복귀를 위해 노력하다.

더 **복구(復舊):** 손실 이전의 상태로 회복함.
더 **회복(回復):** 원래의 상태로 돌이키거나 원래의 상태를 되찾음.

도모
圖 그림 **도** / 謀 꾀할 **모**

어떤 일을 이루기 위하여 대책과 방법을 세움.
예 친목 도모를 위한 시간을 가지기로 하였다.

더 **기도(企圖):** 어떤 일을 이루려고 꾀함. 또는 그런 계획이나 행동.
더 **시도(試圖):** 어떤 것을 이루어 보려고 계획하거나 행동함.

헷갈리는 단어, 홀로 사전 찾기로 더 확실하게 CHECK!

단어	뜻

STEP 2 정답 2. ② '과도한 위험에 노출될 수 있다'의 '노출'은 '겉으로 드러나다.'의 의미이다. 이는 경제 주체들이 과도한 위험을 직접 겉으로 나타나게 한다는 의미가 아니므로 '드러낼'로 바꿔 쓸 수 없다.

STEP 3 헷갈리는 어휘

어휘	뜻과 예문
공인 公 공적 **공** / 認 인정할 **인**	국가나 공공 단체 또는 사회단체 등이 어느 행위나 물건에 대하여 인정함. 예 신라는 법흥왕 때 불교를 공인하고 율령을 반포하였다.
승인 承 받아들일 **승** / 認 인정할 **인**	어떤 사실을 마땅하다고 받아들임. 예 고전이란 오랜 세월에 걸쳐서 여러 사람에게 가치 있는 것으로 승인되고 정평이 난 작품을 말한다.
시인 是 옳을 **시** / 認 인정할 **인**	어떤 내용이나 사실이 옳거나 그러하다고 인정함. 예 네가 잘못을 시인한다니 더 이상 죄를 추궁하지는 않겠다.
허가 許 허락할 **허** / 可 옳을 **가**	행동이나 일을 하도록 허용함. 예 관청에서는 사람들이 장사를 할 수 있도록 허가를 내주었다.

Q1 특허권을 취득하려면 [　　　　] 된 감정인으로부터 평가를 받고, 조사 보고서를 만들어 법원의 허가를 받아야 한다.

어휘	뜻과 예문
과용 過 지나칠 **과** / 用 쓸 **용**	정도에 지나치게 씀. 또는 그런 비용. 예 네 형편에 자동차를 산다는 것은 과용이다.
남발 濫 넘칠 **남** / 發 필 **발**	1법령이나 지폐, 증서 따위를 마구 공포하거나 발행함. 2어떤 말이나 행동 따위를 자꾸 함부로 함. 예 1회사가 어음을 남발하다. 2그는 행사를 보면서 감탄사를 남발하였다.
남용 濫 넘칠 **남** / 用 쓸 **용**	1일정한 기준이나 한도를 넘어서 함부로 씀. 2권리나 권한 따위를 본래의 목적이나 범위를 벗어나 함부로 행사함. 예 1몸이 아프다고 해서 약물을 남용해서는 안 된다. 2권력의 남용을 막을 수 있는 제도적 장치가 필요하다.
오용 誤 그릇할 **오** / 用 쓸 **용**	잘못 사용함. 예 약물 오용으로 부작용을 겪고 있다.

Q2 아직 갚지도 못한 빚이 많이 남아 있는데 또 돈을 빌려 고가의 선물을 사는 것은 [　　　　] 이다.

관례 慣 익숙할 **관** / 例 법식 **례**	전부터 해 내려오던 전례(前例)가 관습으로 굳어진 것. 예 그 식당은 이용하기 일주일 전에 예약하는 것이 관례이다.
관습 慣 익숙할 **관** / 習 익힐 **습**	어떤 사회에서 오랫동안 지켜 내려와 그 사회 구성원들이 널리 인정하는 질서나 풍습. 예 이 마을에서는 관습과 전통에 따라 예식을 진행한다.
습관 習 익힐 **습** / 慣 익숙할 **관**	어떤 행위를 오랫동안 되풀이하는 과정에서 저절로 익혀진 행동 방식. 예 그는 어려서부터 정리하는 습관이 몸에 배었다.
통례 通 통할 **통** / 例 법식 **례**	일반적으로 통하여 쓰는 전례. 예 봄마다 하는 체육 대회는 우리 회사의 통례적 행사이다.

Q3 눈으로 보고, 입으로 말하고, 귀로 듣고, 마음으로 느낀 지난 시간의 일을 자기 전에 반추하여 손으로 다시 기록하는 [　　　] 을/를 가진 사람들은 지난 경험을 반복하여 두 배로 느낀다.

구분 區 구역 **구** / 分 나눌 **분**	일정한 기준에 따라 전체를 몇 개로 갈라 나눔. 예 나는 노동 시간과 휴식 시간의 뚜렷한 구분을 원한다.
분류 分 나눌 **분** / 類 무리 **류**	종류에 따라서 가름. 예 이 약은 일반의약품으로 분류된다.
분리 分 나눌 **분** / 離 떠날 **리**	서로 나뉘어 떨어짐. 또는 그렇게 되게 함. 예 정치와 종교가 분리된 사회를 제정 분리 사회라고 한다.
분산 分 나눌 **분** / 散 흩을 **산**	갈라져 흩어짐. 또는 그렇게 되게 함. 예 서울 인구를 분산하려고 위성 도시를 만들었다.
분해 分 나눌 **분** / 解 풀 **해**	[1]여러 부분이 결합되어 이루어진 것을 그 낱낱으로 나눔. [2]화학에서, 한 종류의 화합물이 두 가지 이상의 간단한 화합물로 변화함. 또는 그런 반응. 예 [1]조립식 가구는 필요에 따라 조립과 분해가 가능하다. [2]동물체나 식물체의 단백질은 아미노산으로 분해되어 흡수된다.

Q4 정부는 교통 정체로 어려움을 겪고 있는 도시에 순환 도로를 건설하여 교통량을 [　　　] 하였다.

STEP 3 정답 A1 공인 A2 과용 A3 습관 A4 분산

다음 글을 읽고 물음에 답하시오.

• 2019학년도 9월 모평

길동이 또한 철관 오백 근을 쓰고 돌문 삼백 단을 넘어가니, 모든 무리 일시* 에 고함하여 왈,

"천하장사로다!"

하고 ⓐ용력을 칭찬하고, 길동을 장군 자리로 모신 후에 여러 도적 천여 명이 일시에 자리 아래 엎드려 군례(軍禮)를 마친 후에 그 용맹을 치하하더라.

(중략)

상이 ⓑ하교하사 왈,

"경은 자식을 분명히 알지라. 저 많은 길동 중에 경의 자식을 잡아내라."

하신대, 홍 의정 주왈,

"신의 자식 길동은 왼쪽 다리의 붉은 기미, 용의 비늘 같은 일곱 점이 있사오니, 그를 보면 알리이다."

상이 그리 여겨,

"빨리 잡아들여 수검(搜檢)*하여 보라."

하신대, 홍 의정이 물러나와 길동을 바라보고 왈,

"내 자식 길동은 빨리 나와 나를 보라."

한대, 무수한 길동이 홍 의정을 보고 다 나와 절하여 왈,

"부친께선 ⓒ강녕하시나이까?"

하거늘, 홍 의정 왈,

"내 자식은 왼쪽 다리에 검은 일곱 점이 있으니, 일곱 점 있는 자 길동이라."

하니, 많은 길동이 홍 의정 말을 듣고 일시에 다리를 걷고 보이니 각각 일곱 점이 있는지라. 홍 의정이 할 수 없어 상께 주왈,

"신의 역자(逆子)를 조사하여 밝힐 수 없사오니, 황공 대죄*하나이다."

상이 진노하사 길동을 보시고 왈,

"너희 등은 물러가 임의*로 하라."

하시고 금부도사를 명하여 다 물려 보내라 하시니, 모든 길동 등이 나올새 종일토록 나오더니, 그제야 참 길동이 다시 궐내에 들어가 명을 받들고 절하며 슬피 통곡하여 왈,

"신의 아비 대대로 국은을 입었거늘 신이 어찌 나라를 저버리리까? 신의 몸이 천비(賤婢)에서 나와 아버지를 아버지라 못하옵고 형을 형이라 못하여 제 몸이 천대를 받으매, 여의주 없는 용이요 날개 부러진 봉이라, 어찌 장부의 힘을 갖고 속절없이 집안에서만 늙으리까? 그러므로 한번 재주를 시험코자 각 읍 각 관을 치고 군기를 탈취하기는 신의 ⓓ책략을 자랑함이요, 상의 어위대장 이흡을 속임도 재주를 보임이요, 또 신의 가슴에 경서와 병서와 음양조화며 세상을 다스릴 재주를 지녔사오니 어찌 속절없이 세월만 보내오리까? 복걸 상께서 신에게 병조판서 삼 년만 ⓔ제수하시면 남의 천대를 면하옵고 충성을 다하여 상을 받들리다."

– 작자 미상, 「홍길동전」 –

알아두자! 궁금한 어휘

*일시(一時): 같은 때.

*수검(搜檢): 금제품(禁制品) 따위를 수색하여 검사함.

*대죄(大罪): 큰 죄.

*임의(任意): 일정한 기준이나 원칙 없이 하고 싶은 대로 함.

1. ⓐ~ⓔ의 사전적 의미로 적절하지 않은 것은?

① ⓐ: 씩씩한 힘 또는 뛰어난 역량.
② ⓑ: 임금이 명령을 내림.
③ ⓒ: 몸이 건강하고 마음이 편안함.
④ ⓓ: 어떤 일을 꾸미고 이루어 나가는 교묘한 방법.
⑤ ⓔ: 제사에 드는 여러 가지 재료.

다 다의어 동 동음이의어 더 더 알아 둘 어휘

용력
勇 날랠 **용** / 力 힘 **력**

씩씩한 힘. 또는 뛰어난 역량.

예 당신의 용력과 지혜라면 그 일을 해낼 수 있을 것입니다.

하교
下 아래 **하** / 敎 가르칠 **교**

임금이 명령을 내림. 또는 그 명령.

예 상께서 왜구에 대처할 방안을 하교하셨습니다.

더 **전교(傳敎)**: 임금이 명령을 내림. 또는 그 명령.

강녕
康 편안할 **강** / 寧 편안할 **녕**

몸이 건강하고 마음이 편안함.

예 옛 여인들은 정화수를 떠 놓고서 가족의 강녕을 빌었다.

책략
策 꾀 **책** / 略 다스릴 **략**

어떤 일을 꾸미고 이루어 나가는 교묘한 방법.

예 이번에 장원 급제한 신하는 책략이 비상하다.

제수
除 덜 **제** / 授 줄 **수**

추천의 절차를 밟지 않고 임금이 직접 벼슬을 내리던 일.

예 임금의 명으로 암행어사에 제수되다.

동 **제수(祭需)**: 제사에 드는 여러 가지 재료.

문학 TIP 고전소설 속 중국의 신분, 관직 (2)

공신(功臣)	공(功)이 있는 신하	현령(縣令), 도독(都督)	중소 도시의 시장급 벼슬
원수(元帥), 대원수	대장군	원(員)님	고을의 우두머리
절도사(節度使)	변방의 방비를 맡은 군사령관	형리(刑吏), 이방(吏房)	지방 관아의 하부 직책
제후(~왕)	제후국의 왕 (예시: 연왕, 위왕)	사령(使令)	관아의 심부름꾼
자사(刺史), 태수(太守)	도지사급의 벼슬	어사(御史)	왕명으로 특별 사명을 띠고 파견되던 벼슬

STEP 1 정답 1. ⑤ '병조판서 삼 년만 제수하시면'의 '제수(除授)'는 '추천의 절차를 밟지 않고 임금이 직접 벼슬을 내리던 일.'을 의미한다. '제사에 드는 여러 가지 재료'는 '제수(祭需)'의 사전적 의미에 해당한다.

공법(公法)	국가나 공공 단체 상호 간의 관계나 이들과 개인의 관계를 규정하는 법률.
사법(私法)	개인 사이의 재산, 신분 따위에 관한 법률관계를 규정한 법. 민법, 상법 등이 있음.

우리나라 헌법의 제37조를 보면 다음과 같이 되어 있어. "① 국민의 자유와 권리는 헌법에 열거되지 아니한 이유로 경시되지 아니하고, ② 국민의 모든 자유와 권리는 국가안전보장 · 질서유지 또는 공공복리를 위하여 필요한 경우에 한하여 법률로써 제한할 수 있으며, 제한하는 경우에도 자유와 권리의 본질적인 내용을 침해할 수 없다." 즉 어떤 사람의 행위가 사회적인 질서와 안전을 위협하거나 국가가 공공복리(사회 구성원 전체에 관계된 복지)를 위해 꼭 필요하다고 판단한 경우가 아닌 이상, 우리나라에서 '법'은 국민의 자유와 권리를 제한할 수 없고, 동시에 국민의 자유와 권리를 지켜줘야 한다는 거지.

• **2017학년도 경찰대**

출근 시 일반 근로자 사망 사건에 대해 대법원은 산업 재해로 인정할 수 없다는 판결을 내렸다. 출퇴근 재해의 산재 인정 문제는 사회 보장 수급권에 속하는 것으로서, 국민의 인간다운 생활을 실현하기 위한 사회권적 기본권에 관한 것이다.

대법원의 다수 의견은 사회권적 기본권을 실현하는 데 최소한의 수준을 넘는 사회 복지와 사회 보장은 이에 필요한 국가의 재정 능력, 국민 소득과 생활수준, 전체적인 사회 보장 수준과 제도적 특성 등 여러 가지 요소를 고려한 입법을 통해 해결할 사항이라고 보았다. 우리 헌법 제34조 제1항이 보장하는 '인간다운 생활을 할 권리'는 최소한의 물질적 생존 보장을 요구할 권리일 뿐 그 이상의 구체적 권리를 직접 도출할 수 있는 성질의 것은 아니라는 사회권적 기본권에 대한 일반적인 견해를 참조한 것이다.

위 지문에서는 국민의 기본 권리와 관련한 헌법 조항 및 대법원의 판결 내용이 제시되고 있어. 헌법은 다양한 법들로 구성된 법체계에서 가장 상위에 놓여 있는 최고법을 말하는 것으로, 국가의 조직, 구성 및 작용에 대한 가장 근본적인 법규들을 다뤄. 예를 들어 헌법 제1조를 보면 우리나라 통치 체제의 근간이 민주주의에 있다는 것을 실감할 수 있지. 헌법 제1조 1항은 '대한민국은 민주공화국이다.', 제1조 2항은 '대한민국의 주권은 국민에게 있고, 모든 권력은 국민으로부터 나온다.'라고 명시하고 있거든. 항목에 걸맞게 헌법은 통치 권력의 주체(우리나라 기준으로 대통령이 되겠지?)에게 헌법을 통해 부여받은 권한만 행사할 수 있도록 하고, 국민의 기본권인 자유권, 평등권, 참정권, 사회권, 청구권 등을 보장하는 제한적인 규범으로 작용하기도 해.

이렇듯 헌법에서 보장하는 국민의 권리가 제대로 지켜지기 위해서는 우선 사회의 질서가 바로 서야 하겠지? 사회에 질서가 없으면 강한 힘과 큰 재력을 가진 사람들이 상대적으로 힘이 약하고 돈이 없는 사람들에게 부당한 일을 해도 피해자가 권리를 제대로 주장할 수 없게 되거든. 사회적 질서와 관련된 문제에는 공법(公法)이 작용하는데, 공법에는 통치 체제의 기본이 되는 헌법, 범죄와 형벌을 다루는 형법, 공익을 실현하기 위한 행정권의 작용을 다루는 행정법 등이 포함되어 있어. 그런데 사회적 질서도 중요하지만, 사회를 구성하는 수많은 개인과 개인들 사이에서도 권리를 주장해야 할 일이 생길 수 있겠지? 내 돈을 빌려간 사람이 돈을 갚지 않거나, 내 차를 긁고 간 사람에게 손해를 배상해 달라고 할 때처럼 말이야! 이렇게 개인과 개인 사이의 법적인 관계나 의무를 규정하는 법을 사법(私法)이라고 해. 사법에서는 개인의 권리와 관련된 법규를 통틀어 이르는 민법이 가장 대표적이고, 그 외에 기업에 대한 사항을 규정하는 특별 사법인 상법 등이 있다는 점을 정리해 두자.

정답 P. 196

지문을 통해 다시 읽어보기

• 2017학년도 경찰대

출근 시 일반 근로자 사망 사건에 대해 대법원은 산업 재해로 인정할 수 없다는 판결을 내렸다. 출퇴근 재해의 산재 인정 문제는 사회 보장 수급권에 속하는 것으로서, 국민의 인간다운 생활을 실현하기 위한 사회권적 기본권에 관한 것이다.

대법원의 다수 의견은 사회권적 기본권을 실현하는 데 최소한의 수준을 넘는 사회 복지와 사회 보장은 이에 필요한 국가의 재정 능력, 국민 소득과 생활수준, 전체적인 사회 보장 수준과 제도적 특성 등 여러 가지 요소를 고려한 입법을 통해 해결할 사항이라고 보았다. 우리 헌법 제34조 제1항이 보장하는 '인간다운 생활을 할 권리'는 최소한의 물질적 생존 보장을 요구할 권리일 뿐 그 이상의 구체적 권리를 직접 도출할 수 있는 성질의 것은 아니라는 사회권적 기본권에 대한 일반적인 견해를 참조한 것이다.

Q1 대법원은 출퇴근 재해의 산재 인정 문제가 헌법에서 보장해야 할 최소한의 수준을 넘어서는 차원의 논의라고 보았다.

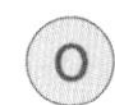 

지문을 통해 다시 읽어보기

• 2019학년도 6월 모평

[A] 사무실의 방충망이 낡아서 파손되었다면 세입자와 사무실을 빌려 준 건물주 중 누가 고쳐야 할까? 이 경우, 민법전의 법조문에 의하면 임대인인 건물주가 수선할 의무를 진다. 그러나 사무실을 빌릴 때, 간단한 파손은 세입자가 스스로 해결한다는 내용을 계약서에 포함하는 경우도 있다. 이처럼 법률의 규정과 계약의 내용이 어긋날 때 어떤 것이 우선 적용되어야 하는가, 법적 불이익은 없는가 등의 문제가 발생한다.

사법(私法)은 개인과 개인 사이의 재산, 가족 관계 등에 적용되는 법으로서 이 법의 영역에서는 '계약 자유의 원칙'이 적용된다. 계약의 구체적인 내용 결정 등은 당사자들 스스로 정할 수 있다는 것이다. 따라서 당사자들이 사법에 속하는 법률의 규정과 어긋난 내용으로 계약을 체결한 경우에 계약 내용이 우선 적용된다. 이처럼 법률상으로 규정되어 있더라도 당사자가 자유롭게 계약 내용을 정할 수 있는 법률 규정을 '임의 법규'라고 한다. 사법은 원칙적으로 임의 법규이므로, 사법으로 규정한 내용에 대해 당사자들이 계약으로 달리 정하지 않았다면 원칙적으로 법률의 규정이 적용된다. 위에서 본 임대인의 수선 의무 조항이 이에 해당한다.

Q2 [A]와 같은 상황에서, 계약서에 세입자가 방충망을 수선한다는 내용이 있으면 세입자가 수선 의무를 지고, 법률 내용과 다르게 계약한 것에 대한 법적 불이익은 누구에게도 없다.

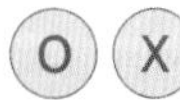 

다음 글을 읽고 물음에 답하시오.

• 2015학년도 9월 모평A

법과 정의의 관계는 법학의 고전적인 과제 가운데 하나이다. 때와 장소에 관계없이 누구에게나 보편적*으로 받아들여질 수 있는 정의롭고 도덕적인 법을 떠올리게 되는 것은 자연스러운 일이다. 전통적으로 이런 법을 '자연법'이라 부르며 논의해 왔다. 자연법은 인위적으로 ⓐ제정되는 것이 아니라 인간의 경험에 앞서 존재하는 본질적인 것으로서 신의 법칙이나 우주의 질서, 또는 인간 본성에 근원을 둔다. 특히 인간의 본성에 깃든 이성, 다시 말해 참과 거짓, 선과 악을 분별할 수 있는 인간만의 자질은 자연법을 발견해 낼 수 있는 수단이 된다.

서구 중세의 신학에서는 자연법을 인간 이성에 새겨진 신의 법이라고 이해하여 종교적 권위를 ⓑ중시하였다. 이후 근대의 자연법 사상에서는 신학의 의존으로부터 독립하여 자연법을 오직 이성으로써 확인할 수 있다고 보았다. 이런 경향을 열었다고 할 수 있는 그로티우스(1583~1645)는 중세의 전통을 수용하면서도 인간 이성에 따른 자연법의 기초를 확고히 하였다. 그는 이성을 통해 확인되고 인간 본성에 ⓒ합치하는 법 규범은 자연법이자 신의 의지라고 말하면서, 이 자연법은 신도 변경할 수 없는 본질적인 것이라고 주장하였다. 이성의 올바른 인도를 통해 다다르게 되는 자연법은 국가와 실정법을 초월*하는 규범이라고 보았다.

그로티우스가 활약하던 시기는 한편으로 종교 전쟁의 시대였다. 그는 이 소용돌이 속에서 어떤 법도 존중받지 못하는 일들을 보게 되고, 자연법에 기반을 두면 가톨릭, 개신교, 비기독교 할 것 없이 모두가 받아들일 수 있는 규범을 세울 수 있다고 생각했다. 나아가 이렇게 이루어진 법 원칙으로써 각국의 이해*를 조절하여 전쟁의 참화를 막고 인류의 평화와 번영을 실현할 수 있다고 믿었다. 이러한 그의 사상은 1625년『전쟁과 평화의 법』이란 저서를 낳았다. 이 책에서는 개전의 요건, 전쟁 중에 지켜져야 할 행위 등을 다루었으며, 그에 대한 이론적 근거로서 자연법 개념의 기초를 다지고, 그것을 바탕으로 국가 간의 관계를 ⓓ규율하는 법 이론을 구성하였다. 이 때문에 그로티우스는 국제법의 아버지로도 불린다.

신의 권위에서 독립한 이성의 법에는 인간의 권리가 그 핵심에 자리 잡았고, 이는 근대 사회의 주요한 사상적 배경이 되었다. 한 예로 1776년 미국의 독립 선언에도 자연법의 영향이 나타난다. 더욱이 프랑스 대혁명기의 인권 선언에서는 자유권, 소유권, 생존권, 저항권을 불가침*의 자연법적 권리로 ⓔ선포하였다. 이처럼 자연법 사상은 근대적 법체계를 세우는 데에 중요한 기반을 제공하였고, 특히 자유와 평등의 가치가 법과 긴밀한 관계를 맺도록 하는 데 이바지*하였다.

알아두자! 궁금한 어휘

* **보편적(普遍的)**: 모든 것에 두루 미치거나 통하는 것.
* **초월(超越)**: 어떠한 한계나 표준을 뛰어넘음.
* **이해(利害)**: 이익과 손해를 아울러 이르는 말.
* **불가침(不可侵)**: 침범하여서는 안 됨.
* **이바지**: 도움이 되게 함.

1. ⓐ~ⓔ의 사전적 의미로 적절하지 않은 것은?

① ⓐ: 제도나 법률 따위를 만들어서 정함.
② ⓑ: 가볍게 여길 수 없을 만큼 매우 크고 중요하게 여김.
③ ⓒ: 둘 이상이 합하여 하나가 됨. 또는 그렇게 만듦.
④ ⓓ: 질서나 제도를 좇아 다스림.
⑤ ⓔ: 세상에 널리 알림.

다 다의어 동 동음이의어 더 더 알아 둘 어휘

DAY 07

제정
制 억제할 **제** / 定 정할 **정**

제도나 법률 따위를 만들어서 정함.

예 인권 보호를 위한 법 제정이 추진될 전망이다.

중시
重 무거울 **중** / 視 볼 **시**

가볍게 여길 수 없을 만큼 매우 크고 중요하게 여김.

예 성공하는 사람들은 원칙을 중시한다.

더 **경시(輕視):** 대수롭지 않게 보거나 업신여김.

합치
合 합할 **합** / 致 이를 **치**

의견이나 주장 따위가 서로 맞아 일치함.

예 이번 결정은 대다수 학생들의 의견에 합치한다.

더 **합일(合一):** 둘 이상이 합하여 하나가 됨. 또는 그렇게 만듦.

규율
規 법 **규** / 律 법 **율**

질서나 제도를 좇아 다스림.

예 사법은 개인 관의 관계를 규율하는 법에 해당한다.

다 **규율(規律):** 질서나 제도를 유지하기 위하여 정하여 놓은, 행동의 준칙이 되는 본보기.

선포
宣 베풀 **선** / 布 베 **포**

세상에 널리 알림.

예 경찰은 범죄와의 전쟁을 선포했다.

더 **공포(公布):** 일반 대중에게 널리 알림.

더 **반포(頒布):** 세상에 널리 퍼뜨려 모두 알게 함.

헷갈리는 단어, 홀로 사전 찾기로 더 확실하게 CHECK!

단어	뜻

STEP 2 정답 1. ③ '인간 본성에 합치하는 법 규범'의 '합치'는 '의견이나 주장 따위가 서로 맞아 일치함.'의 의미를 갖는다. '둘 이상이 합하여 하나가 됨. 또는 그렇게 만듦.'은 '합일'의 사전적 의미이다.

STEP 2 독서 독해 증진

다음 글을 읽고 물음에 답하시오.

• 2017학년도 수능

보험은 같은 위험을 보유한 다수인이 위험 공동체를 형성하여 보험료를 납부* 하고 보험 사고가 발생하면 보험금을 지급*받는 제도이다. 보험 상품을 구입한 사람은 장래의 우연한 사고로 인한 경제적 손실에 대비할 수 있다. 보험금 지급은 사고 발생이라는 우연적 조건에 따라 결정되는데, 이처럼 보험은 조건의 실현 여부에 따라 받을 수 있는 재화*나 서비스가 달라지는 조건부 상품이다.

(중략)

물론 현실에서 보험사는 영업 활동에 소요되는* 비용 등을 보험료에 반영하기 때문에 공정한 보험이 적용되기 어렵지만 기본적으로 위와 같은 원리를 바탕으로 보험료와 보험금을 ⓐ산정한다. 그런데 보험 가입자들이 자신이 가진 위험의 정도에 대해 진실한 정보를 알려 주지 않는 한, 보험사는 보험 가입자 개개인이 가진 위험의 정도를 정확히 ⓑ파악하여 거기에 상응하는 보험료를 책정하기 어렵다. 이러한 이유로 사고 발생 확률이 비슷하다고 예상되는 사람들로 구성된 어떤 위험 공동체에 사고 발생 확률이 더 높은 사람들이 동일한 보험료를 납부하고 진입하게 되면, 그 위험 공동체의 사고 발생 빈도가 높아져 보험사가 지급하는 보험금의 총액이 증가한다. 보험사는 이를 보전하기 위해 구성원이 납부해야 할 보험료를 ⓒ인상할 수밖에 없다. 결국 자신의 위험 정도에 상응하는 보험료보다 더 높은 보험료를 납부하는 사람이 생기게 되는 것이다. 이러한 문제는 정보의 비대칭성에서 비롯되는데 보험 가입자의 위험 정도에 대한 정보는 보험 가입자가 보험사보다 더 많이 갖고 있기 때문이다. 이를 해결하기 위해 보험사는 보험 가입자의 감춰진 특성을 파악할 수 있는 수단이 필요하다.

(중략)

그런데 보험사의 계약 해지권이 제한되는 경우도 있다. 계약 당시에 보험사가 고지* 의무 위반에 대한 사실을 알았거나 중대한 과실로 인해 알지 못한 경우에는 보험 가입자가 고지 의무를 위반했어도 보험사의 해지권은 ⓓ배제된다. 이는 보험 가입자의 잘못보다 보험사의 잘못에 더 책임을 둔 것이라 할 수 있다. 또 보험사가 해지권을 행사할 수 있는 기간에도 일정한 제한을 두고 있는데, 이는 양자의 법률관계를 신속히 확정함으로써 보험 가입자가 불안정한 법적 상태에 장기간 놓여 있는 것을 방지하려는 것이다.

(중략)

보험에서 고지 의무는 보험에 가입하려는 사람의 특성을 검증함으로써 다른 가입자에게 보험료가 부당하게 ⓔ전가되는 것을 막는 기능을 한다. 이로써 사고의 위험에 따른 경제적 손실에 대비하고자 하는 보험 본연*의 목적이 달성될 수 있다.

알아두자! 궁금한 어휘

- *납부(納付): 세금이나 공과금 따위를 관계 기관에 냄.
- *지급(支給): 돈이나 물품 따위를 정하여진 몫만큼 내줌.
- *재화(財貨): 사람이 바라는 바를 충족시켜 주는 모든 물건.
- *소요(所要)되다: 필요로 하거나 요구되다.
- *고지(告知): 게시나 글을 통하여 알림.
- *본연(本然): 본디 생긴 그대로의 타고난 상태.

2. ⓐ~ⓔ를 사용하여 만든 문장으로 적절하지 않은 것은?

① ⓐ: 위기 상황일수록 신속하게 대비책을 산정해야 한다.
② ⓑ: 일을 시작하기 전에 상황을 파악하는 것이 중요하다.
③ ⓒ: 임금이 인상되었다는 소식에 많은 사람들이 기뻐했다.
④ ⓓ: 이번 실험이 실패할 가능성을 전혀 배제할 수는 없다.
⑤ ⓔ: 그는 자신의 실수에 대한 책임을 동료에게 전가했다.

다 다의어 동 동음이의어 더 더 알아 둘 어휘

산정
算 계산 **산** / 定 정할 **정**

셈하여 정함.

예 올해부터 퇴직금 산정 방식이 변경된다.

파악
把 잡을 **파** / 握 쥘 **악**

어떤 대상의 내용이나 본질을 확실하게 이해하여 앎.

예 그는 분위기 파악에 서투른 사람이었다.

인상
引 끌 **인** / 上 위 **상**

물건값, 봉급, 요금 따위를 올림.

예 작년에 비해 제품 가격이 많이 인상되었다.

동 **인상(人相):** 사람 얼굴의 생김새. 또는 그 얼굴의 근육이나 눈살 따위.

더 **상승(上昇):** 낮은 데서 위로 올라감.

배제
排 물리칠 **배** / 除 덜 **제**

받아들이지 아니하고 물리쳐 제외함.

예 국제 사회에서 배제되면 살아남기 어려운 시대가 되었다.

더 **배척(排斥):** 따돌리거나 거부하여 밀어 내침.

더 **배격(排擊):** 어떤 사상, 의견, 물건 따위를 물리침.

더 **배타(排他):** 남을 배척함.

전가
轉 옮길 **전** / 嫁 떠넘길 **가**

잘못이나 책임을 다른 사람에게 넘겨씌움.

예 자신의 잘못을 다른 사람에게 전가해서는 안 된다.

헷갈리는 단어, 홀로 사전 찾기로 더 확실하게 CHECK!

단어	뜻

STEP 2 정답 2. ① '보험료와 보험금을 산정한다.'의 '산정'은 '셈하여 정함.'의 의미로, ①에는 '헤아려서 갖춤.'의 의미를 가진 '마련' 정도가 들어가는 것이 적절하다.

구속 拘 잡을 **구** / 束 묶을 **속**	행동이나 의사의 자유를 제한하거나 속박함. 예 그녀의 구속에서 벗어나다.
속박 束 묶을 **속** / 縛 묶을 **박**	어떤 행위나 권리의 행사를 자유로이 하지 못하도록 강압적으로 얽어매거나 제한함. 예 봉건적 신분 구조의 붕괴로 서얼, 노비도 양반의 속박에서 벗어났다.
억압 抑 누를 **억** / 壓 누를 **압**	자기의 뜻대로 자유로이 행동하지 못하도록 억지로 억누름. 예 아프리카는 서양 열강의 억압과 수탈에 고통 받았다.
억제 抑 누를 **억** / 制 억제할 **제**	[1]감정이나 욕망, 충동적 행동 따위를 내리눌러서 그치게 함. [2]정도나 한도를 넘어서 나아가려는 것을 억눌러 그치게 함. 예 [1]나는 치밀어 오르는 분노를 억제하려 애썼다. [2]이 정책은 치솟는 물가를 억제하려는 정책입니다.
탄압 彈 탄알 **탄** / 壓 누를 **압**	권력이나 무력 따위로 억지로 눌러 꼼짝 못하게 함. 예 조선은 불교를 탄압했다.

Q1 새롭게 개발된 신약은 암세포의 번식을 [　　　　] 하는 데 큰 효과를 발휘하였다.

구술 具 갖출 **구** / 述 지을 **술**	구체적으로 상세하게 진술함. 예 학생들은 앞으로의 연구 계획을 교수 앞에서 구술해야 한다.
기록 記 기록할 **기** / 錄 기록할 **록**	주로 후일에 남길 목적으로 어떤 사실을 적음. 또는 그런 글. 예 미해결 사건 기록을 들춰 보다.
기술 記 기록할 **기** / 述 지을 **술**	대상이나 과정의 내용과 특징을 있는 그대로 열거하거나 기록하여 서술함. 또는 그런 기록. 예 작가는 머리말에 이 책을 통해 세상의 이면을 보게 될 것이라고 기술하였다.
진술 陳 늘어놓을 **진** / 述 지을 **술**	일이나 상황에 대하여 자세하게 이야기함. 또는 그런 이야기. 예 용의자는 입을 굳게 다문 채 시종일관 진술을 거부하고 있다.

Q2 국가는 조선 시대에 작성된 만 육천여개 비공개 [　　　　] 들을 공개하기로 하였다.

권력 權 권세 **권** / 力 힘 **력**	남을 복종시키거나 지배할 수 있는 공인된 권리와 힘. 특히 국가나 정부가 국민에 대하여 가지고 있는 강제력을 이름. 예 국왕은 막무가내로 권력을 강화하기 시작하였다.
세력 勢 기세 **세** / 力 힘 **력**	권력이나 기세의 힘. 예 시간이 지나면서 상대편과의 세력 다툼이 심해졌다.
위세 威 위엄 **위** / 勢 기세 **세**	사람을 두렵게 하여 복종하게 하는 힘. 예 사람들은 반역자의 위세에 눌렸다.
위신 威 위엄 **위** / 信 믿을 **신**	위엄과 신망을 아울러 이르는 말. 예 그 발언으로 사장의 위신이 떨어졌다.

Q3 식민 지배가 심화될수록 일본에 동화되는 [ ] 이/가 증가하면서 신채호는 아 개념을 더욱 명료화할 필요가 있었다.

궤변 詭 속일 **궤** / 辯 말 잘할 **변**	상대편을 이론으로 이기기 위하여 상대편의 사고(思考)를 혼란시키거나 감정을 격앙시켜 거짓을 참인 것처럼 꾸며 대는 논법. 예 그것은 구차스러운 약자의 궤변일 뿐이다.
눌변 訥 말 더듬거릴 **눌** / 辯 말 잘할 **변**	더듬거리는 서툰 말솜씨. 예 그는 눌변이었지만, 어딘가 감동을 주는 구석이 있었다.
대변 代 대신할 **대** / 辯 말 잘할 **변**	[1]어떤 사람이나 단체를 대신하여 그의 의견이나 태도를 표함. 또는 그런 일. [2]어떤 사실이나 의미를 대표적으로 나타냄. 예 [1]정치가는 국민의 의사를 대변할 줄 알아야 한다. [2]그동안의 생활은 그의 인생을 대변하는 것이었다.
항변 抗 막을 **항** / 辯 말 잘할 **변**	대항하여 변론함. 또는 그런 변론. 예 이것은 전적으로 내 말만 옳다는 항변이 아니라 어디까지나 내 입장을 밝힌 것이다.

Q4 그는 끝까지 자신의 잘못을 인정하지 않고 이야기의 초점을 흐리면서 자기의 잘못을 합리화하였지만, 그것은 말도 안 되는 [ ] 일 뿐이었다.

STEP 3 정답 A1 [2]억제 A2 기록 A3 세력 A4 궤변

다음 글을 읽고 물음에 답하시오.

• 2019학년도 6월 모평

[앞부분 줄거리] 옹고집은 성격이 고약한 부자이다. 어느 날 옹고집 앞에 가짜 옹고집이 나타나, 서로가 자신이 진짜라고 주장한다.

두 옹고집이 송사 가는 제, 읍내를 들어가니 짚옹고집 ⓐ거동 보소. 주저 없이 제가 앞에 가며 읍의 촌가인 하나와 만나 보면 깜짝 반겨 두 손을 잡고, "나는 가변을 송사하러 가는지라. 자네와 나와 아무 연분*에 서로 알아 죽마고우로 지냈으니 나를 몰라볼쏘냐."

(중략)

짚옹고집 반만 웃고 집으로 돌아와서 바로 내정으로 들어가니 처자 권속*이 내달아 잡고 들어가니, "하늘도 무심치 아니하기로 내 좋은 형세와 처자를 빼앗기지 아니하였다."

송사를 이긴 ⓑ내력을 말하니 처자 권속이며 상하 노복 등이 참옹고집으로 알고, 마누라는, "우리 서방님이 그런 고생이 또 있을까."

뭇 아들 나서며, "그런 자식에게 아버지가 큰 봉재를 보았다."

노복 종이며 마을 사람들이 다 칭찬하거늘, 짚옹고집이,

"내가 혈혈단신*으로 자수성가*하였기로 전곡*을 과연 아낄 줄만 알았더니 내빈 왕객 접대 상과 만가 동냥 거지들을 독하게 ⓒ박대하였더니 인심부득 절로 되어 이런 재변이 난 듯싶으니, 사람 되고 개과천선 못할쏘냐. 오늘부터 재물과 곡식을 흩어 활인구제(活人救濟)하리라."

전곡을 흩어 사방에 구차한 사람을 ⓓ구제한단 말이 낭자하니* 팔도 거지들과 각 절 유걸승들이 구름 모이듯 모여드니 백 냥 돈 천 냥 돈을 흩어 주니 옹고집은 인심 좋단 말이 낭자하더라.

하루는 주효를 낭자케 장만하고 원근에 모모한 친구며 사방 사람을 청좌하여 대연을 ⓔ배설할 제, 이때의 참옹고집 전전걸식*하다가 맹랑촌 옹고집 활인구제한단 말 듣고 분심으로 하는 말이,

"남의 재물 갖고 제 마음대로 쓰는 놈은 어떤 놈의 팔자인고. 찾아가서 내 집 망종 보고 죽자."

– 작자 미상, 「옹고집전」 –

알아두자! 궁금한 어휘

* **연분(緣分)**: 서로 관계를 맺게 되는 인연.
* **권속(眷屬)**: 한집에 거느리고 사는 식구.
* **혈혈단신(孑孑單身)**: 의지할 곳이 없는 외로운 홀몸.
* **자수성가(自手成家)**: 물려받은 재산이 없이 자기 혼자의 힘으로 집안을 일으키고 재산을 모음.
* **전곡(錢穀)**: 돈과 곡식.
* **낭자(狼藉)하다**: 여기저기 흩어져 어지럽다.
* **전전걸식(轉轉乞食)**: 정처 없이 이리저리 돌아다니며 빌어먹음.

1. 문맥상 ⓐ~ⓔ와 바꿔 쓰기에 적절하지 않은 것은?

① ⓐ: 행동
② ⓑ: 과정
③ ⓒ: 모질게 대하였더니
④ ⓓ: 몰아낸단
⑤ ⓔ: 베풂

다 다의어 동 동음이의어 더 더 알아 둘 어휘

거동
擧 들 **거** / 動 움직일 **동**

몸을 움직임. 또는 그런 짓이나 태도.

예 그는 거동이 불편한 어머니를 정성으로 보살폈다.

더 **동태(動態)**: 움직이거나 변하는 모습.

내력
來 올 **내** / 歷 지날 **력**

일정한 과정을 거치면서 이루어진 까닭.

예 나는 아직도 그 일의 내력을 알지 못한다.

다 **내력(來歷)**: 지금까지 지내온 경로나 경력.

박대
薄 엷을 **박** / 待 기다릴 **대**

인정 없이 모질게 대함.

예 가족들조차 그를 박대하였다.

더 **천대(賤待)**: 업신여기어 천하게 대우하거나 푸대접함.

구제
救 구원할 **구** / 濟 건널 **제**

자연적인 재해나 사회적인 피해를 당하여 어려운 처지에 있는 사람을 도와줌.

예 빈민 구제를 위해 힘쓰다.

동 **구제(驅除)**: 해충 따위를 몰아내어 없앰.

더 **구호(救護)**: 재해나 재난 따위로 어려움에 처한 사람을 도와 보호함.

배설
排 물리칠 **배** / 設 베풀 **설**

연회나 의식에 쓰는 물건을 차려 놓음.

예 나라에서 성대한 잔치를 배설하였다.

문학 TIP 고전소설 속 조선 시대 신분

성상(聖上), 주상(主上), 상(上)	임금	왕자(王子)	왕의 아들
대비(大妃)	왕의 어머니	~대군(大君)	왕의 적자(嫡子)
왕후(王后), 왕비(王妃) 중전(中殿), 비(妃)	왕의 정비, 정실부인	~군(君)	왕의 서자(庶子)
빈(嬪)	임금의 첩	공주(公主), 옹주(翁主)	왕의 딸, 후궁이 낳은 딸
세자(世子)	왕위를 이어받을 왕자	궁녀(宮女)	궁에서 왕 일가를 모시는 나인

STEP 1 정답 1. ④ '구차한 사람을 구제한다'의 '구제'는 '자연적인 재해나 사회적인 피해를 당하여 어려운 처지에 있는 사람을 도와줌.'을 의미하는 것으로 '몰아서 밖으로 쫓거나 나가게 하다.'라는 뜻의 '몰아내다'와 바꿔 쓸 수 없다.

소송(訴訟)	재판에 의하여 원고와 피고 사이의 권리나 의무 따위의 법률관계를 확정하여 줄 것을 법원에 요구함. 또는 그런 절차.
채권(債權)	재산권의 하나. 특정인이 다른 특정인에게 어떤 행위를 청구할 수 있는 권리.
채무(債務)	재산권의 하나. 특정인이 다른 특정인에게 어떤 행위를 하여야 할 의무.

내가 가지고 있는 재산을 다른 사람에게 '빌려' 주고 언제까지 이자까지 쳐서 '돌려' 받는다는 약속을 할 경우에는 거래가 이루어진 두 사람 사이에 계약이 이루어져. 이 계약이 사회 질서에 반하거나 공공의 이익을 위협하지 않는다고 전제할 때, 계약 당사자인 두 사람 사이에는 법률관계(사회생활 가운데 법률에 의하여 규정되는 관계)가 형성돼. 이를 통해 돈을 빌려준 사람은 상대방에게 일정한 돈을 넘겨주어야 할 '의무'와 나중에 이자까지 붙은 돈을 돌려받을 '권리'를 갖게 돼. 반대로 돈을 빌린 사람은 상대방에게 일정한 돈을 넘겨받을 '권리'를 갖게 되지만, 동시에 상대방에게 언제까지 돈을 이자까지 붙여 돌려줘야 한다는 '의무'를 지게 되지. 이때 재산권과 관련해서 상대방에 대해 가지는 권리를 채권(사업에 필요한 자금을 차입하기 위해 발생하는 유가 증권인 채권(債券)과는 달라!)이라고 하고, 상대방에 대해 갖는 의무는 채무라고 해. 그런데 약속한 날이 되었지만 상대방이 나에게 돈을 돌려주지 않는 상황이 발생했어. 그럼 우리는 돈을 돌려받아 침해된 재산권을 회복하기 위해 어떤 수단을 취할 수 있을까?

우리는 우선 돈을 빌려간 상대방에게, 상대방이 얼마의 돈을 빌렸고 얼마를 돌려줘야 하는지와 관련된 내용을 적어서 내용 증명 우편을 보낼 수 있어. 내용 증명 우편은 상대방에게 대금 납부나 계약 해지, 손해 배상 청구 같은 내용을 통보하기 위해 작성하는데, 동일한 문서를 세 통 만들어서 하나는 상대방에게 보내고, 하나는 우체국이 보관하게 하고, 마지막 하나는 작성자가 보관해. 이 우편은 상대방에게 일을 공식적으로 해결하려는 의도가 있음을 알려서 반응을 이끌어낼 수도 있고, 실제로 법원 등에서 얼굴을 맞대고 다투게 되었을 때 유리한 증거로 작용할 수 있어. 또 법관이나 조정 위원회로부터 타협안을 받아 돈을 빌려준 나와 돈을 빌린 상대방이 서로 감정 소모 없이 분쟁을 해결할 수 있도록 하는 것도 가능해. 하지만 이런 과정을 거쳤는데도 상대방이 돈을 돌려주려고 하지 않는다면? 우리는 최후의 수단으로 소송을 선택할 수 있어.

소송은 피해를 받았다고 주장하는 측인 원고가 피해를 주었다고 지목받은 측인 피고와의 법률관계(권리나 의무 관계 등)를 분명히 해 줄 것을 법원에 요구하는 것을 뜻해. 위의 경우와 같이 빌려준 돈을 돌려받지 못한 때에는 민법에 근거해서 빌려준 돈을 돌려받을 권리에 대한 내용을 따져달라고 요구하는 민사 재판이 진행돼.

소송, 특히 돈 문제와 관련된 소송이 진행되기 전에는 상대방이 나에게 돈을 돌려줄 만큼의 금액을 보유하고 있는지 우선 확인해야 해. 내가 재판에서 이긴다고 하더라도 상대방이 뻔뻔하게 자신은 돈이 없다고 나오면 결국 배상을 받기가 어려워지거든. 그러니까 상대방의 재산이 어느 정도인지 확인하고, 필요하다면 가압류를 해서 함부로 재산을 처분하지 못하도록 임시로 확보해 둬. 이후 민사 재판에서는 객관적으로 확인할 수 있는 정보들을 제시해서 나의 억울함이 법적으로 정당하니 받은 피해만큼의 배상을 받아야 한다는 점을 증명해야 해. 객관적인 증거를 통해 재판에서 이기면, 우리는 공적으로 돈을 돌려받을 권리를 얻게 돼! 그런데도 상대방이 돈을 갚지 않으면? 그럼 국가 기관이 강제 집행을 통해 강제적으로 돈을 돌려받을 수 있게 해 줄 거야. 만약 사전에 공증을 통해 상대방에게 돈을 빌려줬다는 것을 국가나 공공단체에 의해 공적으로 증명 받았다면 소송과 재판 절차를 뛰어넘어 바로 강제 집행이 이루어질 수 있어.

정답 P. 197

지문을 통해 다시 읽어보기

• 2019학년도 수능

갑과 을은 을이 소유한 그림 A를 갑에게 매도하는 것을 내용으로 하는 매매 계약을 체결하였다. 을의 채무는 그림 A의 소유권을 갑에게 이전하는 것이다. 동산인 물건의 소유권을 이전하는 방식은 그 물건을 인도하는 것이다. 갑은 그림 A가 너무나 마음에 들었기 때문에 그것을 인도받기 전에 대금 전액을 금전으로 지급하였다. 그런데 갑이 아무리 그림 A를 넘겨달라고 청구하여도 을은 인도해 주지 않았다. 이런 경우 갑이 사적으로 물리력을 행사하여 해결하는 것은 엄격히 금지된다.

채권의 내용은 민법과 같은 실체법에서 규정하고 있고, 그것을 강제적으로 실현할 수 있도록 민사 소송법이나 민사 집행법 같은 절차법이 갖추어져 있다. 갑은 소를 제기하여 판결로써 자기가 가진 채권의 존재와 내용을 공적으로 확정받을 수 있고, 나아가 법원에 강제 집행을 신청할 수도 있다. 강제 집행은 국가가 물리적 실력을 행사하여 채무자의 의사에 구애받지 않고 채무의 내용을 실행시켜 채권이 실현되도록 하는 제도이다.

Q1 거래 상대방이 채무를 이행하지 않는 경우 법원을 통해 강제 집행을 신청하면 물리력으로 채권을 실현할 수 있다.

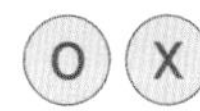

지문을 통해 다시 읽어보기

• 2020학년도 9월 모평

점유란 물건에 대한 사실상의 지배 상태를 뜻한다. 이에 비해 소유란 어떤 물건을 사용 · 수익 · 처분할 수 있는 권리를 가진 상태라고 정의된다. 따라서 점유자와 소유자가 항상 일치하지는 않는다.

물건을 빌려 쓰거나 보관하고 있는 것을 포함하여 물건을 물리적으로 지배하는 상태를 직접점유라고 한다. 이에 비해 어떤 물건을 빌려 쓰거나 보관하는 사람에게 그 물건의 반환을 청구할 수 있는 권리를 가진 사람도 사실상의 지배를 한다고 볼 수 있다. 이와 같이 반환청구권을 가진 상태를 간접점유라고 한다. 직접점유와 간접점유는 모두 점유에 해당한다. 점유는 소유자를 공시하는 기능도 수행한다. 공시란 물건에 대해 누가 어떤 권리를 가지고 있는지를 알려 주는 것이다. 물건 중에서 피아노, 금반지, 가방 등과 같은 대부분의 동산은 점유에 의해 소유권이 공시된다.

Q2 피아노의 직접점유자가 있으면 그 피아노의 간접점유자는 소유자가 아니다.

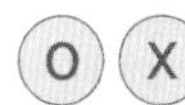

다음 글을 읽고 물음에 답하시오.

• 2017학년도 9월 모평

권리와 의무의 주체*가 될 수 있는 자격을 권리 능력이라 한다. 사람은 태어나면서 저절로 권리 능력을 갖게 되고 생존하는 내내 보유한다. 그리하여 사람은 재산에 대한 소유권의 주체가 되며, 다른 사람에 대하여 채권을 누리기도 하고 채무를 지기도 한다. 사람들의 결합체인 단체도 일정한 요건을 ㉠갖추면 법으로써 부여되는 권리 능력인 법인격을 취득할 수 있다. 단체 중에는 사람들이 일정한 목적을 갖고 결합한 조직체로서 구성원과 구별되어 독자적 실체로서 존재하며, 운영 기구를 두어, 구성원의 가입과 탈퇴에 관계없이 존속*하는 단체가 있다. 이를 사단(社團)이라 하며, 사단이 갖춘 이러한 성질을 사단성이라 한다. 사단의 구성원은 사원이라 한다. 사단은 법인(法人)으로 등기*되어야 법인격이 생기는데, 법인격을 가진 사단을 사단 법인이라 부른다. 반면에 사단성을 갖추고도 법인으로 등기하지 않은 사단은 '법인이 아닌 사단'이라 한다. 사람과 법인만이 권리 능력을 가지며, 사람의 권리 능력과 법인격은 엄격히 구별된다. 그리하여 사단 법인이 자기 이름으로 진 빚은 사단이 가진 재산으로 갚아야 하는 것이지 사원 개인에게까지 책임이 미치지 않는다.

알아두자! 궁금한 어휘

***주체(主體):** 사물의 작용이나 어떤 행동의 주가 되는 것.

***존속(存續):** 어떤 대상이 그대로 있거나 어떤 현상이 계속됨.

***등기(登記):** 국가 기관이 법정 절차에 따라 등기부에 부동산이나 동산 · 채권 등의 담보 따위에 관한 일정한 권리 관계를 적는 일. 또는 적어 놓은 것.

1. 문맥상 ㉠과 바꿔 쓰기에 가장 적절한 것은?

① 겸비(兼備)하면　② 구비(具備)하면　③ 대비(對備)하면
④ 예비(豫備)하면　⑤ 정비(整備)하면

다 다의어 동 동음이의어 더 더 알아 둘 어휘

겸비
兼 겸할 겸 / 備 갖출 비

두 가지 이상을 아울러 갖춤.

예 그곳은 넓은 매장과 주차 공간을 겸비하고 있다.

더 **겸유(兼有)**: 두 가지 이상을 아울러 가짐.

구비
具 갖출 구 / 備 갖출 비

있어야 할 것을 빠짐없이 다 갖춤.

예 그 연구소에는 최신 시설이 구비되어 있다.

더 **구색(具色)**: 여러 가지 물건을 고루 갖춤. 또는 그런 모양새.

더 **완비(完備)**: 빠짐없이 완전히 갖춤.

대비
對 대할 대 / 備 갖출 비

앞으로 일어날지도 모르는 어떠한 일에 대응하기 위하여 미리 준비함. 또는 그런 준비.

예 나는 중간고사를 대비하여 열심히 공부하고 있다.

예비
豫 미리 예 / 備 갖출 비

필요할 때 쓰기 위하여 미리 마련하거나 갖추어 놓음.

예 소화제나 진통제 등은 예비해 두는 것이 좋다.

다 **예비(豫備)**: 더 높은 단계로 넘어가거나 정식으로 하기 전에 그 준비로 미리 초보적으로 갖춤. 또는 그런 준비.

더 **예행(豫行)**: 연습으로 미리 행함. 또는 그런 일.

정비
整 가지런할 정 / 備 갖출 비

흐트러진 체계를 정리하여 제대로 갖춤.

예 교육 제도를 정비하다.

다 **정비(整備)**: [1]기계나 설비가 제대로 작동하도록 보살피고 손질함. [2]도로나 시설 따위가 제 기능을 하도록 정리함.

DAY 08

헷갈리는 단어, 홀로 사전 찾기로 더 확실하게 CHECK!

단어	뜻

STEP 2 정답 1. ② '일정한 요건을 갖추면'의 '갖추다'는 '있어야 할 것을 가지거나 차리다.'라는 뜻이다. 따라서 '있어야 할 것을 빠짐없이 다 갖추다.'라는 뜻의 '구비하다'와 바꿔 쓸 수 있다.

다음 글을 읽고 물음에 답하시오.

• 2016학년도 수능AB

변론술을 가르치는 프로타고라스(P)에게 에우아틀로스(E)가 제안하였다. "제가 처음으로 승소*하면 그때 수강료를 내겠습니다." P는 이를 ⓐ받아들였다. 그런데 E는 모든 과정을 수강하고 나서도 소송을 할 기미를 보이지 않았고 그러자 P가 E를 상대로 소송하였다. P는 주장하였다. "내가 승소하면 판결에 따라 수강료를 받게 되고, 내가 지면 자네는 계약에 따라 수강료를 내야 하네." E도 맞섰다. "제가 승소하면 수강료를 내지 않게 되고 제가 지더라도 계약에 따라 수강료를 내지 않아도 됩니다."

지금까지도 이 사례는 풀기 어려운 논리 난제*로 거론된다. 다만 법률가들은 이를 해결할 수 있는 사안이라고 본다. 우선, 이 사례의 계약이 수강료 지급이라는 효과를, 실현되지 않은 사건에 의존하도록 하는 계약이라는 점을 살펴야 한다. 이처럼 일정한 효과의 발생이나 소멸에 제한을 ⓑ덧붙이는 것을 '부관'이라 하는데, 여기에는 '기한'과 '조건'이 있다. 효과의 발생이나 소멸이 장래에 확실히 발생할 사실에 의존하도록 하는 것을 기한이라 한다. 반면 장래에 일어날 수도 있는 사실에 의존하도록 하는 것은 조건이다. 그리고 조건이 실현되었을 때 효과를 발생시키면 '정지 조건', 소멸시키면 '해제 조건'이라 ⓒ부른다.

(중략)

확정 판결 이후에 법률상의 새로운 사정이 ⓓ생겼을 때는, 그것을 근거로 하여 다시 소송하는 것이 허용된다. 이 경우에는 전과 다른 사안의 소송이라 하여 이전 판결의 기판력*이 미치지 않는다고 보는 것이다. 위에서 예로 들었던 계약서는 판결 이전에 작성된 것이어서 그 발견이 새로운 사정이라고 인정되지 않는다. 그러나 임대인이 임차인에게 집을 비워 달라고 하는 소송에서 임대차 기간이 남아 있다는 이유로 임대인이 패소*한 판결이 확정된 후 시일이 흘러 계약 기간이 만료되면, 임대인은 집을 비워 달라는 소송을 다시 할 수 있다. 계약상의 기한이 지남으로써 임차인의 권리에 변화가 생겼기 때문이다.

이렇게 살펴본 바를 바탕으로 P와 E 사이의 분쟁을 해결하는 소송이 어떻게 전개될지 따져 보자. 이 사건에 대한 소송에서는 조건이 성취되지 않았다는 이유로 법원이 E에게 승소 판결을 내리면 된다. 그런데 이 판결 확정 이후에 P는 다시 소송을 할 수 있다. 조건이 실현되었기 때문이다. 따라서 이 두 번째 소송에서는 결국 P가 승소한다. 그리고 이때부터는 E가 다시 수강료에 관한 소송을 할 만한 사유가 없다. 이 분쟁은 두 차례의 판결을 ⓔ거쳐 해결될 수 있는 것이다.

알아두자! 궁금한 어휘

* **승소(勝訴)**: 소송에서 이기는 일. 소송 당사자의 한 편이 자기에게 유리한 판결을 받는 일.
* **난제(難題)**: 해결하기 어려운 일이나 사건.
* **기판력(旣判力)**: 확정된 재판의 판단 내용이 소송 당사자 및 같은 사항을 다루는 다른 법원을 구속하여, 그 판단 내용에 어긋나는 주장이나 판단을 할 수 없게 하는 소송법적인 효력.
* **패소(敗訴)**: 소송에서 짐.

2. 문맥상 ⓐ~ⓔ와 바꿔 쓰기에 가장 적절한 것은?

① ⓐ: 수취하였다　② ⓑ: 부가하는　③ ⓒ: 명시한다
④ ⓓ: 형성되었을　⑤ ⓔ: 경유하여

수취
收 거둘 **수** / 取 취할 **취**

거두어들여서 가짐.

예 왕은 조서를 통해 농민에 대한 지나친 수취를 경계하도록 하였다.

더 **수집(收集):** 거두어 모음.

부가
附 붙을 **부** / 加 더할 **가**

주된 것에 덧붙임.

예 보다 자세한 설명을 원하는 경우에는 아래에 부가 정보를 입력해 주세요.

더 **첨가(添加):** 이미 있는 것에 덧붙이거나 보탬.

명시
明 밝을 **명** / 示 보일 **시**

분명하게 드러내 보임.

예 메뉴판에는 재료의 원산지를 명시해야 한다.

형성
形 형상 **형** / 成 이룰 **성**

어떤 형상을 이룸.

예 청소년기는 인격 형성에 아주 중요한 시기이다.

경유
經 지날 **경** / 由 말미암을 **유**

사무 절차에서 어떤 부서를 거쳐 지남.

예 관련 부서의 담당자를 경유한 서류입니다.

다 **경유(經由):** 어떤 곳을 거쳐 지남.

더 **경과(經過):** [1]시간이 지나감. [2]어떤 단계나 시기, 장소를 거침. [3]일이 되어 가는 과정.

헷갈리는 단어, 홀로 사전 찾기로 더 확실하게 CHECK!

단어	뜻

STEP 2 정답 2. ② '소멸에 제한을 덧붙이는'의 '덧붙이다'는 '붙은 위에 겹쳐 붙이다.' 또는 '군더더기로 딸려 있게 하다.'라는 의미이므로 '주된 것에 덧붙이다.'라는 의미의 '부가하다'와 바꿔 쓸 수 있다.

규명 糾 꼴 **규** / 明 밝을 **명**	어떤 사실을 자세히 따져서 바로 밝힘. 예 우리들은 사건의 진상 규명을 촉구하였다.
변명 辨 분별할 **변** / 明 밝을 **명**	어떤 잘못이나 실수에 대하여 구실을 대며 그 까닭을 말함. 예 그들은 잘못을 뉘우치기는커녕 변명을 늘어놓기에 급급했다.
설명 說 말씀 **설** / 明 밝을 **명**	어떤 일이나 대상의 내용을 상대편이 잘 알 수 있도록 밝혀 말함. 또는 그런 말. 예 해설지의 설명만으로는 문제가 이해되지 않아서 선생님께 질문하기로 했다.
해명 解 풀 **해** / 明 밝을 **명**	까닭이나 내용을 풀어서 밝힘. 예 그는 자기 태도에 대한 해명의 기회를 달라고 했다.

Q1 내가 잘못했다는 것에 대해서는 [   ] 의 여지가 조금도 없다.

규합 糾 꼴 **규** / 合 합할 **합**	어떤 일을 꾸미려고 세력이나 사람을 모음. 예 그의 말을 듣고 사람들은 마을 협약 단체의 규합에 박차를 가하기 시작했다.
배합 配 짝 **배** / 合 합할 **합**	이것저것을 일정한 비율로 한데 섞어 합침. 예 떡은 가루와 물의 배합이 맞아야 맛있다.
융합 融 녹을 **융** / 合 합할 **합**	다른 종류의 것이 녹아서 서로 구별이 없게 하나로 합하여지거나 그렇게 만듦. 또는 그런 일. 예 무아(無我)의 경지는 마음과 대상이 하나로 융합을 이룬 상태를 말한다.
조합 組 짤 **조** / 合 합할 **합**	여럿을 한데 모아 한 덩어리로 짬. 예 그 숫자를 조합하여 암산하려 했지만 마음대로 되질 않았다.

Q2 장군은 자신의 측근들을 현지로 급히 파견하여 동남부 군 지휘관들을 [   ] 하고자 했다.

정복 征 칠 **정** / 服 복종할 **복**	남의 나라나 이민족 따위를 정벌하여 복종시킴. 예 여러 민족의 이주나 정복은 문화의 교류를 촉진하기도 했다.
정벌 征 칠 **정** / 伐 칠 **벌**	적 또는 죄 있는 무리를 무력으로써 침. 예 이성계는 요동 정벌에 파견되었으나 위화도에서 회군하여 반대파를 숙청하고 권력을 잡았다.
토벌 討 칠 **토** / 伐 칠 **벌**	무력으로 쳐 없앰. 예 전차, 장갑차, 헬리콥터 등 기동대가 출동하면서 토벌 작전은 본격화되었다.
포획 捕 사로잡을 **포** / 獲 얻을 **획**	[1]적병을 사로잡음. [2]짐승이나 물고기를 잡음. 예 [1]이번 전투에서 우리는 적군 50명 포획이라는 전과를 올렸다. [2]많은 동물들이 무분별한 포획으로 멸종 위기에 놓여 있다.

Q3 보잘것없는 왜소한 인간들이 그 커다란 고래를 [ ] 한다는 사실에 나는 분노를 느꼈다.

근본 根 뿌리 **근** / 本 근본 **본**	사물의 본질이나 본바탕. 예 경제 불황이 주가 하락의 근본 원인이다.
근원 根 뿌리 **근** / 源 근원 **원**	사물이 비롯되는 근본이나 원인. 예 물은 생명의 근원이라는 사실을 잊지 말아야 한다.
기원 起 일어날 **기** / 源 근원 **원**	사물이 처음으로 생김. 또는 그런 근원. 예 민주 정치의 기원은 고대 그리스로 거슬러 올라간다.
시초 始 비로소 **시** / 初 처음 **초**	맨 처음. 예 독일군이 프랑스를 공격하게 된 것이 비극의 시초였다.
원천 源 근원 **원** / 泉 샘 **천**	사물의 근원. 예 국력(國力)의 원천은 국민의 단합에 있다.

Q4 묵란화는 중국에서 [ ] 하여 우리나라에 전래된 그림 양식이다.

STEP 3 정답 A1 변명 A2 규합 A3 [2]포획 A4 기원

다음 글을 읽고 물음에 답하시오.

• 2018학년도 수능

왕비가 웃으며 말했다.

"부인이 이곳에 오긴 오겠지만 아직 때가 멀었소. 남해 도인*이 그대와 인연이 있으니 잠깐 의탁하게 될 것이오. 이 또한 하늘의 뜻이니라."

사 씨가 여쭈었다.

"남해라면 바다 끝으로 알고 있사옵니다. 첩에게는 탈 것이 없고 돈도 없는데 어찌 갈 수 있겠나이까?"

왕비가 말했다.

"조만간 길을 인도하는 자가 있을 것이니 조금도 ⓐ염려 마라."

이윽고 좌우에 앉아 있는 부인들을 하나하나 소개했다. 위국 부인 장강*, 한나라의 반첩여* 등이 있었다. 사 씨가 다소곳이 일어나 머리를 조아리고 말했다.

"뜻밖에도 모든 부인님의 얼굴을 오늘 뵙게 되니 크나큰 영광입니다."

드디어 ⓑ하직을 하고 여동의 인도를 받아 내려오는데, 걷었던 주렴을 내리는 소리가 요란하였다. 이 소리에 놀라 몸을 일으키니 유모와 시비가 부인이 깨신다 하고 부르거늘 사 씨가 일어나 앉으니 이미 날이 저물었다. 멍한 정신이 한참 만에야 진정되었다. 입에서는 향기로운 냄새가 났고 왕비께서 하시던 말씀이 뚜렷했다.

(중략)

한편 한림학사 유연수는 유배지에 도착하니 바람이 거세고 인심이 사나워 갖은 ⓒ고초를 겪게 되었다. 외로운 가운데 이러한 고생을 하니 예전의 총명함이 점점 돌아와 뉘우치며 말했다.

"사 씨가 동청을 꺼렸는데 이제 와서 생각하니 그 말이 옳도다. 어진* 아내를 의심했으니 무슨 ⓓ면목으로 조상을 대하리오."

밤낮 이런 생각을 하면서 탄식하니 병에 걸리고 말았다. 이곳에는 마땅한 의약이 없었다. 병세는 날로 심해져 죽을 지경에 이르렀다. 하루는 흰 옷 입은 노파가 병(甁)을 들고 와서 말했다.

"상공의 병이 위독하니 이 물을 먹으면 좋아지리라."

한림이 물었다. / "그대는 누구인데 ⓔ유배당한 사람의 병을 구하시오?"

노파가 말했다. / "나는 동정 군산에 사는 사람이로다."

그러고는 병을 뜰 가운데 놓고 사라졌다.

– 김만중, 「사씨남정기」 –

*장강: 춘추 전국 시대 위나라 장공의 아내.
*반첩여: 한나라 성제의 후궁.

알아두자! 궁금한 어휘

*도인(道人): 도를 갈고 닦는 사람.

*어질다: 마음이 너그럽고 착하며 슬기롭고 덕이 높다.

1. ⓐ~ⓔ의 사전적 의미로 적절하지 않은 것은?

① ⓐ: 앞일에 대하여 여러 가지로 마음을 써서 걱정함.
② ⓑ: 먼 길을 떠날 때 웃어른께 작별을 고함.
③ ⓒ: 괴로움이나 어려움을 아울러 이르는 말.
④ ⓓ: 얼굴의 생김새.
⑤ ⓔ: 죄인을 귀양 보내던 일.

다 다의어 동 동음이의어 더 더 알아 둘 어휘

염려
念 생각할 **염** / 慮 생각할 **려**

앞일에 대하여 여러 가지로 마음을 써서 걱정함. 또는 그런 걱정.

예 일이 잘 해결되었으니 더 이상 염려하지 않아도 된다.

하직
下 아래 **하** / 直 곧을 **직**

먼 길을 떠날 때 웃어른께 작별을 고하는 것.

예 그는 아버지께 하직 인사를 하고 물러 나왔다.

고초
苦 괴로울 **고** / 楚 괴로울 **초**

괴로움과 어려움을 아울러 이르는 말.

예 그동안 겪은 고초를 이루 다 말할 수가 없다.

면목
面 낯 **면** / 目 눈 **목**

남을 대할 만한 체면.

예 약속을 어겨서 그를 대할 면목이 없다.

다 **면목(面目)**: 얼굴의 생김새.
더 **위신(威信)**: 위엄과 신망을 아울러 이르는 말.

유배
流 흐를 **류** / 配 짝 **배**

죄인을 귀양 보내던 일.

예 제주는 조선시대 대표적인 유배지이다.

문학 TIP 고전소설 속 조선 시대 관직

정승(政丞)	영의정, 좌의정, 우의정 중국의 승상(丞相)	참봉(參奉)	종4품의 하급 공무원
판서(判書)	장관급 벼슬, 중국의 상서(尙書)	관찰사(觀察使), 감사(監司)	도지사(道知事)
참판(參判)	차관급 벼슬, 중국의 시랑(侍郎)	목사(牧使), 부사(府使)	큰 지역 단위의 우두머리
재상(宰相), 상공(相公)	높은 직위를 지닌 사람을 지칭	도원수(都元帥) / 부원수	대장군 / 장군(부장)
승지(承旨)	임금의 비서(우두머리: 도승지)	비장(裨將)	관찰사(감사) 또는 사신의 호위무사

STEP 1 정답 1. ④ '무슨 면목으로 조상을 대하리오'의 '면목'은 단순한 생김새를 나타내는 것이 아닌 조상 등의 타인을 대하는 상황과 관련되므로, '남을 대할 만한 체면.'이라는 의미로 사용되었다고 보는 것이 적절하다.

사조(思潮)	한 시대의 일반적인 사상의 흐름.
주의(主義, -ism)	체계화된 이론이나 학설.

고전주의, 자연주의, 낭만주의, 현실주의, 매너리즘, 다다이즘 등 지문에서 우리는 'OO주의', 혹은 'OO이즘(-ism)'이라는 사상을 의미하는 어휘들과 마주하게 돼.

• 2015학년도 사관학교B

> 예술을 진리와의 연관 속에서 바라보는 것은 낭만주의의 큰 특징이다. 낭만주의에서는 과학보다 예술이 한 단계 높은 진리를 파악하고 있는 것으로 보았다. 이는 예술이 그 독특한 힘으로 이성적, 의식적, 논리적 접근으로는 파악될 수 없는, 무한, 영원 등과 같은 보다 심오하고 본질적인 진리나 실재를 우리에게 드러내 준다고 생각했기 때문이다. 이에 따라 낭만주의 작품에는 유한한 현 상태로부터 벗어나 무한한 것, 영원한 것을 지향하는 인간의 정신이 반영되어 있다. 이러한 낭만주의 경향을 보여 주는 대표적인 작가가 독일의 카스파르 다비드 프리드리히이다. 그의 풍경화는 광활하고 영원한 자연을 대면한 인간의 낭만적 정서를 탁월하게 보여 주었다.

위 지문은 '낭만주의'라는 미술 사조에 대해 언급하며 글을 전개하고 있어. 고대에서부터 현대에 이르기까지 서양 미술은 다양한 사조와 경향을 거치며 변화해 왔는데, 낭만주의도 그중 하나이지.

그 변천사에 대해 좀 더 이야기해 보자면, 서양 미술은 르네상스 시기에 이탈리아를 중심으로 본격적으로 꽃피기 시작하였어. 그러다가 르네상스 시기의 막바지에 나타난 매너리즘을 거쳐 17세기 초부터 나타나기 시작한 이탈리아의 바로크 양식, 18세기 프랑스의 로코코 미술을 거쳐 19세기에는 신고전주의, 낭만주의, 자연주의, 사실주의, 인상주의 등의 다양한 미술 사조로 이어졌지. 그리고 20세기에 세상에 대한 화가의 주관적 해석이 더 뚜렷해지는 경향이 나타나면서 야수파, 입체주의, 표현주의, 미래주의, 다다이즘, 초현실주의, 극사실주의 등의 사조가 나타나게 되었어!

이러한 흐름을 다 알아둘 필요는 없어. 다만 각 사조와 경향은 역사적인 맥락 속에서 당대의 사회적 분위기와 문화를 복합적으로 반영하고 있다는 점은 기억해두자! 그렇기 때문에 지문에서 어떤 사조/경향에 대해 다루고 있다면 당대의 사회문화적인 맥락을 지문 전반에 걸쳐 자세하게 설명해 주기 마련인데, 이때 사조와 사회문화적 상황을 연결해가며 읽어내려가면 돼!

정답 P. 197

지문을 통해 다시 읽어보기

• 2015학년도 사관학교B

예술을 진리와의 연관 속에서 바라보는 것은 낭만주의의 큰 특징이다. 낭만주의에서는 과학보다 예술이 한 단계 높은 진리를 파악하고 있는 것으로 보았다. 이는 예술이 그 독특한 힘으로 이성적, 의식적, 논리적 접근으로는 파악될 수 없는, 무한, 영원 등과 같은 보다 심오하고 본질적인 진리나 실재를 우리에게 드러내 준다고 생각했기 때문이다. 이에 따라 낭만주의 작품에는 유한한 현 상태로부터 벗어나 무한한 것, 영원한 것을 지향하는 인간의 정신이 반영되어 있다. 이러한 낭만주의 경향을 보여 주는 대표적인 작가가 독일의 카스파르 다비드 프리드리히이다. 그의 풍경화는 광활하고 영원한 자연을 대면한 인간의 낭만적 정서를 탁월하게 보여 주었다.

프리드리히의 풍경화는 18세기 미학에서 중요시되었던 '숭고'의 감정을 특징적으로 잘 보여 주고 있다. 자연의 규모와 그 힘이 인간이 측량하고 지배할 수 있는 한계를 넘어설 때 인간은 자연을 대면하여 고통과 쾌감의 상호 모순된 정서를 갖게 된다. 이러한 정서를 칸트는 '숭고'라고 이름 붙였다. 이에 따르면 숭고는 측량할 수 없는 자연의 크기와 위력 앞에서 느끼는 외경의 감정으로 우리 정신 속에 무한한 것에 관한 이념을 환기시킨다. 프리드리히는 실제 자연 체험에서 우러나오는 숭고의 감정을 풍경화를 통해 보여 주었는데, 이러한 그의 그림에는 인간이 전경(前景)에 위치하는 경우가 많다. 그림 속 인간은 압도적인 자연과 대비되며 숭고의 감정을 효과적으로 환기하는 데에 기여한다.

Q1 낭만주의에서는 인간이 예술을 통해 진리에 이를 수 있다고 본다.

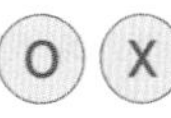

지문을 통해 다시 읽어보기

• 2014학년도 사관학교A

1910년을 전후하여 독일을 중심으로 전개된 미술 사조인 '표현주의'는 내면에 잠재된 강렬한 감정과 욕구를 소재로 하여 이를 자유롭게 표현하고자 했던 미술 운동이자, 회화에 사회의식을 반영한 사조로 평가 받는다. 19세기 후반 당시의 독일 사회는 전쟁의 후유증과 급속한 산업화로 인해 매우 혼란스러운 상황이었다. 표현주의자들은 사회의 모순에 대한 비판적 인식을 바탕으로 초라한 인간상을 예리하게 포착하여 불안과 공포, 기쁨과 슬픔 등 자신이 느낀 것을 미화하지 않고 그대로 화폭에 담아내고자 했다.

기존의 회화가 외적 세계의 모방에 초점을 두었다면, 표현주의는 눈에 보이지 않는 내면의 감정 표현을 중요하게 생각하였다. 표현주의자들은 외적 세계에 대한 내면의 감정을 표현하기 위해 형태를 단순화하고 색채의 수를 최소한으로 사용하였다. 동일한 대상이라도 사람의 감정 상태에 따라 대상이 다르게 보이므로, 당시의 내면 상태를 강렬하게 표현하기 위해 대상의 형태를 과장하거나 왜곡하여 표현하였다. 그리고 즉흥적인 느낌을 주는 듯한 거친 붓놀림과 선에 의해 단순화된 형태, 그리고 과장된 색채를 선호하였다. 특히 표현주의자들은 판화를 많이 제작하였다. 작가들은 판화에서는 과장된 색채 대신 흑백 대조를 활용하여 극적인 효과를 얻으려 했고, 거칠고 날카로운 선들을 이용하여 당시의 부정적인 사회 상황을 드러내려 하였다.

Q2 표현주의에서 대상의 형태를 왜곡하거나 과장된 색채를 사용하는 것은 대상이 지닌 소형석인 아름다움을 드러내기 위해서이다.

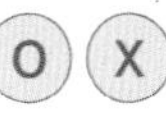

다음 글을 읽고 물음에 답하시오.

• 2018학년도 9월 모평

관광객처럼 우리 주변에서 흔히 볼 수 있는 것을 대상으로 고르면 현실성이 높다고 하고, 그 대상을 시각적 재현*에 ⓐ기대어 실재와 똑같이 표현하면 사실성이 높다고 한다. 대상의 현실성과 표현의 사실성을 모두 추구한 하이퍼리얼리즘은 같은 리얼리즘 경향에 ⓑ드는 팝아트와 비교하면 그 특성이 잘 드러난다. 이들은 1960년대 미국에서 발달하여 현재까지 유행하고 있는 유파*로, 당시 자본주의 사회의 일상의 모습을 대상으로 삼은 점에서는 공통적이다. 팝아트는 대상을 함축적으로 변형했지만 하이퍼리얼리즘은 대상을 정확하게 재현하려고 하였다. 그래서 팝아트는 주로 대상의 현실성을 추구하지만, 하이퍼리얼리즘은 대상의 현실성뿐만 아니라 트롱프뢰유*의 흐름을 ⓒ이어 표현의 사실성도 추구한다. 팝아트는 대상의 정확한 재현보다는 대중과 쉽게 소통할 수 있는 인쇄 매체를 주로 활용한 반면에, 하이퍼리얼리즘은 새로운 재료나 기계적인 방식을 적극 사용하여 대상을 정확히 재현하는 방법을 추구하였다.

자본주의 일상을 사실적으로 표현한 하이퍼리얼리즘의 대표적인 작가에는 핸슨이 있다. 그의 작품 「쇼핑 카트를 밀고 가는 여자」(1969)는 물질적 풍요함 속에 매몰되어 살아가는 당시 현대인을 비판적 시각에서 표현한 작품으로 해석할 수 있다. 이 작품의 대상은 상품이 가득한 쇼핑 카트와 여자이다. 그녀는 욕망의 주체이며 물질에 대한 탐욕을 상징하고 있고, 상품이 가득한 쇼핑 카트는 욕망의 객체*이며 물질을 상징하고 있다. 그래서 여자가 상품이 넘칠 듯이 가득한 쇼핑 카트를 밀고 있는 구도는 물질적 풍요 속에서의 과잉 소비 성향을 보여 준다.

이 작품의 기법을 ⓓ보면, 생활공간에 전시해도 자연스럽도록 작품을 전시 받침대 없이 제작하였다. 사람을 보고 찰흙으로 형태를 만드는 방법 대신 사람에게 직접 석고를 덧발라 형태를 뜨는 실물 주형 기법을 사용하여 사람의 형태와 크기를 똑같이 재현하였다. 또한 기존 입체 작품의 재료인 청동의 금속재 대신에 합성수지, 폴리에스터, 유리 섬유 등을 사용하고 에어브러시로 채색하여 사람 피부의 질감과 색채를 똑같이 재현하였다. 여기에 오브제*인 가발, 목걸이, 의상 등을 덧붙이고 쇼핑 카트, 식료품 등을 그대로 사용하여 사실성을 ⓔ높였다.

*트롱프뢰유(trompe-l'oeil): '속임수 그림'이란 말로 감상자가 실물처럼 착각할 정도로 정밀하게 재현하는 것.
*오브제(objet): 일상 용품이나 물건을 본래의 용도로 쓰지 않고 예술 작품에 사용하는 기법 또는 그 물체.

알아두자! 궁금한 어휘

*재현(再現): 다시 나타남. 또는 다시 나타냄.

*유파(流派): 주로 학계나 예술계에서, 생각이나 방법 경향이 비슷한 사람이 모여서 이룬 무리.

*객체(客體): 작용의 대상이 되는 쪽.

1. 문맥상 ⓐ~ⓔ와 가장 가까운 의미로 쓰인 것은?

① ⓐ: 누나가 그린 그림을 벽면 한쪽에 기대어 놓았다.
② ⓑ: 그때는 언니도 노래를 잘 부르는 축에 들었다.
③ ⓒ: 1학년이 출발한 데 이어 2학년도 바로 출발했다.
④ ⓓ: 사무실에는 회계를 보는 직원만 혼자 들어갔다.
⑤ ⓔ: 그는 이번 조치에 대해 비판의 목소리를 높였다.

다 다의어 동 동음이의어 더 더 알아 둘 어휘

단어	뜻 / 예문	참고
기대다	근거로 하다. 예 이 메일에 기대면, 그는 벌써 도착했어야 한다.	동 **기대다:** 몸이나 물건을 의지하면서 비스듬히 대다.
들다	어떤 범위나 기준, 또는 일정한 기간 안에 속하거나 포함되다. 예 이번 시험에서는 반에서 10등 안에 드는 것이 목표이다.	
잇다	끊어지지 않게 계속하다. 예 집안 대대로 내려오는 가업을 잇기 위해 고향에 돌아왔다.	다 **잇다:** 뒤를 따르다. 더 **계승(繼承):** 조상의 전통이나 문화유산, 업적 따위를 물려받아 이어 나감.
보다	대상의 내용이나 상태를 알기 위하여 살피다. 예 거울을 보면서 머리를 만지다.	다 **보다:** 어떤 일을 맡아 하다.
높이다	품질, 수준, 능력, 가치 따위를 더 높은 수준으로 만들다. 예 성적을 높이기 위해 밤낮없이 공부하였다.	다 **높이다:** 어떤 의견을 다른 의견보다 더 강하게 내다.

헷갈리는 단어, 홀로 사전 찾기로 더 확실하게 CHECK!

단어	뜻

STEP 2 정답 1. ② '리얼리즘 경향에 드는'의 '들다'와 ②번의 '들다'는 모두 '어떤 범위나 기준, 또는 일정한 기간 안에 속하거나 포함되다.'라는 의미로 쓰였다.

다음 글을 읽고 물음에 답하시오.

• 2014학년도 6월 모평AB

미켈란젤로는 타원형의 캄피돌리오 광장을 설계하여 로마의 중심부에 새로운 공간을 만들었다. 광장 중앙에는 옛 로마 황제의 기마상이 놓여 있고 기마상 밑의 바닥에는 12개의 꼭짓점을 지닌 별 모양의 장식이 있다. 광장의 바닥은 기마상에서 뻗어 나온 선들이 교차*하여 ⓐ만들어진 문양으로 잘게 나누어져 있다. 이러한 광장의 구성은 기하학*적 도형들이 대칭적으로 조합되어 정제*된 조형미를 표현하고 있다.

광장의 타원형은 고대 그리스 신전에 놓여 있었던 신성한 돌인 옴팔로스의 형태를 본뜬 것이라 한다. 옴팔로스는 형태가 달걀형이고 그 표면은 여러 선들이 교차하여 만들어진 독특한 다각형 면으로 이루어져 있다. 옴팔로스는 '배꼽'을 ⓑ가리키는 말로 인체의 중심, 나아가 '세계의 중심'을 뜻한다. 광장의 전체적인 형태가 옴팔로스와 같은 타원형이고 광장 바닥의 다각형이 옴팔로스 표면의 다각형과 유사하다는 점에서 캄피돌리오 광장은 그 자체가 세계의 중심이라는 의미를 지닌다.

캄피돌리오 광장은 원이 갖는 고유의 특성이 구현된 공간이기도 하다. 원은 중심과 둘레로 이루어져 있어 중심을 향하는 집중성과 둘레를 향하는 확산*성이라는 두 가지 속성을 동시에 갖고 있다. 그런데 이 광장은 확산성이 아닌 집중성을 강조한 공간이다. 광장의 실제 경계는 타원이지만, 사람들이 광장의 어느 곳에 서 있든 시선은 가운데에 있는 기마상으로 집중하게 되므로 기마상을 광장의 중심으로 인식하게 된다. 광장의 가운데에 배치된 기마상은 타원이 지닌 두 개의 초점을 ⓒ사라지게 하는 효과를 나타내어 광장을 하나의 중심을 가진 원형 공간처럼 변모시킨 것이다. 타원형의 광장이 집중성을 가진 공간으로 전환되면서 광장에는 중심과 주변이라는 위계가 생기게 된다. 위계*의 정점은 기마상이다. 주변을 압도하는 세계 지배자의 기마상을 올려다보는 순간 그 위계감은 한층 더 고조된다.

이렇게 광장을 원형으로 새롭게 인식하면서, 광장의 기마상 아래 놓여 있는 별 장식에 주목하게 되면 광장의 확장된 의미를 읽어 낼 수 있다. 고대인들은 우주를 북극성을 중심으로 별이 회전하며 12개의 구역으로 ⓓ나누어진 원형의 공간으로 인식했다. 이런 인식은 캄피돌리오 광장에 계승되어 북극성은 기마상이 서 있는 별 장식으로, 하늘의 12개 구역은 별 장식의 꼭짓점 개수로 표현된 것이다. 이로써 로마 황제의 기마상은 우주의 중심에 ⓔ서게 된다.

알아두자! 궁금한 어휘

* *교차(交叉): 서로 엇갈리거나 마주침.
* *기하학(幾何學): 도형 및 공간의 성질에 대하여 연구하는 학문.
* *정제(精製): 정성을 들여 정밀하게 잘 만듦.
* *확산(擴散): 흩어져 널리 퍼짐.
* *위계(位階): 지위나 계층 따위의 등급.

2. 문맥상 ⓐ~ⓔ와 가장 가까운 의미로 쓰인 것은?

① ⓐ: 제조(製造)된
② ⓑ: 지적(指摘)하는
③ ⓒ: 소진(消盡)되게
④ ⓓ: 분할(分割)된
⑤ ⓔ: 기립(起立)하게

다 다의어 동 동음이의어 더 더 알아 둘 어휘

어휘	뜻 및 예문	참고
제조 製 지을 **제** / 造 지을 **조**	원료에 인공을 가하여 정교한 제품을 만듦. 예 소비자의 선호도를 조사하여 향수를 제조하다.	더 **생산(生産):** 인간이 생활하는 데 필요한 각종 물건을 만들어 냄.
지적 指 가리킬 **지** / 摘 딸 **적**	꼭 집어서 가리킴. 예 선생님은 나를 지적하시며 교과서를 읽어보라 하셨다.	다 **지적(指摘):** 허물 따위를 드러내어 폭로함.
소진 消 꺼질 **소** / 盡 다할 **진**	점점 줄어들어 다 없어짐. 또는 다 써서 없앰. 예 쓸데없는 일에 기운을 소진해 버렸다.	
분할 分 나눌 **분** / 割 나눌 **할**	나누어 쪼갬. 예 대출 원금을 5년 분할로 상환하다.	더 **분리(分離):** 서로 나누어 떨어지게 하다.
기립 起 일어날 **기** / 立 설 **립**	일어나서 섬. 예 공연이 끝나고 관중들은 기립 박수를 쳤다.	

헷갈리는 단어, 홀로 사전 찾기로 더 확실하게 CHECK!

단어	뜻

STEP 2 정답 2. ④ '12개의 구역으로 나누어진'의 '나누어지다'는 '하나가 둘 이상으로 갈라지다.'라는 의미이므로 '나뉘어 쪼개지다.'라는 의미의 '분할되다'와 바꿔 쓸 수 있다.

어휘	뜻과 예문
기본 基 터 **기** / 本 근본 **본**	사물이나 현상, 이론, 시설 따위를 이루는 바탕. 예 논쟁 끝에 양측은 기본 원칙에 합의했다.
기초 基 터 **기** / 礎 주춧돌 **초**	사물이나 일 따위의 기본이 되는 것. 예 기초 체력을 기르기 위해서는 매일 규칙적으로 운동을 해야 한다.
바탕	사물이나 현상의 근본을 이루는 것. 예 이 이론은 기존 공식을 바탕으로 삼았다.
토대 土 흙 **토** / 臺 돈대 **대**	어떤 사물이나 사업의 밑바탕이 되는 기초와 밑천을 비유적으로 이르는 말. 예 새로운 문화는 전통의 토대 위에서 창조된다.

Q1 이번에 출시되는 휴대폰은 첨단 기능을 [　　　　] (으)로 갖추고 있다.

어휘	뜻과 예문
기피 忌 꺼릴 **기** / 避 피할 **피**	꺼리거나 싫어하여 피함. 예 사람들의 농촌 생활 기피로 농촌 경제가 활성화되지 못하고 있다.
도피 逃 달아날 **도** / 避 피할 **피**	[1]도망하여 몸을 피함. [2]적극적으로 나서야 할 일에서 몸을 사려 빠져나감. 예 [1]그는 해외로 도피했다. [2]그 사람은 너무 현실 도피적 성향이 강하다.
면피 免 면할 **면** / 避 피할 **피**	면하여 피함. 예 그는 결혼하라는 집안의 독촉에서 면피하기 위해 해외 근무를 지원하였다.
회피 回 돌아올 **회** / 避 피할 **피**	[1]몸을 숨기고 만나지 아니함. [2]꾀를 부려 마땅히 져야 할 책임을 지지 아니함. [3]일하기를 꺼리어 선뜻 나서지 않음. 예 [1]그는 담당자와의 면담을 회피하고 있었다. [2]이에 대한 책임을 회피할 수는 없을 것입니다. [3]그는 여러 가지 늘어놓은 일들을 회피하고 있다.

Q2 마을 입구 세 군데에 경찰들을 배치하여 범인들이 [　　　　] 하지 못하게 차단해 놓았다.

낭독 朗 밝을 **낭** / 讀 읽을 **독**	글을 소리 내어 읽음. 예 판결문을 낭독하자 모두 숨을 죽였다.
낭송 朗 밝을 **낭** / 誦 욀 **송**	크게 소리를 내어 글을 읽거나 욈. 예 그 시인은 자작시를 사람들 앞에서 낭송하였다.
묵독 默 잠잠할 **묵** / 讀 읽을 **독**	소리를 내지 않고 속으로 글을 읽음. 예 처음 세상에 책이 등장했을 때에는 책 읽는 행위가 신의 목소리를 듣는 것이라 여겨져 묵독조차 허용되지 않았다.
암송 暗 욀 **암** / 誦 욀 **송**	글을 보지 아니하고 입으로 욈. 예 나는 아이에게 중요한 구절은 암송하게 했다.

Q3 그는 도서관에서 소리가 나지 않도록 책을 눈으로 확인하며 [ ] 하는 등 공부에 열중하였다.

누설 漏 샐 **누** / 泄 샐 **설**	[1]기체나 액체 따위가 밖으로 새어 나감. [2]비밀이 새어 나감. 예 [1]방사능의 누설은 심각한 환경 문제가 된다. [2]조직의 암호가 누설되었다.
발설 發 필 **발** / 說 말씀 **설**	입 밖으로 말을 냄. 예 그는 아무에게도 오늘 일에 대하여 발설하지 말라고 했다.
탄로 綻 터질 **탄** / 露 드러낼 **로**	숨긴 일을 드러냄. 예 그는 본색이 탄로 나자 도주해 버렸다.
폭로 暴 나타낼 **폭** / 露 드러낼 **로**	알려지지 않았거나 감춰져 있던 사실을 드러냄. 흔히 나쁜 일이나 음모 따위를 사람들에게 알리는 일을 이름. 예 사건의 모든 경위가 세상에 폭로되다.

Q4 비가 오는 것을 틈타 폐수를 몰래 하천으로 [ ] 한 업주들이 구속되었다.

STEP 3 정답 A1 기본 A2 [1]도피 A3 묵독 A4 [1]누설

[1~2] 다음 글을 읽고 물음에 답하시오.

• 2020학년도 6월 모평

[앞부분의 줄거리] 조웅은 송나라 회복을 위해 태자를 구해 함께 위국으로 가던 중 서번국 병사가 매복*한 함곡을 향한다.

이적에 원수가 여러 날 만에 연주에 도달하여 군마를 다 쉬게 하고 원수도 노곤하여 사관에서 쉬고 있었는데, 한 나비가 침상에 날아들거늘 원수도 자연스럽게 날개를 얻어 그 나비를 따라 공중에 날아 한 곳에 이르니, 첩첩한 산중에 수목이 빽빽한 곳을 깊이 들어가니 그 가운데 광활하여 완연한* 별세계라. 또 한 곳을 들어가니 아름다운 궁궐이 하늘에 닿았거늘, 나아가 보니 문에 현판을 붙였으되, '만고충렬문'이라 뚜렷이 쓰여 있었다.

궁궐 위를 바라보니 한 노인이 앉았으되 얼굴은 ⓐ관옥 같고 머리에 황금관을 쓰고 몸에 용포를 입고 윗자리에 높이 앉았는데, 무수한 사람들이 열좌하여* 큰 잔치를 배설하고 술과 음식이 가득한 중에 절대 가인*이 차례로 앉았으니, 그 아름다움이 측량없더라. 좌석에 가득 앉은 사람들이 여러 왕의 흥망성쇠와 만고역대를 역력히 이르는지라. 맨 윗자리에 앉은 제왕은 어찌 된 줄을 모르매 분부 왈, / "그대 등은 각각 공을 밝히어 올리라."

하니 좌석에 가득 앉은 사람들이 각각 공을 밝히는 글을 올리니 그 공적에 왈,

"저는 본래 한나라 신하로 깊은 뜻이 많지 아니하리로다. 옛일을 살펴보니 복이 북두칠성과 일월에 찬란하리로다."

또 한 공적에 왈, / "칼을 잡아 흉적을 소멸하니 제후* 될 만하도다. 천하를 성처럼 막았으니 문호* 세상에 진동하는도다." / 하였더라.

그 남은 공적은 어찌 다 기록하리오. 좌중의 여러 사람들이 각각 ⓑ소회를 다 하고, 혹 노기 등천하며, 혹 칼을 빼들고 매우 성을 내고, 어떤 자는 땅에 섰고, 어떤 자는 깡충깡충 뛰며, 어떤 자는 노래하고, 어떤 자는 춤추기도 하는지라. 이러한 좋은 장면을 세밀히 구경할새, 한 사람이 ⓒ좌중에 나와 앉으며 왈,

"우리 각각 소회는 옛일이라. 한하여도 미치지 못하려니와 알지 못하겠노라. 대송이 역적에 망하니 인하여 멸송이 되오면 언제 회복되오리까?"

하니 한 사람이

"송나라의 복은 아직 길고 멀었는지라. 어찌 회복이 없사오리까?"

한데, 또 한 사람이,

"그대 등은 알지 못하는도다. 하늘이 송나라 왕실을 회복하고자 조웅을 명하였더니, 불쌍하도다 조웅이여! 일시가 극난하여 명일 미명*에 서번 적의 ⓓ간계에 걸려들어 죽을 듯하니 불쌍하도다. 조웅의 일도 우리와 같을지라. 정해진 나이를 못마치고 전쟁의 패한 혼이 될 듯하니 불쌍코 가련하다."

이러할 제 문 지키는 군사 급히 고하기를, / "송나라 문제 들어오시나이다."

하니, 여러 사람이 일시에 뜰로 내려와 영접하여 상좌한 후에 여러 사람이 아뢰기를, / "오늘날 만날 약속을 정하옵고 어찌 늦게 도착하시나이까?"

문제 왈, / "송나라 왕실을 회복할 신하는 조웅이라. 오다가 한 곳을 보니 불측한 서번이 조웅을 잡으려고 이러저러하였거늘, 행여 그러할까 하여 시운일수를 통치 못하여 죽을 듯함에, 도사를 찾아가 구하라 하고 부탁하고 오노라."

(중략)

알아두자! 궁금한 어휘

* **매복(埋伏):** 상대편의 동태를 살피거나 불시에 공격하려고 일정한 곳에 몰래 숨어 있음.
* **완연(完然)하다:** 흠이 없이 완전하다.
* **열좌(列坐)하다:** 자리에 죽 벌여서 앉다.
* **가인(佳人):** 아름다운 사람. 주로 아름다운 여자를 이른다.
* **제후(諸侯):** 봉건 시대에 일정한 영토를 가지고 그 영내의 백성을 지배하는 권력을 가지던 사람.
* **문호(門戶):** 대대로 내려오는 그 집안의 사회적 신분이나 지위.
* **미명(未明):** 날이 채 밝지 않음. 또는 그런 때.

정답 P. 197

노옹*이 왈,

"위국으로 가는 조 원수를 혹 보셨습니까? 보시면 바삐 알려 주소서."

하였다. 원수는 마음속으로 의심하고 한편으로 이상하게 여겨 왈,

"내가 바로 조웅이거니와 무슨 일로 긴히 찾습니까?"

하니, 노옹이 크게 기뻐하며 왈,

"나는 떠돌아다니는 나그네라. 성품이 남과 달라 빼어난 산천과 명승지지를 즐겨 구경하고 두루 다녔는데, 오로봉에 들어갔다가 천명 도사를 만나 수삼 일을 머물렀더니 출발할 때 한 서찰을 주며 왈, '그대에게 오늘 오시에 전하라' 하여 나귀를 바삐 몰아 진시에 도착하려고 했으나 피곤한 나귀 탓으로 시간을 넘겨 버렸기에 행여 못 만날까 염려하였더니 이곳에서 만나니 어찌 즐겁지 아니하겠습니까?"

하며, 소매 속에서 한 통 편지를 내어 주고는 팔을 들어 ⓔ하직하거늘 원수 다시 노옹을 바라보니 행색이 아득하였다. 마음속으로 신기하게 여겨 그 편지를 급히 떼어 보니 다른 말은 없고 '함곡에 들어가지 말고 성중으로 먼저 들어가서 포를 한 번 쏘라'고만 쓰여 있었다. 원수가 편지를 다 보고는 대경실색*하여 좌장군 위홍창을 불러 왈,

"장졸을 함곡에 들어가지 못하게 하라."

하니, 홍창이 급히 아뢰길, / "선봉이 이미 함곡에 들어갔습니다."

하거늘 원수가 크게 놀라며 왈, / "너는 급히 들어가 선봉을 데려오라. 데려올 때 조금도 어수선하게 하지 말고 그곳에 진을 치고 있는 것처럼 하면서 한둘씩 숨어 나오되 빨리 데리고 나오너라."

홍창이 원수의 명을 듣고는 급히 함곡에 들어가서 전하니 선봉이 군사를 물려 돌아왔다.

– 작자 미상, 「조웅전」 –

*노옹(老翁): 늙은 남자.

*대경실색(大驚失色): 몹시 놀라 얼굴빛이 하얗게 질림.

DAY 10

1. 윗글에 대한 이해로 가장 적절한 것은?

① 송 문제는 서번 적의 간계에 빠져 사람들과의 약속을 지키지 못했다.
② 원수는 함곡에서 연주로 가는 도중에 사관에서 쉬려고 군마를 멈추었다.
③ 노옹은 자신의 계획보다 늦게 도착했음에도 조웅을 만나게 되어 기뻐했다.
④ 위홍창은 역적에게 망한 송나라를 구하고자 선봉을 이끌고 함곡에 들어갔다.
⑤ 황금관을 쓴 노인은 모임의 상석에 앉아 있다가 뜰로 내려와 여러 사람을 맞이했다.

2. ⓐ~ⓔ의 문맥적 의미를 활용하여 만든 문장으로 적절하지 않은 것은?

① ⓐ: 관옥 같은 얼굴에 기골이 장대하니 평범한 사람이 아니었다.
② ⓑ: 그는 지기의 소회를 담은 편지를 서투르게 접어 손에 쥐었다.
③ ⓒ: 이번 사건은 좌중에 파문을 일으킬 정도로 아찔한 것이었다.
④ ⓓ: 범인은 경찰에게서 도망치기 위해 간계를 꾸몄다.
⑤ ⓔ: 건강이 좋지 않아 술과 하직하게 되었다.

[3~4] 다음 글을 읽고 물음에 답하시오.

• 2020학년도 6월 모평

전통적인 통화 정책은 정책 금리를 활용하여 물가를 안정시키고 경제 안정을 도모하는 것을 목표로 한다. 중앙은행은 경기가 과열되었을 때 정책 금리 인상을 통해 경기*를 진정시키고자 한다. 정책 금리 인상으로 시장 금리도 높아지면 가계 및 기업에 대한 대출 감소로 신용 공급이 축소된다. 신용 공급의 축소는 경제 내 수요를 줄여 물가를 안정시키고 경기를 진정시킨다. 반면 경기가 침체되었을 때는 반대의 과정을 통해 경기를 부양시키고자 한다.

금융을 통화 정책의 전달 경로로만 보는 전통적인 경제학에서는 금융감독 정책이 개별 금융 회사의 건전성* 확보를 통해 금융 안정을 달성하고자 하는 미시 건전성 정책에 집중해야 한다고 보았다. 이러한 관점은 금융이 직접적인 생산 수단이 아니므로 단기적일 때와는 달리 장기적으로는 경제 성장에 영향을 미치지 못한다는 인식과, 자산 시장에서는 가격이 본질적 가치를 초과하여 폭등하는 버블이 존재하지 않는다는 효율적 시장 가설에 기인한다. 미시 건전성 정책은 개별 금융 회사의 건전성에 대한 예방적 규제 성격을 가진 정책 수단을 활용하는데, 그 예로는 향후 손실에 대비하여 금융 회사의 자기자본 하한*을 설정하는 최저 자기자본 규제를 들 수 있다.

이처럼 전통적인 경제학에서는 금융감독 정책을 통해 금융 안정을, 통화 정책을 통해 물가 안정을 달성할 수 있다고 보는 이원적인 접근 방식이 지배적인 견해였다. 그러나 글로벌 금융 위기 이후 금융 시스템이 와해되어 경제 불안이 확산되면서 기존의 접근 방식에 대한 자성*이 일어났다. 이 당시 경기 부양을 목적으로 한 중앙은행의 저금리 정책이 자산 가격 버블에 따른 금융 불안을 야기하여 경제 안정이 훼손될 수 있다는 데 공감대가 형성되었다. 또한 금융 회사가 대형화되면서 개별 금융 회사의 부실이 금융 시스템의 붕괴를 야기할 수 있게 됨에 따라 금융 회사 규모가 금융 안정의 새로운 위험 요인으로 등장하였다.

이에 기존의 정책으로는 금융 안정을 확보할 수 없고, 경제 안정을 위해서는 물가 안정뿐만 아니라 금융 안정도 필수적인 요건임이 밝혀졌다. 그 결과 미시 건전성 정책에 거시 건전성 정책이 추가된 금융감독 정책과 물가 안정을 위한 통화 정책 간의 상호 보완을 통해 경제 안정을 달성해야 한다는 견해가 주류*를 형성하게 되었다.

거시 건전성이란 개별 금융 회사 차원이 아니라 금융 시스템 차원의 위기 가능성이 낮아 건전한 상태를 말하고, 거시 건전성 정책은 금융 시스템의 건전성을 추구하는 규제 및 감독 등을 포괄하는 활동을 의미한다. 이때, 거시 건전성 정책은 미시 건전성이 거시 건전성을 담보할 수 있는 충분조건이 되지 못한다는 '구성의 오류'에 논리적 기반을 두고 있다. 거시 건전성 정책은 금융 시스템 위험 요인에 대한 예방적 규제를 통해 금융 시스템의 건전성을 추구한다는 점에서, 미시 건전성 정책과는 차별화된다. 거시 건전성 정책의 목표를 효과적으로 달성하기 위해서는 경기 변동과 금융 시스템 위험 요인 간의 상관관계를 감안한 정책 수단의 도입이 필요하다. 금융 시스템 위험 요인은 경기 순응성을 가진다. 즉 경기가 호황*일 때는 금융 회사들이 대출을 늘려 신용 공급을 팽창시킴에 따라 자산

알아두자! 궁금한 어휘

* 경기(景氣): 매매나 거래에 나타나는 호황·불황 따위의 경제 활동 상태.
* 건전성(健全性): 온전하고 탈이 없이 튼튼한 상태의 성질.
* 하한(下限): 위아래로 일정한 범위를 이루고 있을 때, 아래쪽의 한계.
* 자성(自省): 자기 자신의 태도나 행동을 스스로 반성함.
* 주류(主流): 사상이나 학술 따위의 주된 경향이나 갈래.
* 호황(自省): 경기(景氣)가 좋음. 또는 그런 상황.

정답 P. 198

가격이 급등하고, 이는 다시 경기를 더 과열시키는 반면 불황*일 때는 그 반대의 상황이 일어난다.

이를 완화할 수 있는 정책 수단으로는 경기 대응 완충자본 제도를 ⓐ들 수 있다. 이 제도는 정책 당국이 경기 과열기에 금융 회사로 하여금 최저 자기자본에 추가적인 자기자본, 즉 완충자본을 쌓도록 하여 과도한 신용 팽창을 억제시킨다. 한편 적립된 완충자본은 경기 침체기에 대출 재원으로 쓰도록 함으로써 신용이 충분히 공급되도록 한다.

*불황(不況): 경제 활동이 일반적으로 침체되는 상태. 물가와 임금이 내리고 생산이 위축되며 실업이 늘어난다.

DAY 10

3. 윗글을 통해 알 수 있는 것은?

① 글로벌 금융 위기 이전에는, 금융이 단기적으로 경제 성장에 영향을 미치지 못한다고 보았다.
② 글로벌 금융 위기 이전에는, 개별 금융 회사가 건전하다고 해서 금융 안정이 달성되는 것은 아니라고 보았다.
③ 글로벌 금융 위기 이전에는, 경기 침체기에는 통화 정책과 더불어 금융감독 정책을 통해 경기를 부양시켜야 한다고 보았다.
④ 글로벌 금융 위기 이후에는, 정책 금리 인하가 경제 안정을 훼손하는 요인이 될 수 있다고 보았다.
⑤ 글로벌 금융 위기 이후에는, 경기 변동이 자산 가격 변동을 유발하나 자산 가격 변동은 경기 변동을 유발하지 않는다고 보았다.

4. 문맥상 의미가 ⓐ와 가장 가까운 것은?

① 나는 그 사람에게 친근감이 든다.
② 그는 목격자의 진술을 증거로 들고 있다.
③ 그분은 이미 대가의 경지에 든 학자이다.
④ 하반기에 들자 수출이 서서히 증가하기 시작했다.
⑤ 젊은 부부는 집을 마련하기 위해 적금을 들기로 했다.

헷갈리는 단어, 홀로 사전 찾기로 더 확실하게 CHECK!

단어	뜻

[5~6] 다음 글을 읽고 물음에 답하시오.

• 2016학년도 9월 모평A

소비자의 권익을 위하여 국가가 집행하는 정책으로 경쟁 정책과 소비자 정책을 들 수 있다. 경쟁 정책은 본래 독점*이나 담합* 등과 같은 반경쟁적 행위를 국가가 규제함으로써 시장에서 경쟁이 활발하게 이루어지도록 하는 데 중점을 둔다. 이러한 경쟁 정책은 결과적으로 소비자에게 이익이 되므로, 소비자 권익*을 보호하는 데 유효한 정책으로 인정된다. 경쟁 정책이 소비자 권익에 ⓐ기여하는 모습은 생산적 효율과 배분적 효율의 두 측면에서 살펴볼 수 있다.

먼저, 생산적 효율은 주어진 자원으로 낭비 없이 더 많은 생산을 하는 것으로서, 같은 비용이면 더 많이 생산할수록, 같은 생산량이면 비용이 적을수록 생산적 효율이 높아진다. 시장이 경쟁적이면 개별 기업은 생존을 위해 비용 절감과 같은 생산적 효율을 추구하게 되고, 거기서 창출된 여력은 소비자의 선택을 받고자 품질을 향상시키거나 가격을 ⓑ인하하는 데 활용될 것이다. 그리하여 경쟁 정책이 유발한 생산적 효율은 소비자 권익에 기여하게 된다. 물론 비용 절감의 측면에서는 독점 기업이 더 성과를 낼 수도 있겠지만, 꼭 이것이 가격 인하와 같은 소비자의 이익으로 이어지지는 않는다. 따라서 독점에 대한 감시와 규제는 지속적으로 필요하다.

다음으로, 배분적 효율은 사람들의 만족이 더 커지도록 자원이 배분되는 것을 말한다. 시장이 독점 상태에 놓이면 영리* 극대화를 추구하는 독점 기업은 생산을 충분히 하지 않은 채 가격을 올림으로써 배분적 비효율을 발생시킬 수 있다. 반면에 경쟁이 활발해지면 생산량 증가와 가격 인하가 수반되어 소비자의 만족이 더 커지는 배분적 효율이 발생한다. 그러므로 경쟁 정책이 시장의 경쟁을 통하여 유발한 배분적 효율도 소비자의 권익에 기여하게 된다.

경쟁 정책은 이처럼 소비자 권익을 위해 중요한 역할을 수행해 왔지만, 이것만으로 소비자 권익이 충분히 실현되지는 않는다. 시장을 아무리 경쟁 상태로 유지하더라도 여전히 남는 문제가 있기 때문이다. 우선, 전체 소비자를 기준으로 볼 때 경쟁 정책이 소비자 이익을 ⓒ증진하더라도, 일부 소비자에게는 불이익이 되는 경우도 있다. 예를 들어, 경쟁 때문에 시장에서 ⓓ퇴출된 기업의 제품은 사후 관리가 되지 않아 일부 소비자가 피해를 보는 일이 있다. 그렇다고 해서 경쟁 정책 자체를 포기하면 전체 소비자에게 불리한 결과가 되므로, 국가는 경쟁 정책을 ⓔ유지할 수밖에 없는 것이다. 다음으로, 소비자는 기업에 대한 교섭력이 약하고, 상품에 대한 정보도 적으며, 충동구매나 유해* 상품에도 쉽게 노출되기 때문에 발생하는 문제가 있다. 이를 해결하기 위해 상품의 원산지 공개나 유해 상품 회수 등의 조치를 생각해 볼 수 있지만 경쟁 정책에서 직접 다루는 사안이 아니다.

이런 문제들 때문에 소비자의 지위를 기업과 대등하게 하고 기업으로부터 입은 피해를 구제하여 소비자를 보호할 수 있는 별도의 정책이 요구되었고, 이 요구에 따라 수립된 것이 소비자 정책이다. 소비자 정책은 주로 기업들이 지켜야 할 소비자 안전 기준의 마련, 상품 정보 공개의 의무화 등의 조치와 같이 소비자 보호와 직접 관련 있는 사안을 대상으로 한다. 또한 충동구매나 유해 상품 구매

알아두자! 궁금한 어휘

* 독점(獨占): 개인이나 하나의 단체가 다른 경쟁자를 배제하고 생산과 시장을 지배하여 이익을 독차지함. 또는 그런 경제 현상.
* 담합(談合): 공정거래법상 사업자가 계약이나 협정 등의 방법으로 다른 사업자와 짜고 가격을 결정하거나 거래 상대방을 제한함으로써 그 분야의 실질적인 경쟁을 제한하는 행위.
* 권익(權益): 권리와 그에 따르는 이익.
* 영리(營利): 재산상의 이익을 꾀함. 또는 그 이익.
* 유해(有害): 해로움이 있음.

정답 P. 198

등으로 발생하는 소비자 피해를 구제하고, 소비자 교육을 실시하며, 기업과 소비자 간의 분쟁*을 직접 해결해 준다는 점에서도 경쟁 정책이 갖는 한계를 보완할 수 있다.

*분쟁(紛爭): 말썽을 일으키어 시끄럽고 복잡하게 다툼.

DAY 10

5. 윗글에 대한 이해로 적절하지 않은 것은?

① 독점에 대한 규제는 배분적 효율에 기여할 수 있다.
② 시장이 경쟁적이더라도 일부 소비자에게는 불이익이 발생할 수 있다.
③ 생산적 효율을 달성한 독점 기업은 경쟁 정책으로 규제할 필요가 없다.
④ 기업이 지켜야 할 소비자 안전 기준을 마련하는 조치는 소비자 권익에 도움이 된다.
⑤ 소비자의 지위가 기업과 대등하지 못하다는 점은 소비자 정책이 필요한 이유가 된다.

6. 문맥상 ⓐ~ⓔ와 바꿔 쓰기에 적절하지 않은 것은?

① ⓐ: 이바지하는
② ⓑ: 내리는
③ ⓒ: 늘리더라도
④ ⓓ: 밀려난
⑤ ⓔ: 세울

헷갈리는 단어, 홀로 사전 찾기로 더 확실하게 CHECK!

단어	뜻

다음 글을 읽고 물음에 답하시오.

• 2018학년도 9월 모평

만금 같은 너를 만나 백년해로하잤더니, 금일 이별 어이하리! 너를 두고 어이 가잔 말이냐? 나는 아마도 못 살겠다! 내 마음에는 어르신네 공조참의 승진 말고, 이 고을 풍헌(風憲)*만 하신다면 이런 이별 없을 것을, 생눈 나올 일을 당하니, 이를 어이한단 말인고? 귀신이 장난치고 조물주가 ⓐ시기하니, 누구를 탓하겠냐마는 ⓑ속절없이 춘향을 어찌할 수 없네! 네 말이 다 못 될 말이니, 아무튼 잘 있거라!

춘향이 대답하되, 우리 당초에 광한루에서 만날 적에 내가 먼저 도련님더러 살자 하였소? 도련님이 먼저 나에게 하신 말씀은 다 잊어 계시오? 이런 일이 있겠기로 처음부터 마다하지 아니하였소? 우리가 그때 맺은 금석* 같은 약속 오늘날 다 ⓒ허사로세! 이리해서 분명 못 데려가겠소? 진정 못 데려가겠소? 떠보려고 이리하시오? 끝내 아니 데려가시려 하오? 정 아니 데려가실 터이면 날 죽이고 가오!

그렇지 않으면 광한루에서 날 호리려고 명문(明文) 써 준 것이 있으니, 소지(所志)* 지어 가지고 본관 원님께 이 사연을 하소연하겠소. 원님이 만일 당신의 귀공자 편을 들어 패소시키시면, 그 소지를 덧붙이고 다시 글을 지어 전주 감영에 올라가서 순사또께 소장(訴狀)*을 올리겠소. 도련님은 양반이기에 편지 한 장만 부치면 순사또도 같은 양반이라 또 나를 패소시키거든, 그 글을 덧붙여 한양 안에 들어가서, 형조와 한성부와 비변사까지 올리면 도련님은 사대부라 여기저기 청탁*하여 또다시 ⓓ송사에서 지게 하겠지요.

(중략)

이별이란 두 글자 만든 사람은 나와 백 년 원수로다! 진시황이 분서(焚書)*할 때 이별 두 글자를 잊었던가? 그때 불살랐다면 이별이 있을쏘냐? 박랑사(博浪沙)*에서 쓰고 남은 철퇴를 천하 장사 항우에게 주어 힘껏 둘러메어 이별 두 글자를 깨치고 싶네! 옥황전에 솟아올라 억울함을 ⓔ호소하여, 벼락을 담당하는 상좌가 되어 내려와 이별 두 글자를 깨치고 싶네!

– 작자 미상, 「춘향전」 –

*박랑사(博浪沙): 중국 지명. 장량이 진시황을 암살하려 했던 곳.

알아두자! 궁금한 어휘

*풍헌(風憲): 조선 시대에, 유향소에서 면(面)이나 이(里)의 일을 맡아보던 사람.

*금석(金石): 쇠붙이와 돌이라는 뜻으로, 매우 굳고 단단한 것을 비유적으로 이르는 말.

*소지(所志): 예전에, 청원이 있을 때에 관아에 내던 서면.

*소장(訴狀): 소송을 제기하기 위해 제일심 법원에 제출하는 서류.

*청탁(請託): 청하여 남에게 부탁함.

*분서(焚書): 책을 불살라 버림.

1. ⓐ~ⓔ의 문맥적 의미를 활용하여 만든 문장으로 적절하지 않은 것은?

① ⓐ: 그가 지닌 재능을 보면서 부러움과 시기를 함께 느꼈다.
② ⓑ: 이별의 상황에서 속절없이 눈물만 흘릴 뿐이었다.
③ ⓒ: 이곳저곳 수소문하고 다녔지만 모두 허사였다.
④ ⓓ: 재학생 대표의 송사에 이에 졸업생 대표의 답사가 이어졌다.
⑤ ⓔ: 공사 소음 때문에 시민들의 호소가 잇따르고 있다.

다 다의어 동 동음이의어 더 더 알아 둘 어휘

시기
猜 시새울 **시** / 忌 꺼릴 **기**

남이 잘되는 것을 샘하여 미워함.

예 그녀는 주변 사람들로부터 많은 시기를 받았다.

더 **질투(嫉妬):** 다른 사람이 잘되거나 좋은 처지에 있는 것 따위를 공연히 미워하고 깎아내리려 함.

속절없다

단념할 수밖에 달리 어찌할 도리가 없다.

예 잃어버린 물건을 다시 찾겠다는 생각은 속절없는 것이다.

허사
虛 빌 **허** / 事 일 **사**

보람을 얻지 못하고 쓸데없이 한 노력.

예 그동안의 노력이 모두 허사가 되었다.

송사
訟 송사할 **송** / 事 일 **사**

백성끼리 분쟁이 있을 때, 관부에 호소하여 판결을 구하던 일.

예 토지 문제를 놓고 송사를 하여 관아에 불려갔다.

동 **송사(送辭):** 떠나는 사람을 이별하여 보내면서 하는 인사말.

호소
呼 부를 **호** / 訴 하소연할 **소**

억울하거나 딱한 사정을 남에게 간곡히 알림.

예 아무리 호소하여도 그 말에 귀기울여 주는 사람은 없었다.

문학 TIP 고전소설 속 조선 시대 관직 (3)

군수(郡守), 현령, 현감	작은 지역 단위의 우두머리	형리(刑吏), 이방(吏房)	지방 관아의 하부 직책
어사(御史)	왕명으로 특별 사명을 띠고 파견되던 벼슬	통인(通引), 아전, 사령	지방 관아의 심부름꾼(구실아치)
좌수(座首), 별감	동사무소장	생원(生員), 진사(進士)	소과(小科)에 합격한 공무원
호장(戶長)	마을의 이장	유자(儒者), 유생(儒生)	유학(儒學)을 공부하는 사람
통판(通判)	지방의 민관(판사)		

STEP 1 정답 1. ④ '송사에서 지게 하겠지요.'라는 춘향의 말에서 '송사'는 '백성끼리 분쟁이 있을 때, 관부에 호소하여 판결을 구하던 일.'의 의미를 가지고 있다. 선지의 '재학생 대표의 송사'는 판결을 구하는 것이 아니라, '떠나는 사람을 이별하여 보내면서 하는 인사말.'에 해당된다.

속력(速力)	운동하고 있는 물체의 빠르기.
속도(速度)	운동하고 있는 물체의 빠르기 + 운동 방향.

속력과 속도는 과학 지문에서 단골로 등장하는 용어야. 많은 학생들이 동일한 개념으로 생각하고 독해를 시작하지만 두 개념은 반드시 구분할 수 있어야 해!

• 2016학년도 사관학교B

4차원 시공간에서의 물체의 운동을 이해하기 위한 방법 중 하나는 가로축은 공간으로, 세로축은 시간으로 정한 2차원 시공간 그림을 이용하는 것이다. 빛의 속도는 불변하는 상수인 것으로 알려져 있으므로, 시간 축도 공간 축처럼 길이 차원을 갖도록 빛의 속도를 곱하여 나타낸다. 따라서 세로축은 빛의 속도(c)×시간(t) 축으로서 ct로 표시한다.

위 지문의 '빛의 속도'라는 부분에서 '속도'가 등장하고 있네. 우선 속도는 속력과 마찬가지로 운동하고 있는 물체의 빠르기를 의미해. 정해진 시간 동안 얼마나 많은 거리, 위치를 이동했는지를 알면 그 빠르기를 계산할 수 있겠지. 우리가 잘 아는 '속력 = 거리/시간', '속도 = 위치 변화/시간'라는 공식이 여기서 나온 거야. 단위 시간을 1초로 정하면 초속, 1분으로 정하면 분속, 1시간으로 정하면 시속이 되는 거지. 예를 들어 '자동차가 시속 120km 혹은 120km/h(hour)로 달리고 있다.'와 같이 나타낼 수 있어.

그렇다면 속력과 속도는 같은 개념일까? 정답은 X야. 속도는 속력보다 정보를 하나 더 가지고 있어. 바로 물체가 운동하는 방향이야! 빠르기뿐만 아니라 방향도 같이 생각하겠다면 속도를 사용해야 해.

예를 들어 나는 아침에 집에서 자전거를 타고 5m/s로 학교에 가고, 수업이 끝나면 똑같이 5m/s로 집에 와. 학교에 갈 때와 집에 올 때 나의 빠르기는 5m/s로 같아. 따라서 '등교하는 속력과 하교하는 속력이 같다.'라고 할 수 있어. 하지만 '등교 속도 = 하교 속도'일까? 아니지! 등교하는 방향과 하교하는 방향은 반대이니까 똑같이 5m/s의 빠르기로 움직여도 속도는 각각 '학교 방향으로 5m/s', '집 방향으로 5m/s'로 서로 달라.

속력, 속도를 구분하지 않고 빠르기의 의미로만 사용하는 경우도 있지만 방향을 근거로 해석해야 하는 문제는 충분히 나올 수 있어. 그러니 속력, 속도에 관한 지문에서는 '~쪽 방향으로', '~를 향하여'와 같은 방향에 대한 이야기가 같이 나오는지 반드시 확인하자.

정답 P. 199

지문을 통해 다시 읽어보기

• 2016학년도 사관학교B

4차원 시공간에서의 물체의 운동을 이해하기 위한 방법 중 하나는 가로축은 공간으로, 세로축은 시간으로 정한 2차원 시공간 그림을 이용하는 것이다. 빛의 속도는 불변하는 상수인 것으로 알려져 있으므로, 시간 축도 공간 축처럼 길이 차원을 갖도록 빛의 속도를 곱하여 나타낸다. 따라서 세로축은 빛의 속도(c)×시간(t) 축으로서 ct로 표시한다. 2차원으로 표현한 시공간 그림에서 한 점을 사건(event)이라고 하며 사건이 계속 이어지는 궤적을 세계선(world line)이라 한다. 정지해 있는 물체의 세계선은 수직선으로 나타나며, 등속으로 움직이는 물체의 세계선은 수직선에 비해 일정한 각도로 기울어진 직선으로 표현된다. 세로축에 빛의 속도가 반영되어 있으므로 항상 속도가 일정한 빛은 45도의 직선으로 표현된다. 빛의 속도보다 느린 물체의 세계선은 공간 축에 대해 45도보다 기울기가 커서 시간 축에 가까운 선이며, 실제 세계에서 빛의 속도보다 빠른 물체는 없는 것으로 알려져 있지만 가상적으로 존재할 경우 45도보다 기울기가 작아서 공간 축에 가까운 선으로 표시된다. 전자를 시간 방향 곡선(timelike curve)이라 부르며, 후자를 공간 방향 곡선(spacelike curve)이라고 한다. 이때 속도가 일정한 경우에는 직선이지만 속도가 변하는 경우에는 직선이 되지 못하므로 일반적으로 곡선이 된다.

Q1 2차원 시공간 그림에서 실제 세계에서 움직이는 물체의 세계선은 '시간 방향 곡선'이 되겠군.

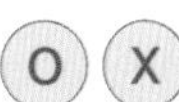

지문을 통해 다시 읽어보기

• 2016학년도 6월 모평B

중력 법칙을 써서 나선 은하에서 공전하는 별의 속력을 계산하면, 중심부에서는 은하의 중심으로부터 거리가 멀어질수록 속력이 증가함을 알 수 있다. 그런데 중심부 밖에서는 중심으로부터 멀어질수록 중심 쪽으로 별을 당기는 중력이 줄어들기 때문에 〈그림〉의 곡선 A에서처럼 거리가 멀어질수록 별의 속력이 줄어드는 것으로 나온다. 그렇지만 실제 관측 결과, 나선 은하 중심부 밖에서 공전하는 별의 속력은 〈그림〉의 곡선 B에서처럼 중심으로부터의 거리와 무관하게 거의 일정하다. 이것은 은하 중심에서 멀리 떨어진 별일수록 은하 중심 쪽으로 그 별을 당기는 물질이 그 별의 공전 궤도 안쪽에 많아져서 거리가 멀어질수록 줄어드는 중력을 보충해 주기 때문으로 보인다. 이로부터 루빈은 별의 공전 궤도 안쪽에 퍼져 있는 추가적인 중력의 원천, 곧 암흑 물질이 존재한다는 것을 추정하였다.

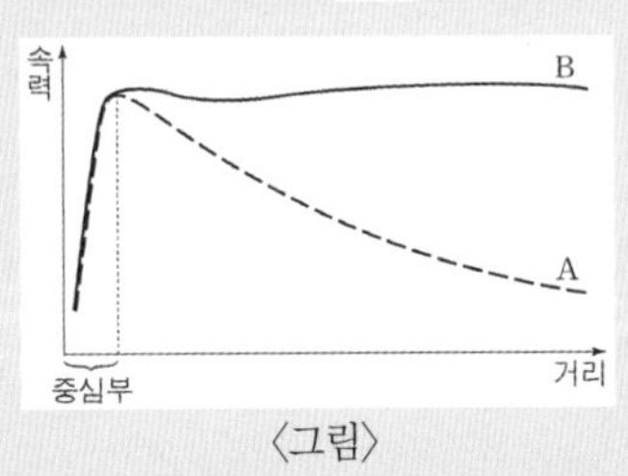

〈그림〉

Q2 중심부 밖의 경우, 별의 공전 속력에 영향을 미치는 중력이 A에서보다 B에서 더 큼을 알 수 있다.

DAY 11

다음 글을 읽고 물음에 답하시오.

• 2013학년도 9월 모평

상온*에서 대기압* 상태에 있는 1리터의 공기 안에는 수없이 많은 질소, 산소 분자들을 비롯하여 다양한 기체 분자들이 있다. 이들 중 어떤 산소 분자 하나는 짧은 시간에도 다른 분자들과 매우 많은 충돌*을 하며, 충돌을 할 때마다 이 분자의 운동 방향과 속력이 변할 수 있기 때문에, 어떤 분자 하나의 정확한 운동 ⓐ궤적을 아는 것은 불가능하다. 우리는 다만 어떤 ⓑ구간의 속력을 가진 분자 수 비율*이 얼마나 되는지를 의미하는 분자들의 속력 분포를 알 수 있을 뿐이다.

위에서 언급한 상태에 있는 산소처럼 분자들 사이의 ⓒ평균 거리가 충분히 먼 경우에, 우리는 분자들 사이의 인력을 무시할 수 있고 분자의 운동 에너지*만 고려하면 된다. 이 경우에 분자들이 충돌을 하게 되면 각 분자의 운동 에너지는 변할 수 있지만, 분자들이 에너지를 서로 주고받기 때문에 기체 전체의 운동 에너지는 변하지 않게 된다.

기체 분자들의 속력 분포는 맥스웰의 이론으로 ⓓ계산할 수 있는데, 가로축을 속력, 세로축을 분자 수 비율로 할 때 종(鐘) 모양의 그래프로 그려진다. 이 속력 분포가 의미하는 것은 기체 분자들이 0에서 무한대까지 모든 속력을 가질 수 있지만 꼭짓점 부근에 해당하는 속력을 가진 분자들의 수가 가장 많다는 것이다. 기체 분자들의 속력은 온도와 기체 분자의 질량에 의해서 결정된다. 다른 조건은 그대로 두고 온도만 올리면 기체의 평균 운동 에너지가 증가하므로, 그래프의 꼭짓점이 속력이 빠른 쪽으로 이동한다. 이와 동시에 그래프의 모양이 납작해지고 넓어지는데, 이는 전체 분자 수가 변하지 않았기 때문에 그래프 아래의 ⓔ면적이 같아야만 하기 때문이다. 전체 분자 수와 온도는 같은데 분자의 질량이 큰 경우에는, 평균 속력이 느려져서 분포 그래프의 꼭짓점이 속력이 느린 쪽으로 이동하며, 분자 수는 같기 때문에 그래프의 모양이 뾰족해지고 좁아진다.

알아두자! 궁금한 어휘

- ***상온(常溫)**: 가열하거나 냉각하지 않은 자연 그대로의 기온. 보통 15℃.
- ***대기압(大氣壓)**: 대기의 압력.
- ***충돌(衝突)**: 서로 맞부딪치거나 맞섬.
- ***비율(比率)**: 다른 수나 양에 대한 어떤 수나 양의 비.
- ***운동(運動) 에너지**: 운동하는 물체가 가지고 있는 에너지.

1. ⓐ~ⓔ의 사전적 의미로 적절하지 않은 것은?

① ⓐ: 물체가 움직이면서 남긴 움직임을 알 수 있는 자국이나 자취.
② ⓑ: 어떤 지점과 다른 지점과의 사이.
③ ⓒ: 여러 사물의 질이나 양 따위를 통일적으로 고르게 한 것.
④ ⓓ: 시간이나 물건의 양 따위를 헤아리거나 잼.
⑤ ⓔ: 면이 이차원의 공간을 차지하는 넓이의 크기.

궤적
軌 바퀴 자국 **궤** / 迹 자취 **적**

수레바퀴가 지나간 자국이라는 뜻으로, 물체가 움직이면서 남긴 움직임을 알 수 있는 자국이나 자취를 이르는 말.

예 날아오르는 항공기의 궤적을 따라 연기가 길게 이어졌다.

구간
區 구분할 **구** / 間 사이 **간**

어떤 지점과 다른 지점과의 사이.

예 철도 회사에 따라 전철의 구간 요금이 달라지기도 한다.

평균
平 평평할 **평** / 均 고를 **균**

여러 사물의 질이나 양 따위를 통일적으로 고르게 한 것.

예 이 학교의 대학 진학률은 전국 평균보다 높다.

계산
計 꾀할 계 / 算 계산 산

주어진 수나 식을 일정한 규칙에 따라 처리하여 수치를 구하는 일.

예 피타고라스 방정식으로 한 변의 길이를 계산해냈다.

다 **계산(計算)**: 어떤 일을 예상하거나 고려함.

더 **계측(計測)**: 시간이나 물건의 양 따위를 헤아리거나 잼.

면적
面 낯 **면** / 積 쌓을 **적**

면이 이차원의 공간을 차지하는 넓이의 크기.

예 이 방의 벽면은 면적이 넓으니 큰 그림을 걸어놓을 수 있겠다.

DAY 11

헷갈리는 단어, 홀로 사전 찾기로 더 확실하게 CHECK!

단어	뜻

STEP 2 정답 1. ④ '계산'은 '주어진 수나 식을 일정한 규칙에 따라 처리하여 수치를 구하는 일.'의 의미를 가지고 있다. '시간이나 물건의 양 따위를 헤아리거나 잼.'은 '계측'의 의미이다.

STEP 2 **독서 독해 증진**

다음 글을 읽고 물음에 답하시오.

• 2016학년도 수능B

어떤 물체가 물이나 공기와 같은 유체* 속에서 자유 낙하할 때 물체에는 중력, 부력, 항력이 작용한다. 중력은 물체의 질량에 중력 가속도를 곱한 값으로 물체가 낙하하는 동안 ⓐ일정하다. 부력은 어떤 물체에 의해서 배제된 부피만큼의 유체의 무게에 해당하는 힘으로, 항상 중력의 반대 방향으로 작용한다. 빗방울에 작용하는 부력의 크기는 빗방울의 부피에 해당하는 공기의 무게이다. 공기의 밀도는 물의 밀도의 1,000분의 1 수준이므로, 빗방울이 공기 중에서 떨어질 때 부력이 빗방울의 낙하 운동에 영향을 주는 정도는 ⓑ미미하다. 그러나 스티로폼 입자와 같이 밀도가 매우 작은 물체가 낙하할 경우에는 부력이 물체의 낙하 속도에 큰 영향을 미친다.

물체가 유체 내에 정지해 있을 때와는 달리, 유체 속에서 ⓒ운동하는 경우에는 물체의 운동에 저항*하는 힘인 항력이 발생하는데, 이 힘은 물체의 운동 방향과 반대로 작용한다. 항력은 유체 속에서 운동하는 물체의 속도가 커질수록 이에 ⓓ상응하여 커진다. 항력은 마찰 항력과 압력 항력의 합이다. 마찰 항력은 유체의 점성* 때문에 물체의 표면에 가해지는 항력으로, 유체의 점성이 크거나 물체의 표면적이 클수록 커진다. 압력 항력은 물체가 이동할 때 물체의 전후방에 생기는 압력 차에 의해 생기는 항력으로, 물체의 운동 방향에서 바라본 물체의 단면적이 클수록 커진다.

안개비의 빗방울이나 미세 먼지와 같이 작은 물체가 낙하하는 경우에는 물체의 전후방에 생기는 압력 차가 매우 작아 마찰 항력이 전체 항력의 대부분을 ⓔ차지한다. 빗방울의 크기가 커지면 전체 항력 중 압력 항력이 차지하는 비율이 점점 커진다. 반면 스카이다이버와 같이 큰 물체가 빠른 속도로 떨어질 때에는 물체의 전후방에 생기는 압력 차에 의한 압력 항력이 매우 크므로 마찰 항력이 전체 항력에 기여하는 비중*은 무시할 만하다.

알아두자! 궁금한 어휘

*유체(流體): 기체와 액체를 아울러 이르는 말.

*저항(抵抗): 물체의 운동 방향과 반대 방향으로 작용하는 힘.

*점성(粘性): 유체가 형태를 바꾸려 할 때에, 유체 내부에 마찰이 생기는 성질.

*비중(比重): 다른 것과 비교할 때 차지하는 중요도.

2. ⓐ~ⓔ의 문맥적 의미를 활용하여 만든 문장으로 적절하지 않은 것은?

① ⓐ: 그는 종종 직장에서 예상치 못한 일이 생겨 귀가 시간이 일정하지 않았다.
② ⓑ: 땅속 깊숙이에서 열리는 지진의 여파로 잔물결이 일며 물살이 미미하게 흔들렸다.
③ ⓒ: 달은 지구 주변에서 1개월 주기로 타원형 궤도를 돌면서 운동한다.
④ ⓓ: 왕은 이웃나라 사절단의 태도에 분노하며 자신의 지위에 상응하는 대우를 요구했다.
⑤ ⓔ: 테니스 선수는 초반부터 높은 점수를 내면서 상대와의 경기에서 우위를 차지했다.

다 다의어 동 동음이의어 더 더 알아 둘 어휘

일정하다
一 한 **일** / 定 정할 **정**

어떤 것의 양, 성질, 상태, 계획 따위가 달라지지 아니하고 한결같다.

예 실내 식물을 위해 온도를 가능한 일정하게 유지했다.

다 **일정(一定)하다:** 어떤 것의 크기, 모양, 범위, 시간 따위가 하나로 정하여져 있다.

미미하다
微 작을 **미** / 微 작을 **미**

보잘것없이 아주 작다.

예 크나큰 불길에 끼얹어진 물 한 컵은 미미한 것일 뿐이었다.

운동하다
運 옮길 **운** / 動 움직일 **동**

물체가 시간의 경과에 따라 그 공간적 위치를 바꾸다.

예 빛보다 빠른 속도로 운동하는 물체도 블랙홀을 빠져나갈 수는 없다.

다 **운동(運動)하다:** 사람이 몸을 단련하거나 건강을 위하여 몸을 움직이다.

상응하다
相 서로 **상** / 應 응할 **응**

서로 응하거나 어울리다.

예 누구나 자신의 능력에 상응하는 보수를 받고 싶어 한다.

차지하다

비율, 비중 따위를 이루다.

예 이번 선거에서 여당은 다수 의석을 차지하는 데 성공했다.

다 **차지하다:** 사물이나 공간, 지위 따위를 자기 몫으로 가지다.

헷갈리는 단어, 홀로 사전 찾기로 더 확실하게 CHECK!

단어	뜻

STEP 2 정답 2. ⑤ '전체 항력의 대부분을 차지한다.'의 '차지하다'는 '비율, 비중 따위를 이루다.'의 뜻으로 사용되었다. 하지만 '경기에서 우위를 차지했다.'의 '차지하다'는 '사물이나 공간, 지위 따위를 자기 몫으로 가지다.'의 의미이다.

어휘	뜻 및 예문
내밀하다 內 안 내 / 密 숨길 밀	어떤 일이 겉으로 드러나지 아니하다. 예 이 거래에는 내밀한 청탁이 있었던 것이 분명하다.
엄밀하다 嚴 엄할 엄 / 密 숨길 밀	조그만 빈틈이나 잘못이라도 용납하지 아니할 만큼 엄격하고 세밀하다. 예 이 책에서는 주제와 관련된 모든 자료를 수집하고 이를 엄밀하게 검토하였다.
은밀하다 隱 숨을 은 / 密 숨길 밀	숨어 있어서 겉으로 드러나지 아니하다. 예 그 일은 은밀하게 진행되어 누구도 그 진행 상황을 알지 못했다.
정밀하다 精 찧을 정 / 密 빽빽할 밀	아주 정교하고 치밀하여 빈틈이 없고 자세하다. 예 정밀한 기계를 통해 우수한 제품을 만들어냈다.
치밀하다 緻 빽빽할 치 / 密 빽빽할 밀	[1]자세하고 꼼꼼하다. [2]아주 곱고 촘촘하다. 예 [1]사무실 이전을 위해 김 부장은 치밀한 사전 준비를 했다. [2]벽지의 무늬가 치밀하다.

Q1 비싼 돈을 주고 구입한 옷이라서 그런지 옷감의 올이 [   ].

어휘	뜻 및 예문
논박 論 논의할 논 / 駁 논박할 박	어떤 주장이나 의견에 대하여 그 잘못된 점을 조리 있게 공격하여 말함. 예 기존 학계는 젊은 학자가 새롭게 발표한 의견을 논박의 대상으로 삼았다.
논변 論 논의할 논 / 辯 말 잘할 변	사리의 옳고 그름을 밝히어 말함. 또는 그런 말이나 의견. 예 연구 발표회에서 사실을 논변하느라 진땀을 흘렸다.
논술 論 논의할 논 / 述 지을 술	어떤 것에 관하여 의견을 논리적으로 서술함. 또는 그런 서술. 예 자신의 생각을 500자 이내로 논술하시오.
논평 論 논의할 논 / 評 품평 평	어떤 글이나 말 또는 사건 따위의 내용에 대하여 논하여 비평함. 또는 그런 비평. 예 한국의 경제 상황에 대해 낙관적인 입장을 드러낸 논평이 기고되었다.

Q2 그는 출제된 시험 주제를 생각하며 자신의 의견을 시험지에 [   ] 해 나가기 시작했다.

대리 代 대신할 **대** / 理 다스릴 **리**	남을 대신하여 일을 처리함. 또는 그런 사람. 예 삼촌이 아버지 대리로 모임에 참석했다.
대행 代 대신할 **대** / 行 다닐 **행**	[1]남을 대신하여 행함. [2]남을 대신하여 어떤 권한이나 직무를 행하는 사람. 예 [1]요즘은 여행사에서 여권 발행을 대행해 준다. [2]그녀는 대행 최고상궁이 되었다.
위임 委 맡길 **위** / 任 맡길 **임**	어떤 일을 책임 지워 맡김. 또는 그 책임. 예 나는 어머니로부터 과일 농장을 관리하도록 위임을 받았다.
위탁 委 맡길 **위** / 託 부탁할 **탁**	남에게 사물이나 사람의 책임을 맡김. 예 사장은 계속되는 경영난에 전문가를 고용해 회사의 운영을 위탁하였다.

DAY 11

Q3 그들은 먼 나라로 출장을 가면서 아이들을 친정 부모님께 [   ] 하였다.

대응 對 대할 **대** / 應 응할 **응**	[1]어떤 일이나 사태에 맞추어 태도나 행동을 취함. [2]어떤 두 대상이 주어진 어떤 관계에 의하여 서로 짝이 되는 일. 예 [1]급변하는 사태에 대한 신속한 대응이 필요하다. [2]국어에서 글자는 소리에 일대일로 대응된다.
상응 相 서로 **상** / 應 응할 **응**	서로 응하거나 어울림. 예 그는 자신의 능력에 상응하는 보수를 받고 있다.
순응 順 순할 **순** / 應 응할 **응**	환경이나 변화에 적응하여 익숙하여지거나 체계, 명령 따위에 적응하여 따름. 예 나는 현실에 순응하며 조용히 살기로 결심했다.
호응 呼 부를 **호** / 應 응할 **응**	부름에 응답한다는 뜻으로, 부름이나 호소 따위에 대답하거나 응함. 예 이재민을 돕자는 방송이 나가자 많은 사람이 이에 호응하여 구호품을 보내왔다.

Q4 그는 사회 개혁을 두려워하며 현실의 체제에 [   ] 하며 살아가는 삶을 선택했다.

STEP 3 정답 A1 [2]치밀하다 A2 논술 A3 위탁 A4 순응

다음 글을 읽고 물음에 답하시오.

• 2018학년도 6월 모평

각설, 이때 성의 한 조각 판자를 의지하였으니 어찌 가련*치 아니하리오. 두 눈이 어두웠으니 천지일월성신이며 만물을 어찌 알리오. 동서남북을 어찌 ⓐ분별하며 흑백장단을 어이 알리오. 다만 바람이 차면 밤인 줄 알고 일기가 따스한즉 낮인 줄 짐작하나 만경창파*에 금수 소리도 없는지라.

삼일 삼야 만에 판자 조각이 다다른 곳이 있는지라. 놀래어 손으로 어루만지니 큰 바위라. 기어 올라가 정신을 ⓑ수습하여 바위를 의지하고 앉아 탄식 왈,

"사형(舍兄)*이 어찌 이다지 불량하여 무죄한 인명을 창파 중에 원혼*이 되게 하고, 나로 하여금 이 지경이 되게 하였으니 이제는 부모가 곁에 계신들 얼굴을 알지 못하게 되었으니 어찌 통한*치 아니하리오. 그러나 모친 환우*가 어떠하신지, 일영주를 썼는지 알지 못하니 어찌 원통치 아니하며, ⓒ인자하신 우리 모친이 속절없이 황천에 돌아가시겠도다."

하고 슬피 통곡하니 창천이 욕열하고 일월이 무광한지라.

사고무인(四顧無人) 적막*한데 십이 세 적공자가 불량한 사형에게 두 눈을 상하고서 일시에 맹인이 되어 외로운 암석 상에 홀로 앉아 자탄하니 그 아니 처량한가. 적적무인(寂寂無人) 야삼경의 추풍은 삽삽하여 원객의 수심을 자아내고, 강수동류원야성(江水東流猿夜聲)의 잔나비* 슬피 울고, 유의한 두견성과 창파만경의 백구*들은 비거비래(飛去飛來) 소리 질러 자탄으로 겨우 든 잠을 놀라 깨니 첩첩원한 무궁리라. 하늘을 우러러 탄식을 마지 아니하더니 문득 청아한 소리 들리거늘 귀를 기울여 들으며 헤아리되, '이는 분명한 대 소리로다. 이 같은 대해 중에 어찌 대밭이 있는고.' 하며 '이는 반드시 촉나라 땅이로다.' 하고 소리를 좇아 내려가고저 하더니, 문득 오작(烏鵲)*이 우지지며 손에 자연 짚이는 것이 있거늘 이는 곧 실과라. 먹으니 배 부른지라 정신이 상쾌하거늘, 오작에게 ⓓ사례하고 인하여 바위에 내려 죽림을 찾아가니 울밀한 죽림이라. 들으니 그중에 한 대가 금풍을 따라 스스로 응하여 우는지라. 여러 대를 더듬어 우는 대를 찾아 잡고 주머니에서 칼을 내대를 베어 단저*를 만들어서 한 곡조를 부니 소리 ⓔ처량하여 산천초목이 다 우짖는 듯하더라.

차시에 성의 오작에게 밥을 부치고 단저로 벗을 삼아 심회*를 덜며 일분도 그 형을 원망치 아니하고, 주야에 부모를 생각하니 그 천성대효(天性大孝)를 천지신명이 어찌 돕지 아니하리오.

– 작자 미상, 「적성의전」 –

알아두자! 궁금한 어휘

- *가련(可憐): 가엾고 불쌍함.
- *만경창파(萬頃蒼波): 한없이 넓고 넓은 바다를 이르는 말.
- *사형(舍兄): 자기의 형을 겸손하게 이르는 말.
- *원혼(冤魂): 억울하게 죽은 사람의 넋.
- *통한(痛恨): 몹시 분하거나 억울하여 한스럽게 여김.
- *환우(患憂): 몸의 온갖 병.
- *적막(寂寞): 고요하고 쓸쓸함.
- *잔나비: '원숭이'를 이르는 말.
- *백구(白鷗): 갈매깃과의 새.
- *오작(烏鵲): 까마귀와 까치를 아울러 이르는 말.
- *단(短)저: 짧은 피리.
- *심회(心懷): 마음속에 품고 있는 생각이나 느낌.

1. 문맥상 ⓐ~ⓔ와 바꿔 쓰기에 적절하지 않은 것은?

① ⓐ: 구별하며
② ⓑ: 바로잡으며
③ ⓒ: 자애로우신
④ ⓓ: 고마워하고
⑤ ⓔ: 초라하여

다 다의어 동 동음이의어 더 더 알아 둘 어휘

분별
分 나눌 **분** / 別 다를 **별**

서로 다른 일이나 사물을 구별하여 가름.

예 지금은 신분의 분별이 남아 있지 않다.

더 **변별(辨別):** 사물의 옳고 그름이나 좋고 나쁨을 가림.

수습
收 거둘 **수** / 拾 주울 **습**

어지러운 마음을 가라앉히어 바로잡음.

예 흉년으로 거칠어진 민심을 수습하였다.

다 **수습(收拾):** 흩어진 재산이나 물건을 거두어 정돈함.

인자
仁 어질 **인** / 慈 사랑할 **자**

마음이 어질고 자애로움. 또는 그 마음.

예 할머니께서 인자한 미소로 나를 반겨주셨다.

더 **자비(慈悲):** 남을 깊이 사랑하고 가엾게 여김. 또는 그렇게 여겨서 베푸는 혜택.

사례
謝 사례할 **사** / 禮 예도 **례**

언행이나 선물 따위로 상대에게 고마운 뜻을 나타냄.

예 도움 주신 일에 대한 사례의 표시입니다.

더 **답례(答禮):** 말, 동작, 물건 따위로 남에게서 받은 예를 도로 갚음. 또는 그 예.

처량하다
凄 바람 찰 **처** / 涼 서늘할 **량**

마음이 구슬퍼질 정도로 외롭거나 쓸쓸하다.

예 달은 휘영청 밝고 뒤뜰의 벌레 우는 소리는 처량하기만 하다.

다 **처량(凄涼)하다:** 초라하고 가엾다.

더 **초라하다:** [1]겉모양이나 옷차림이 호졸근하고 궁상스럽다. [2]보잘것없고 변변하지 못하다.

문학 TIP 고전소설 속 도교적 세계관

옥황상제, 상제	신선계의 황제	광한전(廣寒殿)	달 속에 있다는 가상의 궁전
선관(仙官)	옥황상제의 신하	수정궁(水晶宮)	수정으로 장식했다는 전설 속의 궁전
선인(仙人)	신선	용궁(龍宮), 수궁(水宮)	상상 속에 존재하는 용왕의 궁전
선동(仙童)	아이의 모습을 한 신선	하계(下界), 속세(俗世)	인간들이 사는 세상
선녀(仙女)	여자 신선	적강(謫降)	선계에서 하계로 내려옴
선계(仙界), 천상(天上), 상계(上界)	신선들이 사는 세상	불사(不死), 불로(不老)	영원한 삶, 젊음

STEP 1 정답 1. ⑤ 피리 소리가 '처량하여 산천초목이 다 우짖는 듯'했다는 표현의 '처량하다'는 '마음이 구슬퍼질 정도로 외롭고 쓸쓸하다.'라는 의미를 지닌다. 이는 '보잘것없고 변변하지 못하다.'의 의미를 가진 '초라하다'와 바꿔 쓰기에 적절하지 않다.

힘	물체의 운동 상태를 변화시키는 물체와 물체 사이, 물체와 주변 사이의 상호 작용.
중력(重力)	지구와 물체가 서로 당기는 힘. 지표 근처의 물체를 연직 아래 방향으로 당기는 힘이다. 만유인력을 중력이라고 할 때도 있다.
마찰력(摩擦力)	물체가 어떤 면과 접촉하여 운동할 때 그 물체의 운동을 방해하는 힘.

과학 지문에 나오는 힘(=Force)은 한 가지만 기억하면 돼. 물체에 힘이 작용하면 운동 상태가 변하고, 힘이 작용하지 않으면 기존의 운동 상태가 변하지 않는다! 여기에서 운동 상태는 물체가 움직이는 빠르기와 움직이는 방향을 의미해. 가만히 있는 물체에 힘을 주지 않으면 그대로 있을 거고 힘을 주면 물체가 움직일 거야. 움직이고 있는 물체에 힘을 주지 않으면 가던 길 그대로 갈 거고 힘을 주면 물체는 더 빨라지든지, 더 느려지든지, 움직이는 방향을 바꿀 거야.

• 2014학년도 사관학교B

우리가 손에 들고 있던 공을 놓으면 공은 땅으로 떨어진다. 공을 수평으로 멀리 던지거나 심지어 하늘을 향해 높이 던져도 공은 땅에 떨어진다. 이와 같은 현상은 우리 주위에서 언제나 목격할 수 있다. 모든 물체에는 중력, 즉 지구의 중심으로 물체를 끌어당기는 힘이 미치기 때문이다. 그러면 공을 땅에 떨어뜨리지 않고 계속 떠 있게 하는 것은 불가능한 것일까?

위 지문에서는 지구의 중심으로 물체를 끌어당기는 힘, 즉 중력에 대해 언급하고 있네. 지구상에 있는 모든 물체에는 항상 중력이 작용하고 있어. 그런데 힘을 주면 물체는 움직인다고 했잖아? 그렇기 때문에 손에 들고 있던 공을 놓으면 땅으로 떨어지고, 수평으로 던진 공 역시 땅으로 떨어지는 등의 변화가 생기게 되는 거야. 이처럼 지문에서 '~력', '~힘'이라는 용어가 나오면 '물체에 어떤 힘을 주려나 보군. 그러면 물체의 운동 상태가 어떻게 변할까?'를 생각하면서 읽어봐. 예를 들어 '마찰력'이라고 하면 마찰을 통해 발생한 힘이 물체의 운동 상태에 어떤 변화를 미치게 될 것인가 하는 점을 고려하면서 지문을 읽으면 되는 거지. 좀 더 예를 들어볼까? '회전력'이라고 하면 회전하면서 발생하는 힘이, '인력'이라고 하면 물체가 서로 끌어당기는 힘이 작용하면 해당 물체의 운동 상태는 어떻게 바뀌게 될 것인가? 이런 식으로 생각을 하면서 읽으면 돼! 힘의 종류가 다양해서 상황에 따라 이름만 바뀔 뿐이야. 상황마다 달라지는 힘의 종류와 정보는 지문에 주어지니 당황하지 말고 차분히 독해해 나가도록 하자!

정답 P. 199

지문을 통해 다시 읽어보기

• 2014학년도 사관학교B

우리가 손에 들고 있던 공을 놓으면 공은 땅으로 떨어진다. 공을 수평으로 멀리 던지거나 심지어 하늘을 향해 높이 던져도 공은 땅에 떨어진다. 이와 같은 현상은 우리 주위에서 언제나 목격할 수 있다. 모든 물체에는 중력, 즉 지구의 중심으로 물체를 끌어당기는 힘이 미치기 때문이다. 그러면 공을 땅에 떨어뜨리지 않고 계속 떠 있게 하는 것은 불가능한 것일까?

(중략)

그렇다면 오늘날 인공위성은 어떻게 우주 공간에 떠 있을 수 있을까? 인공위성을 우주 공간으로 올릴 때는 로켓을 이용한다. 이때 로켓은 지구 중력을 이겨내고 우주까지 나아갈 수 있어야 한다. 지구 중력을 이겨내기 위한 지구 탈출 속도는 지표면에서는 약 11km/s이고, 고도가 높아짐에 따라 조금씩 줄어든다. 우주 공간에 있는 인공위성을 궤도의 접선 방향으로, 약 8km/s로 움직이게 하면 추락하지 않고 계속 돌 수 있다. 우주에는 대기가 없으므로 마찰열도 없고, 공기 저항도 없으므로 속도를 유지하기 위한 에너지의 공급은 필요 없다. 이로 인해 인간은 달이라는 자연적인 위성을 가진 이래 수많은 인공적인 위성을 갖게 되었다.

Q1 지구의 둘레를 돌고 있는 A라는 인공위성이 있다고 할 때, A는 그 고도를 유지하기 위해 약 11km/s의 속도로 움직일 것이다.

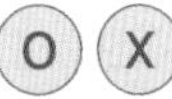

지문을 통해 다시 읽어보기

• 2015학년도 사관학교B

'영구 기관'이란 외부에서 어떤 힘을 가하거나 연료를 공급하지 않더라도 스스로 계속 움직이는 가상의 장치를 말한다. 주로 16세기 이후 유럽을 중심으로 많은 영구 기관이 고안되었는데, 그 어느 것도 성공하지 못했다. 〈그림〉의 장치는 17세기에 고안된 영구 기관으로, 내부가 몇 개의 구획으로 나누어진 원반이 선풍기처럼 회전하면서 각 구획의 벽을 따라 쇠구슬이 중심에서 가장자리로 이동하도록 되어 있다. 이 장치를 처음 고안한 사람은 시계 방향으로 힘을 가하면 쇠구슬로 인한 회전력에 의해 원반이 영구적으로 회전할 것이라 생각하였다.

움직이는 방향
쇠구슬

〈그림〉

그러나 이러한 기대와는 달리 이 장치는 결국 멈추었다. 처음에 원반을 돌린 힘은 회전축의 마찰과 쇠구슬이 구르면서 생기는 마찰 등으로 인해 열에너지로 전환되기 때문이다. 그리고 장치 안에서 마찰로 인해 손실된 에너지를 보충할 에너지는 생성되지 않는데, 그 이유는 오른쪽에 있는 쇠구슬의 무게로 인해 회전축에 걸린 힘이 모두 원반의 왼쪽에 있는 쇠구슬을 들어 올리는 데 사용되기 때문이다.

Q2 회전축을 중심으로 원반의 오른쪽에 걸린 힘과 원빈의 왼쪽에 걸린 힘은 상쇄된다.

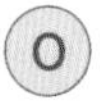
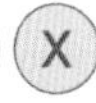

DAY 12

다음 글을 읽고 물음에 답하시오.

• 2016학년도 수능A

물체의 회전 상태에 변화를 일으키는 힘의 효과를 돌림힘이라고 한다. 물체에 회전 운동을 일으키거나 물체의 회전 속도를 변화시키려면 물체에 힘을 가해야 한다. 같은 힘이라도 회전축으로부터 얼마나 멀리 떨어진 곳에 가해 주느냐에 따라 회전 상태의 변화 양상*이 달라진다. 물체에 속한 점 X와 회전축을 최단거리로 잇는 직선과 직각을 ㉠이루는 동시에 회전축과 직각을 이루도록 힘을 X에 가한다고 하자. 이때 물체에 작용하는 돌림힘의 크기는 회전축에서 X까지의 거리와 가해 준 힘의 크기의 곱으로 표현되고 그 단위는 N · m(뉴턴미터)이다.

동일한 물체에 작용하는 두 돌림힘의 합을 알짜 돌림힘이라 한다. 두 돌림힘의 방향이 ㉡같으면 알짜 돌림힘의 크기는 두 돌림힘의 크기의 합이 되고 그 방향은 두 돌림힘의 방향과 같다. 두 돌림힘의 방향이 서로 반대이면 알짜 돌림힘의 크기는 두 돌림힘의 크기의 차가 되고 그 방향은 더 큰 돌림힘의 방향과 같다. 지레의 힘점에 힘을 ㉢주지만 물체가 지레의 회전을 방해하는 힘을 작용점*에 주어 지레가 움직이지 않는 상황처럼, 두 돌림힘의 크기가 같고 방향이 반대이면 알짜 돌림힘은 0이 되고 이때를 돌림힘의 평형*이라고 한다.

회전 속도의 변화는 물체에 알짜 돌림힘이 일을 해 주었을 때에만 일어난다. 돌고 있는 팽이에 마찰력이 ㉣일으키는 돌림힘을 포함하여 어떤 돌림힘도 작용하지 않으면 팽이는 영원히 돈다. 일정한 형태의 물체에 일정한 크기와 방향의 알짜 돌림힘을 가하여 물체를 회전시키면, 알짜 돌림힘이 한 일은 알짜 돌림힘의 크기와 회전 각도의 곱이고 그 단위는 J(줄)이다.

가령, 마찰이 없는 여닫이문이 정지해 있다고 하자. 갑은 지면에 대하여 수직*으로 서 있는 문의 회전축에서 1m 떨어진 지점을 문의 표면과 직각*으로 300N의 힘으로 밀고, 을은 문을 사이에 두고 갑의 반대쪽에서 회전축에서 2m만큼 ㉤떨어진 지점을 문의 표면과 직각으로 200N의 힘으로 미는 상태에서 문이 90°, 즉, 0.5π 라디안을 돌면, 알짜 돌림힘이 문에 해 준 일은 50πJ이다.

알아두자! 궁금한 어휘

* **양상(樣相)**: 사물이나 현상의 모양이나 상태.
* **작용점(作用點)**: 물체에 힘이 작용할 때에 그 힘이 미치는 점.
* **평형(平衡)**: 물체 사이에 서로 작용하는 힘과 회전력이 서로 비기어 크기가 전혀 없음.
* **수직(垂直)**: 똑바로 드리우는 상태.
* **직각(直角)**: 두 직선이 만나서 이루는 90도의 각.

1. ㉠~㉤과 바꿔 쓰기에 적절하지 않은 것은?

① ㉠: 형성(形成)하는
② ㉡: 동일(同一)하면
③ ㉢: 가(加)하지만
④ ㉣: 유발(誘發)하는
⑤ ㉤: 전파(傳播)된

다 다의어 동 동음이의어 더 더 알아 둘 어휘

형성하다
形 모양 형 / 成 이룰 성

어떤 형상을 이루다.

예 청소년기에 형성한 가치관은 어른이 되었을 때 바뀔 수 있다.

더 **구성(構成)하다:** 몇 가지 부분이나 요소들을 모아서 일정한 전체를 짜 이루다.

동일하다
同 한가지 동 / 一 한 일

어떤 것과 비교하여 똑같다.

예 당신과 나의 생각이 동일하니 더 싸울 필요가 없겠다.

가하다
加 더할 가

어떤 행위를 하거나 영향을 끼치다.

예 쇠를 녹이기 위해서는 섭씨 1500도 이상의 높은 열을 가해야 한다.

다 **가(加)하다:** 보태거나 더해서 늘리다.

유발하다
誘 꾈 유 / 發 필 발

어떤 것이 다른 일을 일어나게 하다.

예 경제 불황으로 인해 대규모 실업이 유발되었다.

전파되다
傳 전할 전 / 播 뿌릴 파

전하여 널리 퍼뜨려지다.

예 국내의 소식이 세계 각지로 전파되었다.

더 **떨어지다:** 일정한 거리를 두고 있다.

헷갈리는 단어, 홀로 사전 찾기로 더 확실하게 CHECK!

단어	뜻

STEP 2 정답 1. ⑤ '회전축에서 2m만큼 떨어진'의 '떨어지다'는 '일정한 거리를 두고 있다.'의 의미를 가진다. 이는 거리와 무관하게 '전하여 널리 퍼뜨려지다.'라는 의미를 가진 '전파되다'와 바꿔 쓰기에는 적절하지 않다.

다음 글을 읽고 물음에 답하시오.

• 2014학년도 9월 모평B

회전 운동을 하는 물체는 외부로부터 돌림힘이 ⓐ작용하지 않는다면 일정한 빠르기로 회전 운동을 유지하는데, 이를 각운동량 ⓑ보존 법칙이라 한다. 각운동량은 질량이 m인 작은 알갱이가 회전축으로부터 r만큼 떨어져 속도 v로 운동하고 있을 때 mvr로 표현된다. 그런데 회전하는 물체에 회전 방향으로 힘이 가해지거나 마찰 또는 공기 저항이 작용하게 되면, 회전하는 물체의 각운동량이 변화하여 회전 속도는 빨라지거나 느려지게 된다. 이렇게 회전하는 물체의 각운동량을 변화시키는 힘을 돌림힘이라고 한다.

그러면 팽이와 같은 물체의 각운동량은 어떻게 표현할까? 아주 작은 ⓒ균일한 알갱이들로 팽이가 이루어졌다고 볼 때, 이 알갱이 하나하나를 질량 요소라고 한다. 이 질량 요소 각각의 각운동량의 총합이 팽이 전체의 각운동량에 ⓓ해당한다. 회전 운동에서 물체의 각운동량은 (각속도)×(회전 관성)으로 나타낸다. 여기에서 각속도는 회전 운동에서 물체가 단위 시간당 회전하는 각이다. 질량이 직선 운동에서 물체의 속도를 변화시키기 어려운 정도를 나타내듯이, 회전 관성*은 회전 운동에서 각속도를 변화시키기 어려운 ⓔ정도를 나타낸다. 즉, 회전체의 회전 관성이 클수록 그것의 회전 속도를 변화시키기 어렵다.

회전체의 회전 관성은 회전체를 구성하는 질량 요소들의 회전 관성의 합과 같은데, 질량 요소들의 회전 관성은 질량 요소가 회전축*에서 떨어져 있는 거리가 멀수록 커진다. 그러므로 질량이 같은 두 팽이가 있을 때 홀쭉하고 키가 큰 팽이보다 넓적하고 키가 작은 팽이가 회전 관성이 크다.

알아두자! 궁금한 어휘

* **관성(慣性)**: 물체가 밖의 힘을 받지 않는 한 정지 또는 등속도 운동의 상태를 지속하려는 성질.
* **회전축(回轉軸)**: 회전 운동의 중심이 되는 직선.

2. ⓐ~ⓔ의 사전적 의미로 적절하지 않은 것은?

① ⓐ: 어떠한 현상을 일으키거나 영향을 미침.
② ⓑ: 잘 보호하고 간수하여 남김.
③ ⓒ: 등급이나 정도가 같음.
④ ⓓ: 어떤 범위나 조건 따위에 바로 들어맞음.
⑤ ⓔ: 사물의 성질이나 가치를 좋음과 나쁨, 우열 따위에서 본 분량이나 수준.

다 다의어 동 동음이의어 더 더 알아 둘 어휘

작용
作 지을 **작** / 用 쓸 **용**

어떠한 현상을 일으키거나 영향을 미침.

예 지나친 음주는 심신에 부정적인 작용을 할 수 있다.

보존
保 지킬 **보** / 存 있을 **존**

잘 보호하고 간수하여 남김.

예 ○○시 시장은 자연을 보존하는 데 많은 예산을 투자했다.

균일
均 고를 **균** / 一 한 **일**

한결같이 고름.

예 나무꾼이 팬 장작은 크기가 균일하게 골랐다.

더 **동등(同等)**: 등급이나 정도가 같음. 또는 그런 등급이나 정도.

해당
該 갖출 **해** / 當 마땅 **당**

어떤 범위나 조건 따위에 바로 들어맞음.

예 자격 요건에 해당하는 사람만이 이력서를 제출할 수 있었다.

정도
程 한도 **정** / 度 법도 **도**

사물의 성질이나 가치를 양부(良否), 우열 따위에서 본 분량이나 수준.

예 이 문제는 중학생이 풀 정도의 문제이다.

동 **정도(正度)**: 바른 규칙.

헷갈리는 단어, 홀로 사전 찾기로 더 확실하게 CHECK!

단어	뜻

STEP 2 정답 2. ③ '균일한 알갱이들'에서 '균일'은 '한결같이 고름.'의 의미를 가지고 있다. '등급이나 정도가 같음.'은 '동등'의 사전적 의미이다.

대중	대강 어림잡아 헤아림. 예 익히 다닌 길이라 어둠 속에서도 그는 대중으로 더듬어 나갔다.
어림	대강 짐작으로 헤아림. 또는 그런 셈이나 짐작. 예 어림으로 계산해 보아도 큰돈이 남았다.
추산 推 옮길 **추** / 算 계산 **산**	짐작으로 미루어 셈함. 또는 그런 셈. 예 이번 물난리의 피해액이 백 억이 넘을 것이라는 추산이 나왔다.
추정 推 옮길 **추** / 定 정할 **정**	미루어 생각하여 판정함. 예 그 과학자는 자신의 추정을 뒷받침하는 몇 가지 가설을 제시했다.

Q1 루빈은 여러가지 공식을 바탕으로 별의 공전 궤도 안쪽에 퍼져 있는 추가적인 중력의 원천, 곧 암흑 물질이 존재한다는 것을 [　　　　] 하였다.

전달 傳 전할 **전** / 達 이를 **달**	지시, 명령, 물품 따위를 다른 사람이나 기관에 전하여 이르게 함. 예 동장님의 환송사가 있은 후 주민들이 모은 축의금 전달이 이어졌다.
전래 傳 전할 **전** / 來 올 **래**	예로부터 전하여 내려옴. 예 강강술래는 서로 손을 잡고 둥글게 원을 그리며 뛰노는 민족의 전래 놀이이다.
전수 傳 전할 **전** / 受 받을 **수**	기술이나 지식 따위를 전하여 받음. 예 청기와를 굽는 비법은 아버지에게 전수받았다.
전승 傳 전할 **전** / 承 받들 **승**	문화, 풍속, 제도 따위를 이어받아 계승함. 또는 그것을 물려주어 잇게 함. 예 전통문화는 전승 방식이 비슷한 유형끼리 분류하여 파악하는 것이 효율적이다.

Q2 훌륭한 전통문화 유산을 [　　　　] 하여 발전시키는 것이 우리 후손들의 임무이다.

단어	뜻과 예문
드러내다	[1]가려 있거나 보이지 않던 것을 보이게 하다. [2]알려지지 않은 사실을 보이거나 밝히다. 예 [1]그는 무릎을 다 드러내는 옷차림을 하고 다녔다. [2]그녀는 어린 시절에 천재성을 드러냈다.
실토하다 實 열매 **실** / 吐 토할 **토**	거짓 없이 사실대로 다 말하다. 예 선생님께 그간의 사정에 대해 실토하니 속이 시원하다.
털어놓다	[1]속에 든 물건을 모두 내놓다. [2]마음속에 품고 있는 사실을 숨김없이 말하다. 예 [1]그는 두 손바닥 위로 쌀포대에 남은 쌀알을 털어놓았다. [2]오래 두고 별러 온 말인 듯 아버지는 천천히 이야기를 털어놓기 시작했다.
토로하다 吐 토할 **토** / 露 드러낼 **로**	마음에 있는 것을 죄다 드러내어서 말하다. 예 그녀는 남편에게 결혼 생활의 불만을 토로했다.

Q3 그는 국회의원으로 당선된 후 사람들이 알지 못했던 본색을 [　　　　].

단어	뜻과 예문
경시 輕 가벼울 **경** / 視 볼 **시**	대수롭지 않게 보거나 업신여김. 예 여전히 민간 신앙에 대한 경시 현상이 남아 있다.
등한시 等 같을 **등** / 閑 한가할 **한** / 視 볼 **시**	소홀하게 보아 넘김. 예 물질에 너무 집착하여 정신을 등한시하여서는 안 된다.
멸시 蔑 업신여길 **멸** / 視 볼 **시**	업신여기거나 하찮게 여겨 깔봄. 예 오빠는 항상 졸부에 대한 멸시의 감정을 노골적으로 드러내었다.
천시 賤 천할 **천** / 視 볼 **시**	업신여겨 낮게 보거나 천하게 여김. 예 광대극은 사람들에게 천시를 받으며 점점 쇠퇴해져 갔다.

Q4 경애는 자신에게 상처를 주었던 옆의 남자를 [　　　　] 하는 눈으로 노려보며 콧방귀를 뀌었다.

STEP 3 정답 A1 추정 A2 전승 A3 [2]드러냈다 A4 멸시

다음 글을 읽고 물음에 답하시오.

• 2017학년도 수능

계화가 들은 체 아니하고 크게 꾸짖어 왈, "네 동생이 내 칼에 죽었으니, 네 또한 명이 내 손에 달렸으니 어찌 가소롭지 아니리오." 용골대가 더욱 분기등등*하여 군중에 ㉠호령하여, "일시에 활을 당겨 쏘라." 하니, 살이 무수하되 감히 한 개도 범치 못하는지라. 용골대 아무리 분한들 어찌하리오. 마음에 ㉡탄복하고 조선 도원수 김자점을 불러 왈, "너희는 이제 내 나라의 신하라. 내 영을 어찌 어기리오." 자점이 황공하여 왈, "분부대로 거행하오리다."

용골대가 호령하여 왈, "네 군사를 몰아 박 부인과 계화를 사로잡아 들이라." 하니, 자점이 황겁*하여 방포일성에 군사를 몰아 피화당을 에워싸니, 문득 팔문이 변하여 백여 길 함정이 되는지라. 용골대가 이를 보고 졸연히 진을 깨지 못할 줄 알고 한 꾀를 생각하여, 군사로 하여금 피화당 사방 십 리를 깊이 파고 화약 염초를 많이 붓고, 군사로 하여금 각각 불을 지르고, "너희 무리가 아무리 천변만화*지술이 있은들 어찌하리오." 하고 군사를 호령하여 일시에 불을 놓으니, 그 불이 화약 염초를 범하매 벽력같은 소리가 나며 장안 삼십 리에 불길이 충천*하여 죽는 자가 무수하더라.

박씨가 ㉢주렴을 드리우고 부채를 쥐어 불을 부치니, 불길이 오랑캐 진을 덮쳐 오랑캐 장졸이 타 죽고 밟혀 죽으며 남은 군사는 살기를 도모하여 다 도망하는지라. 용골대가 할 길 없어, "이미 화친을 받았으니 대공을 세웠거늘, 부질없이 조그만 계집을 시험하다가 공연히 장졸만 다 죽였으니, 어찌 분한(憤恨)치 않으리오." 하고 ㉣회군하여 발행할 제, 왕대비와 세자 대군이며 장안 미색을 데리고 가는지라.

박씨가 시비 계화로 하여금 외쳐 왈, "무지한 오랑캐야, 너희 왕 놈이 무식하여 은혜지국(恩惠之國)을 침범하였거니와, 우리 왕대비는 데려가지 못하리라. 만일 그런 뜻을 두면 너희들은 본국에 돌아가지 못하리라." 하니 오랑캐 장수들이 가소롭게 여겨, "우리 이미 화친 언약을 받고 또한 인물이 나의 장중(掌中)*에 매였으니 그런 말은 생심(生心)*도 말라." 하며, 혹 욕을 하며 듣지 아니하거늘, 박씨가 또 계화로 하여금 다시 외쳐 왈, "너희가 일양 그리하려거든 내 재주를 구경하라." 하더니, 이윽고 공중으로 두 줄기 무지개 일어나며, 모진 비가 천지를 뒤덮게 오며, 음풍이 일어나며 백설이 날리고, 얼음이 얼어 군마의 발굽이 땅에 붙어 한 걸음도 옮기지 못하는지라. 그제야 오랑캐 장수들이 ㉤황겁하여 아무리 생각하여도 모두 함몰할지라.

– 작자 미상, 「박씨전」 –

알아두자! 궁금한 어휘

* 분기등등(憤氣騰騰): 분한 마음이 몹시 치밀어 오름.
* 천변만화(千變萬化): 끝없이 변화함.
* 충천(衝天): 하늘을 찌를 듯이 공중으로 높이 솟아오름.
* 장중(掌中): 움켜쥔 손아귀의 안.
* 생심(生心): 어떤 일을 하려고 마음을 먹음. 또는 그 마음.

1. ㉠~㉤의 사전적 의미로 적절하지 않은 것은?

① ㉠: 부하나 동물 따위를 지휘하여 명령함.
② ㉡: 두려워하여 복종함.
③ ㉢: 구슬 따위를 꿰어 만든 발.
④ ㉣: 군사를 돌이켜 돌아가거나 돌아옴.
⑤ ㉤: 겁이 나서 얼떨떨하다.

다 다의어 동 동음이의어 더 더 알아 둘 어휘

호령
號 부르짖을 **호** / 令 명령할 **령**

부하나 동물 따위를 지휘하여 명령함. 또는 그 명령.

예 사또가 호령하자 나졸들이 일제히 달려나가 죄인들을 구속했다.

다 **호령(號令):** 큰 소리로 꾸짖음.

더 **명령(命令):** 윗사람이나 상위 조직이 아랫사람이나 하위 조직에 무엇을 하게 함. 또는 그런 내용.

탄복
嘆 탄식할 **탄** / 服 입을 **복**

매우 감탄하여 마음으로 따름.

예 나는 그의 연주에서 느껴지는 풍부한 감수성에 탄복하며 한숨을 쉬었다.

동 **탄복(憚服):** 두려워하여 복종함.

주렴
珠 구슬 **주** / 簾 발 **렴**

구슬 따위를 꿰어 만든 발.

예 주렴이 바람에 흔들리며 맑은 소리를 냈다.

회군
回 돌아올 **회** / 軍 군사 **군**

군사를 돌이켜 돌아가거나 돌아옴.

예 그는 병사들의 목숨을 지키기 위해 전 부대에 회군 명령을 내렸다.

황겁
惶 두려워할 **황** / 怯 겁낼 **겁**

겁이 나서 얼떨떨함.

예 소년은 황겁하여 그 자리에 주저앉으면서 동생의 입을 막으려고 더듬더듬하였다.

더 **황송(惶悚)하다:** 분에 넘쳐 고맙고도 송구하다.

문학 TIP 고전소설 속 불교적 세계관

부처	궁극의 진리를 깨달은 사람, 신(神)	지하(地下), 황천(黃泉)	사후 세계(저승)
보살, 관음보살	부처님이 되기 위해 수행하는 사람, 신격화(神格化)의 대상	염라대왕	명계(황천)를 관장하는 왕
존자(尊者)	학문과 덕행이 뛰어난 부처의 제자를 높이는 말	전세(前世) / 금세 / 후세 전신(前身) / 현신 / 후신	이전 삶 / 현재 삶 / 이후 삶 – 삼생(三生)
천상계(天上)	부처와 보살이 있는 세상	중생(衆生)	불교의 구원의 대상인 모든 생명체
~대사(大士)	큰 스님, 믿음이 깊은 스님	금강경, 경전	불교의 교리서
화상(和尙), 승려(僧侶), 여승(女僧)	불도(佛道)를 닦는 사람	염주	불교인들의 종교적 소품

STEP 1 정답 1. ② 용골대는 계화에게 분한 마음을 품지만 '두려워하여 복종'하는 태도를 보이고 있지 않으므로, '두려워하며 복종함.'의 의미를 지닌 '탄복(憚服)'이 사용되었다고 보기 어렵다. ⓒ의 '탄복(歎服)'은 '매우 감탄하여 마음으로 따름.'의 의미를 가지고 있다고 보는 것이 적절하다.

질량 (質量)	물체를 이루고 있는 물질의 양.	밀도 (密度)	일정한 부피에 물질이 골고루 퍼져 있을 때 빽빽한 정도.
부피	물체나 물질이 공간을 차지하고 있는 크기.	압력 (壓力)	물질과 물질이 서로 미는 힘.

질량, 부피, 밀도, 압력은 화학을 비롯하여 과학의 전 영역에 걸쳐 두루 사용하는 용어야. 지문에서 용어의 의미를 풀어서 설명해주는 경우도 있지만, 고등학교 공통 과학 수준의 기본 지식은 풀이를 안 해주는 경우도 있어.

• 2019학년도 경찰대

빙하의 변화를 촉진하는 또 다른 요인은 빙하의 이동이다. 빙하의 무게로 발생하는 압력이 높아지면 빙하의 표면과 지면 사이에 충돌이 격화되고 그 결과 빙하가 이동하게 된다. 빙하는 평균적으로는 1년에 약 10미터씩 서서히 이동하지만 빙하 밑면과 지면 사이의 마찰력에 따라 그 이동 속도가 달라진다. 물을 가득 채운 물병을 냉동실에 넣으면 곧 터질 것처럼 부풀어 오른다. 마찬가지로 얼음 결정으로 부피가 커진 빙하는 내부에 강한 압력을 받게 되고 압력을 버티지 못해 다시 액화되는 부분이 생기기 마련인데 빙하 하단에서 이러한 현상이 빈번하게 일어난다.

지문에서 압력, 부피와 같은 용어를 사용하고 있지만 해당 용어에 대한 개념 정의는 제시되어 있지 않지? 그러니 영역별로 자주 나오는 용어는 미리 정확한 의미를 공부해 두자.

물체를 이루고 있는 물질의 양을 줄여서 질량이라고 해. 예를 들어 내 핸드폰을 이루고 있는 물질들은 135g 정도라고 할 수 있어. 이러한 질량을 사용하면 물체의 여러 가지 특징들을 설명할 수 있어. (그래서 지문에 자주 나오는 거겠지!)

부피는 수학 시간에 수없이 계산해봤지? 3차원의 공간에서 어떤 물체가 차지하고 있는 공간의 크기를 부피라고 해. 2차원 평면에서는 부피를 이야기할 수 없으니 넓이를 가지고 이야기할 거야.

밀도는 어떤 공간에 물질이 얼마나 빽빽하게 들어가 있는지를 말하는 거야. 예를 들어 우리 동네 영화관의 평일 조조 시간과 주말 저녁 시간을 생각해 봐. 평일 조조에는 자리가 텅텅 비어 있지만 주말 저녁에는 꽉 차 있잖아? 같은 크기의 공간인데 주말 저녁이 더 빽빽하게 차 있으니 영화관은 평일 조조보다 주말 저녁에 밀도가 더 큰 거야. 사람이 꽉 차 있는 엘리베이터, 출퇴근 시간의 만원 버스의 밀도는 크다고 할 수 있고, 나 혼자 탄 엘리베이터, 기사님과 나 단둘이 타고 가는 버스의 밀도는 작다고 할 수 있어. 밀도에 대해서 이렇게 길게 이야기하는 이유는 '밀도 = 질량/부피'이라는 공식이 생각나지 않아서 실전에서 어려움을 겪은 수험생이 많았기 때문이야. (2016학년도 수능B에 출제되었던 '빗방울의 종단 속도' 지문을 참고해 봐.) 어떤 공간에 물질이 많이 들어가면 그만큼 빽빽하겠지? 즉, 일정 부피를 채우는 물질이 많아지면 (질량이 커지면) 밀도가 높아지는 거지. 그래서 '밀도 = 질량/부피'이 성립하는 거야. 이 정도는 외워 두면 좋을 것 같고, 사실 밀도의 의미를 생각하고 보면 당연한 표현이니 의미를 정리하고 공식은 덤으로 챙기자.

압력은 물질과 물질이 서로 미는 힘이야. 넓은 운동장에 있던 100명의 학생들을 한 교실에 다 들어가게 했어. 교실에 많은 학생들이 들어가면 서로 밀어내는 힘, 벽을 밀어내는 힘 등 넓은 운동장에 있을 때는 느껴지지 않던 압박이 느껴지겠지? 이 힘이 압력이야. 내 몸은 사방에서 공기가 누르는 힘을 받고 있어. 하지만 내 몸도 그만한 힘으로 밀어내서 힘이 평형 상태이기 때문에 몸의 형태가 유지되고 있는 거야. 만약 두 힘 중에 어느 하나가 더 크면 몸이 팽창하거나 쪼그라들겠지?

✓ 정답 P. 199

지문을 통해 다시 읽어보기

• 2019학년도 경찰대

빙하의 변화를 촉진하는 또 다른 요인은 빙하의 이동이다. 빙하의 무게로 발생하는 압력이 높아지면 빙하의 표면과 지면 사이에 충돌이 격화되고 그 결과 빙하가 이동하게 된다. 빙하는 평균적으로는 1년에 약 10미터씩 서서히 이동하지만 빙하 밑면과 지면 사이의 마찰력에 따라 그 이동 속도가 달라진다. 물을 가득 채운 물병을 냉동실에 넣으면 곧 터질 것처럼 부풀어 오른다. 마찬가지로 얼음 결정으로 부피가 커진 빙하는 내부에 강한 압력을 받게 되고 압력을 버티지 못해 다시 액화되는 부분이 생기기 마련인데 빙하 하단에서 이러한 현상이 빈번하게 일어난다. 그 같은 액화 현상이 빙하와 지면 사이의 마찰을 줄이면서 빙하의 이동을 가속화하는 결정적인 원인이 된다. 아울러 빙하뿐만 아니라 지면에서도 마찰력을 줄이는 원인이 제공될 수 있다. 가령 빙하 하단에 습기가 많은 연암 퇴적층이 발달해 있다면 빙하의 이동 속도는 빨라진다.

Q1 빙하의 무게가 커져서 압력이 증가하면 빙하가 이동할 확률이 더 높아진다.

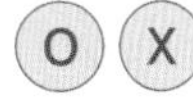

O X

지문을 통해 다시 읽어보기

• 2010학년도 사관학교 <보기>

거리의 가로등으로 쓰이는 고압 수은등은 수은 원자가 방출하는 가시광선을 이용한다. 수은은 자외선은 흡수하고 가시광선은 흡수하지 않는 성질을 지니고 있다. 수은은 가시광선을 방출하는 비율이 매우 낮지만, 수은의 압력을 충분히 높게 하면 높은 밀도로 인해 한 원자가 내놓는 자외선을 옆의 원자가 다시 흡수하는 현상이 반복되어 나타나므로 가시광선의 방출량은 계속 늘어나게 된다. 이렇게 방출되는 가시광선을 이용하는 것이 고압 수은등이다.

Q2 '고압 수은등'에서는 수은 원자가 자외선을 흡수하는 빈도가 높다.

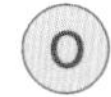

O X

DAY 13

STEP 2 독서 독해 증진

다음 글을 읽고 물음에 답하시오.

• 2009학년도 6월 모평

신기루는 그 자리에 없는 어떤 대상이 마치 있는 것처럼 보이는 현상을 말한다. 그러나 신기루는 환상이나 눈속임이 아니라 ⓐ원래의 대상이 공기층*의 온도 차 때문에 다른 곳에 보이게 되는 현상이다. 찬 공기층은 밀도가 크고 따뜻한 공기층은 밀도가 작다. 이러한 밀도 차이는 빛이 공기를 통과하는 시간을 변화시키는데, 밀도가 클수록 시간이 더 걸리게 된다. 이때 공기층을 지나는 빛은 밀도가 다른 경계 면을 ⓑ통과하면서 굴절한다. 따라서 신기루는 지표면* 공기와 그 위 공기 간의 온도 차가 큰 사막이나 극지방*에서 쉽게 관찰할 수 있다.

뜨거운 여름, 사막의 지표면은 쉽게 햇볕을 받아 가열*되고, 지표면 공기는 그 위층의 공기에 비해 쉽게 뜨거워진다. 뜨거운 공기는 차가운 공기에 비해 밀도가 작은데, 이러한 밀도 차이에 의해 빛이 굴절*하게 된다. 나무 한 그루가 사막 위에 있다고 가정하자. 나무의 윗부분에서 나온 빛의 일부는 직진하여 사람 눈에 곧바로 도달하므로 우리 눈에는 똑바로 선 나무가 보인다. 그러나 그 빛의 일부는 아래로 가다가 밀도가 큰 공기층을 지나며 계속 굴절되어 다시 위로 올라가고, 나무의 아랫부분에서 ⓒ출발한 빛은 계속 굴절되면서 더 위쪽으로 올라간다. 이렇게 두 빛의 위치가 바뀌기 때문에 사람에게는 나무가 거꾸로 서 있는 것처럼 보인다. 이를 '아래 신기루'라고 한다. 따라서 멀리서 볼 때는 바로 선 나무와 그 밑에 거꾸로 선 나무의 ⓓ영상이 동시에 보이는 것이다.

매우 추운 지역에서도 신기루는 일어난다. 극지방의 눈 덮인 지표면 공기는 늘 그 상공의 공기보다 훨씬 차다. 찬 공기층의 밀도는 크고, 따뜻한 공기층의 밀도는 작다. 이러한 밀도 차이에 의해 빛은 밀도가 큰 지표면 쪽으로 굴절되어 우리 눈에 들어오게 된다. 따라서 극지방에 있는 산봉우리는 ⓔ실제보다 위에 있는 것처럼 보인다. 이러한 현상을 '위 신기루'라고 부른다.

알아두자! 궁금한 어휘

*공기층(空氣層): 대기의 층.

*지표면(地表面): 지구의 표면. 또는 땅의 겉면.

*극지방(極地方): 남극과 북극을 중심으로 한 그 주변 지역.

*가열(加熱): 어떤 물질에 열을 가함.

*굴절(屈折): 휘어서 꺾임.

1. ⓐ~ⓔ의 사전적 의미로 적절하지 않은 것은?

① ⓐ: 사물이 전하여 내려온 그 처음.
② ⓑ: 장애물이나 난관 따위를 뚫고 지나감.
③ ⓒ: 어떤 곳을 향하여 세차게 달려듦.
④ ⓓ: 빛의 굴절이나 반사 등에 의하여 이루어진 물체의 상.
⑤ ⓔ: 사실의 경우나 형편.

다 다의어 통 동음이의어 더 더 알아 둘 어휘

원래
元 으뜸 원 / 來 올 래

사물이 전하여 내려온 그 처음.

예 그 가게는 경쟁력을 갖추기 위해 상품의 가격을 원래의 가격보다 훨씬 싸게 책정하였다.

통과
通 통할 통 / 過 지날 과

장애물이나 난관 따위를 뚫고 지나감.

예 유리를 향해 쏜 레이저 빛이 유리를 통과하면서 다른 색으로 변했다.

더 **투과(透過):** 장애물에 빛이 비치거나 액체가 스미면서 통과함.

출발
出 날 출 / 發 필 발

목적지를 향하여 나아감.

예 우리는 출발 5시간 만에 부산에 도착했다.

더 **쇄도(殺到):** 어떤 곳을 향하여 세차게 달려듦.

영상
映 비칠 영 / 像 모양 상

빛의 굴절이나 반사 등에 의하여 이루어진 물체의 상.

예 거울에 비친 영상은 좌우가 바뀌어 있어 내가 왼손을 들면 거울에 비친 나는 오른손을 든 것으로 보인다.

실제
實 열매 실 / 際 즈음 제

사실의 경우나 형편.

예 눈앞에서 벌어진 사고를 보고도 이것이 실제 상황임이 실감이 나지 않았다.

더 **사실(事實):** 실제로 있었던 일이나 현재에 있는 일.

DAY 13

헷갈리는 단어, 홀로 사전 찾기로 더 확실하게 CHECK!

단어	뜻

STEP 2 정답 1. ③ '나무 아랫부분에서 출발한 빛'의 '출발'은 '목적지를 향하여 나아감.'의 의미를 가지고 있다. '어떤 곳을 향하여 세차게 달려듦.'의 의미를 가진 단어는 '쇄도'이다.

STEP 2 ▶ 독서 독해 증진

다음 글을 읽고 물음에 답하시오.

• 2013학년도 수능

기체의 온도를 일정하게 하고 부피를 줄이면 압력은 높아진다. 한편 압력을 일정하게 유지할 때 온도를 높이면 부피는 증가한다. 이와 같이 기체의 상태에 영향을 미치는 압력(P), 온도(T), 부피(V)의 상관관계*를 1몰*의 기체에 대해 표현하면 $P=\frac{RT}{V}$ (R: 기체 상수)가 되는데, 이를 이상* 기체 상태 방정식이라 한다. 여기서 이상 기체란 분자 자체의 부피와 분자 간 상호 작용이 없다고 ㉠가정한 기체이다. 이 식은 기체에서 세 변수* 사이에 발생하는 상관관계를 ㉡간명하게 설명할 수 있다.

하지만 실제 기체에 이상 기체 상태 방정식을 적용하면 잘 맞지 않는다. 실제 기체에는 분자 자체의 부피와 분자 간의 상호 작용이 ㉢존재하기 때문이다. 분자 간의 상호 작용은 인력*과 반발력*에 의해 발생하는데, 일반적인 기체 상태에서 분자 간 상호 작용은 대부분 분자 간 인력에 의해 일어난다. 온도를 높이면 기체 분자의 운동 에너지가 증가하여 인력의 영향은 줄어든다. 또한 인력은 분자 사이의 거리가 멀어지면 ㉣감소하는데, 어느 정도 이상 멀어지면 그 힘은 무시할 수 있을 정도로 약해진다. 하지만 분자들이 거의 맞닿을 정도가 되면 반발력이 급격하게 증가하여 반발력이 인력을 ㉤압도하게 된다. 이러한 반발력 때문에 실제 기체의 부피는 압력을 아무리 높이더라도 이상 기체에서 기대했던 것만큼 줄지 않는다.

*1몰: 기체 분자 6.02×10^{23}개.

알아두자! 궁금한 어휘

* **상관관계(相關關係):** 두 가지 가운데 한쪽이 변화하면 다른 한쪽도 따라서 변화하는 관계.
* **이상(理想):** 생각할 수 있는 범위 안에서 가장 완전하다고 여겨지는 상태.
* **변수(變數):** 어떤 상황의 가변적(바뀔 수 있는) 요인.
* **인력(引力):** 공간적으로 떨어져 있는 물체끼리 서로 끌어당기는 힘.
* **반발력(反撥力):** 되받아 퉁기는 힘.

2. ㉠~㉤의 사전적 뜻풀이로 옳지 않은 것은?

① ㉠: 사실이 아니거나 또는 사실인지 아닌지 분명하지 않은 것을 임시로 인정함.
② ㉡: 간단하고 분명함.
③ ㉢: 현실에 있음.
④ ㉣: 양이나 수치를 줄임.
⑤ ㉤: 일정한 한도를 정하거나 그 한도를 넘지 못하게 막음.

어휘	뜻·예문	더 알아 둘 어휘
가정 假 거짓 **가** / 定 정할 **정**	사실이 아니거나 또는 사실인지 아닌지 분명하지 않은 것을 임시로 인정함. 예 올해 말에 시험을 친다고 가정하며 준비를 해 왔다.	
간명 簡 간략할 **간** / 明 밝을 **명**	간단하고 분명함. 예 그는 복잡한 문제를 간명하게 설명해 주었다.	더 **간단(簡單)**: 단순하고 간략함. 더 **분명(分明)**: 틀림없이 확실하게.
존재 存 있을 **존** / 在 있을 **재**	현실에 실제로 있음. 또는 그런 대상. 예 아직까지는 우리에게 가능성이 존재한다.	
감소 減 덜 **감** / 少 적을 **소**	양이나 수치가 줆. 또는 양이나 수치를 줄임. 예 인구가 계속 감소되는 추세에 있다.	더 **증가(增加)**: 양이나 수치가 늚.
압도 壓 누를 **압** / 倒 넘어질 **도**	보다 뛰어난 힘이나 재주로 남을 눌러 꼼짝 못 하게 함. 예 연설자의 박력은 청중을 압도했다.	더 **제한(制限)**: 일정한 한도를 정하거나 그 한도를 넘지 못하게 막음. 또는 그렇게 정한 한계.

헷갈리는 단어, 홀로 사전 찾기로 더 확실하게 CHECK!

단어	뜻

STEP 2 정답 2. ⑤ '반발력이 인력을 압도하게 된다.'의 '압도'는 '보다 뛰어난 힘으로 남을 눌러 꼼짝 못 하게 함.'의 의미를 가지고 있다. '일정한 한도를 정하거나 그 한도를 넘지 못하게 막음.'의 의미를 가진 것은 '제한'이다.

어휘	뜻 및 예문
마련	헤아려서 갖춤. 예 잔치에서는 음식 마련이 가장 큰 문제이다.
상비 常 항상 **상** / 備 갖출 **비**	필요할 때에 쓸 수 있게 늘 갖추어 둠. 예 양호실에는 구급약품들이 상비되어 있다.
장만	필요한 것을 사거나 만들거나 하여 갖춤. 예 설 음식 장만도 그 어느 해보다 풍성하게 할 작정이었다.
준비 準 법도 **준** / 備 갖출 **비**	미리 마련하여 갖춤. 예 그는 등산을 갈 준비를 차렸다.

Q1 그는 갑작스럽게 몸상태가 악화되는 경우가 많아 언제나 [　　　　] 하고 다니는 진정제 두 알을 먹고 편한 자세로 누워 호흡을 애써 조절했다.

어휘	뜻 및 예문
만회 挽 당길 **만** / 回 돌아올 **회**	바로잡아 회복함. 예 이번 유세로 떨어진 지지도가 만회되기를 바란다.
소회 所 바 **소** / 懷 품을 **회**	마음속에 품고 있는 생각이나 정. 예 지금까지 벌어졌던 일련의 사건을 지켜보며 느낀 소회를 일기장에 적어 두었다.
참회 慚 뉘우칠 **참** / 悔 뉘우칠 **회**	자신의 잘못에 대하여 깨닫고 깊이 뉘우침. 예 그는 변명이나 참회로 자신의 책임을 줄이려 들기보다 죽음으로써 자신의 견해를 지켰다.
철회 撤 거둘 **철** / 回 돌아올 **회**	이미 제출하였던 것이나 주장하였던 것을 다시 회수하거나 번복함. 예 그는 하루 전에 과장에게 제출했던 사표의 철회를 신중히 생각해 보았다.

Q2 그 시인은 일제 강점기 시대에 무기력하게만 살아온 자신의 삶을 부끄럽게 여겨, [　　　　] 하며 현실에 적극적으로 참여할 것을 다짐하고 있다.

조율
調 고를 **조** / 律 법 **율**

문제를 어떤 대상에 알맞거나 마땅하도록 조절함을 비유적으로 이르는 말.
예 두 집안의 갈등에 조율이 필요하다.

조절
調 고를 **조** / 節 마디 **절**

균형이 맞게 바로잡음. 또는 적당하게 맞추어 나감.
예 그 선수는 컨디션 조절에 실패하여 중도에서 탈락했다.

조정
調 고를 **조** / 整 정돈할 **정**

어떤 기준이나 실정에 맞게 정돈함.
예 시내버스 노선의 조정이 필요하다.

조화
調 고를 **조** / 和 화목할 **화**

서로 잘 어울림.
예 그 연극은 무대 장치와 등장인물의 조화가 뛰어났다.

Q3 채권의 신용 등급은 신용 위험의 변동에 따라 [   ] 될 수 있다.

미행
尾 꼬리 **미** / 行 다닐 **행**

다른 사람의 행동을 감시하거나 증거를 잡기 위하여 그 사람 몰래 뒤를 밟음.
예 교도소에서 나온 그는 다시 형사의 미행을 받았다.

추적
追 쫓을 **추** / 跡 자취 **적**

[1]도망하는 사람의 뒤를 밟아서 쫓음. [2]사물의 자취를 더듬어 감.
예 [1]범인은 경찰의 추적을 피해 도망갔다. [2]예금 계좌 추적.

추종
追 쫓을 **추** / 從 좇을 **종**

[1]남의 뒤를 따라서 좇음. [2]권력이나 권세를 가진 사람이나 자신이 동의하는 학설 따위를 별 판단 없이 믿고 따름.
예 [1]그는 컴퓨터 분야에서는 타의 추종을 불허한다. [2]그는 권력자에게는 무조건 추종한다.

추징
追 쫓을 **추** / 徵 거둘 **징**

부족한 것을 뒤에 추가하여 징수함.
예 이 사건은 증여 사실 여부를 가려내기가 어려워 증여세 추징은 어렵다.

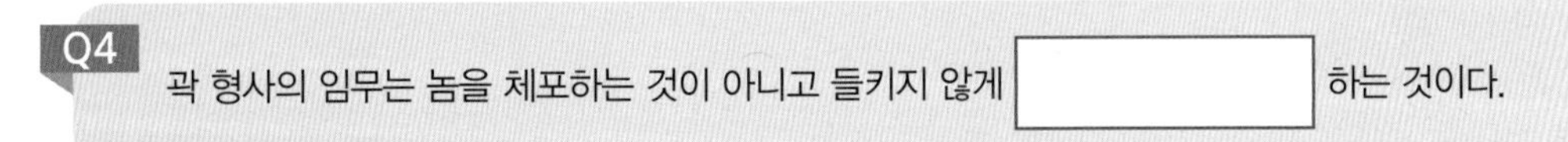

Q4 곽 형사의 임무는 놈을 체포하는 것이 아니고 들키지 않게 [   ] 하는 것이다.

STEP 3 정답 A1 상비 A2 참회 A3 조정 A4 미행

✓ 다음 글을 읽고 물음에 답하시오.

• 2017학년도 9월 모평

"장차 ㉠백년해로의 낙을 누리려 했는데 어찌 횡액(橫厄)*을 만나 구렁에 넘어질 줄 알았겠습니까? 이리 같은 놈들에게 정조를 잃지는 않았으나, 육체는 진흙탕에서 찢겼사옵니다. 절개*는 중하고 목숨은 가벼워 해골은 들판에 던져졌으나, 혼백을 ㉡의탁할 곳이 없었습니다. 가만히 옛일을 생각하면 ㉢원통한들 어찌하겠습니까? 당신과 그날 깊은 산골짜기에서 헤어진 뒤 속절없이 짝 잃은 새가 되었던 것입니다. 이제 저의 환신*은 이승에 돌아와 남은 인연을 맺어 옛날의 굳은 맹세를 결코 헛되게 하지 않으려 하는데 당신 생각은 어떠십니까?"

이생은 매우 기뻐하고 감사히 여기며, "그것이 원래 나의 소원이오."라고 대답했다. 둘은 말을 주고받았다.

이생은, "모든 ㉣가산은 어떻게 되었소?"라고 물었다.

"하나도 잃지 않고 어떤 골짜기에다 묻어 두었습니다."

"그럼 양가 부모님의 유골*은 어찌 되었소?"

"하는 수 없이 어떤 곳에 그냥 내버려 두었습니다."

이야기를 마치고 함께 취침하니 기쁜 정은 옛날과 조금도 다를 바 없었다. 이튿날 부부는 가산을 묻어 둔 곳을 찾아갔다. 그곳에는 금은 몇 덩이와 약간의 재물이 있었다. 그들은 양가 부모의 유골을 거두고 금은, 재물을 팔아 각각 오관산 기슭에 합장*하고는 나무를 세우고 제사를 드려 모든 예를 다 마쳤다. 그 후 이생은 벼슬을 구하지 않고 최낭과 함께 살았고, 피란갔던 노복*들도 찾아왔다. 이생은 이제 세상사를 완전히 잊은 채 친척의 길흉사*에도 가 보지 않고 집에서 늘 최낭과 함께 시를 주고받으며 즐거이 세월을 보냈다.

어느덧 몇 년이 지난 어느 날 밤에 최낭은, "세 번 ㉤가약을 맺었건만, 세상일은 뜻대로 되지 않나 봅니다. 즐거움도 다하기 전에 슬픈 이별이 닥쳐왔습니다."라고 말하고는 오열하였다.

– 김시습, 「이생규장전」 –

알아두자! 궁금한 어휘

* *횡액(橫厄): 뜻밖에 닥쳐오는 불행.
* *절개(橫厄): 신념, 신의 따위를 굽히지 아니하고 굳게 지키는 꿋꿋한 태도.
* *환신(幻身): 허깨비같이 허망하고 덧없는 몸이라는 뜻으로, 사람의 몸을 비유적으로 이르는 말.
* *유골(遺骨): 주검을 태우고 남은 뼈. 또는 무덤 속에서 나온 뼈.
* *합장(合葬): 여러 사람의 시체를 한 무덤에 묻음.
* *노복(奴僕): 종살이를 하는 남자.
* *길흉사(吉凶事): 길사(경사스러운 일)와 흉사(언짢은 일)를 아울러 이르는 말.

1. 문맥상 ㉠~㉤과 바꿔 쓰기에 적절하지 않은 것은?

① ㉠: 백년동락(百年同樂)
② ㉡: 의지(依支)
③ ㉢: 억울(抑鬱)
④ ㉣: 선산(先山)
⑤ ㉤: 약속(約束)

다 다의어 동 동음이의어 더 더 알아 둘 어휘

백년해로

百 일백 **백** / 年 년 **년** / 偕 함께 **해** / 老 늙을 **로** /

부부가 되어 한평생을 사이좋게 지내고 즐겁게 함께 늙음.

예 두 남녀는 백년해로를 맹세하였다.

더 **백년동락(百年同樂)**: 부부가 되어 한평생을 같이 살며 함께 즐거워함.

의탁

依 의지할 **의** / 託 부탁할 **탁**

어떤 것에 몸이나 마음을 의지하여 맡김.

예 당장 목구멍에 풀칠할 길도 없어져 버렸다. 그래서 여기 와서 의탁을 한 것이다.

더 **의지(依支)**: 다른 것에 마음을 기대어 도움을 받음. 또는 그렇게 하는 대상.

원통

冤 원통할 **원** / 痛 아플 **통**

분하고 억울함.

예 사또의 꿈에 나타난 귀신은 죄 없이 죽임을 당했다며 원통한 심정을 토로했다.

더 **억울(抑鬱)**: 아무 잘못 없이 꾸중을 듣거나 벌을 받거나 하여 분하고 답답함.

가산

家 집 **가** / 産 낳을 **산**

한집안의 재산.

예 그 사람은 노름에 빠져 가산을 탕진했다.

더 **선산(先山)**: 조상의 무덤이 있는 산.

가약

佳 아름다울 **가** / 約 맺을 **약**

부부가 되자는 약속.

예 이십오 년 전에 어머니와 아버지는 가약을 맺었다.

문학 TIP 고전소설 속 호칭 (1)

호칭	의미	호칭	의미
경(卿), 공(公)	임금이 신하를 부르는 호칭	폐하(중국), 전하(조선)	신하가 임금을 부르는 호칭
공(公), 상공(相公)	지체 높은 가문의 남자를 부르는 호칭	공자(公子)	지체 높은 집의 남자 아이
존객(尊客)	높고 귀한 손님	처사(處士)	벼슬하지 않고 초야에 묻혀서 사는 선비
낭자(娘子)	아가씨, 결혼하지 않은 여성	소자(小子)	아들이 자신을 낮추어 이르는 말
소저(小姐)	처녀가 자신을 낮추어 이르는 말	소신(小臣), 신(臣)	신하가 자신을 낮추어 이르는 말
소승(小僧)	승려가 자신을 낮추어 이르는 말	소첩(小妾), 첩(妾)	기혼 여성이 자신을 낮추어 이르는 말

STEP 1 정답 1. ④ '가산'은 '한집안의 재산.'을 의미하는데, 윗글에서 '골짜기에 묻'을 수 있는 대상으로 언급된 점을 고려할 때, '가산'을 '조상의 무덤이 있는 산.'을 의미하는 '선산'과 바꿔 쓰는 것은 적절하지 않다.

원자(原子)	물질을 구성하며 화학적 성질을 띤 입자의 가장 작은 단위.
기본 입자(基本粒子)	양성자, 중성자, 전자 등 원자를 구성하는 기본적인 입자.
분자(分子)	원자들의 결합으로 만들어진 물질의 특성을 갖는 입자의 가장 작은 단위.

과학자들은 물질을 쪼개고 쪼개면 마지막에 남는 물질이 무엇일까를 궁금해 했어. 나를 이루고 있는 물질이 무엇인지 너무 궁금했던 거야. 그래서 여러 가지 가설을 세우고 화학적인 방법들을 총동원해서 물질을 쪼개기 시작했지. 처음에는 '원자라는 녀석이 끝이야. 더 이상은 쪼갤 수 없어.' 라고 생각했는데 후에 양성자, 중성자, 전자 등의 더 작은 입자들을 발견했어. 양성자, 중성자, 전자같이 원자보다 더 작은 입자들을 기본 입자라고 해. 과학자들은 이런 기본 입자들을 가지고 원자의 구조를 설명하는 원자 모형을 만들기 시작했어.

간단히 설명하면 원자는 중심에 양성자와 중성자가 모여 있는 원자핵이 있고 전자가 원자핵의 주위를 빙글빙글 돌고 있는 형태로 이루어져 있어. 양성자와 중성자의 질량은 전자의 질량보다 월등히 커서 사실 원자 질량의 대부분은 원자핵이 차지하고 있다고 생각해도 돼. 전자의 존재감은 원자 내에서 티끌 같아. 양성자는 전기적으로 양(+)의 성질을 띠고 전자는 음(−)의 성질을 띠고 있어. 중성자는 이름처럼 양(+)도, 음(−)도 아닌 중성이야. 그렇다면 양성자와 중성자가 모여 있는 원자핵은 양(+)의 성질을 띠겠네. 원자들끼리 결합을 하면서 다양한 물질들을 만드는데 이때 원자 주변을 돌고 있는 전자들이 결합할 수 있게 도와줘. 존재감은 미미한 전자가 원자가 결합할 때에는 큰 역할을 한다는 정도만 알아두면 돼.

대부분의 원자는 혼자 다니면서 물질을 구성하지는 않아. (대부분이라고 한 이유는 혼자 다니는 아이들도 몇 가지가 있거든.) 물, 이산화탄소, 산소와 같이 우리 주변에 존재하는 물질들은 이런 원자들이 결합해서 만들어진 거야. (아까 전자가 원자의 결합을 도와준다고 했지?) 이렇게 두 개 이상의 원자들이 결합해서 어떤 물질의 특징을 갖고 있는 것을 분자라고 해.

물을 계속 쪼개서 제일 작은 물 입자를 만들었다고 해 보자. 여기에서 한 단계 더 쪼갰더니 물이 아닌 다른 물질이 됐다면 물의 특성을 보였던 가장 마지막 입자가 물 분자가 되는 거야. 참고로 물 분자는 수소 원자 두 개랑 산소 원자 하나의 결합으로 만들어져 있어. 여기서 이 원자들의 결합을 끊어버리면 물은 사라지고 수소 원자와 산소 원자의 형태로 바뀔 거야. 공기 중의 산소도 사실은 산소 원자 두 개가 결합한 산소 분자야. 우리가 잘 아는 산소의 특성들은 분자 상태일 때까지만 존재하고 결합이 깨져 산소 원자가 되면 사라질 거야.

정답 P. 199

지문을 통해 다시 읽어보기

• 2011학년도 10월 학평

대폭발 우주론에서는 우주가 약 137억 년 전 밀도와 온도가 매우 높은 상태의 대폭발로부터 시작하였다고 본다. 대폭발 초기 3분 동안 광자, 전자, 양성자(수소 원자핵) 및 헬륨 원자핵이 만들어졌다. 양(+)의 전하를 가지고 있는 양성자 및 헬륨 원자핵은 음(−)의 전하를 가지고 있는 전자와 결합하여 수소 원자와 헬륨 원자를 만들려고 하지만 온도가 높은 상태에서는 전자가 매우 빠른 속도로 움직이기 때문에 원자핵에 쉽게 붙들리지 않는다. 따라서 우주 탄생 초기에는 전자가 양성자에 붙들리지 않은 채 자유롭게 우주 공간을 움직여 다닐 수 있었다.

이와 같이 양성자로부터 완전히 독립적으로 움직이는 전자를 자유 전자라고 하는데, 대폭발 초기에 빛은 자유 전자에 의해 물질 속에 갇혀 물질 밖으로 빠져나올 수 없었다. 빛이 빠져나올 수 없었기 때문에 이 당시의 우주는 속을 들여다볼 수 없는 매우 불투명한 상태였다. 그 이후로 우주가 계속 팽창했고 우주 탄생 후 약 40만 년이 지나자 자유 전자들의 간격이 벌어져 빛이 그 틈새로 빠져나가게 되어 우주가 점점 투명해지기 시작했다. 또 이때 우주의 온도가 3,000K* 아래로 내려가 자유 전자가 양성자 및 헬륨 원자핵에 붙들려 결합되면서 수소 원자와 헬륨 원자가 만들어졌다. 빛의 경로를 가로막던 자유 전자라는 장애물이 갑자기 사라져 버리자 빛은 물질과 분리되어 아무 막힘없이 우주 공간 속으로 퍼지기 시작하였다. 이때가 우주가 완전히 투명해진 시점이며 이때를 '재결합 시기'라고 한다.

*K: 절대 온도(켈빈 온도)의 단위. 0K는 -273.15℃.

Q1 수소 원자와 헬륨 원자는 우주에서 제일 먼저 만들어진 원자이다.

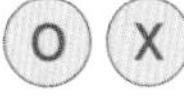

지문을 통해 다시 읽어보기

• 2015학년도 9월 모평A

음식이 상한 것과 가스가 새는 것을 쉽게 알아차릴 수 있는 것은 우리에게 냄새를 맡을 수 있는 후각이 있기 때문이다. 이처럼 후각은 우리 몸에 해로운 물질을 탐지하는 문지기 역할을 하는 중요한 감각이다. 어떤 냄새를 일으키는 물질을 '취기재(臭氣材)'라 부르는데, 우리가 어떤 냄새가 난다고 탐지할 수 있는 것은 취기재의 분자가 코의 내벽에 있는 후각 수용기를 자극하기 때문이다.

일반적으로 인간은 동물만큼 후각이 예민하지 않다. 물론 인간도 다른 동물과 마찬가지로 취기재의 분자 하나에도 민감하게 반응하는 후각 수용기를 갖고 있다. 하지만 개[犬]가 10억 개에 이르는 후각 수용기를 갖고 있는 것에 비해 인간의 후각 수용기는 1천만 개에 불과하여 인간의 후각이 개의 후각보다 둔한 것이다.

우리가 냄새를 맡으려면 공기 중에 취기재의 분자가 충분히 많아야 한다. 다시 말해, 취기재의 농도가 어느 정도에 이르러야 냄새를 탐지할 수 있다.

Q2 인간의 후각 수용기는 취기재의 분자 하나에도 반응할 수 있다.

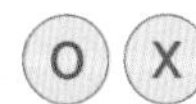

DAY 14

다음 글을 읽고 물음에 답하시오.

• 2016학년도 6월 모평A

과거에는 물질이 더 이상 쪼개지지 않는 작은 원자들로 구성되어 있다고 생각되었지만, 오늘날에는 원자가 전자, 양성자, 중성자로 구성된 복잡한 구조라는 것이 밝혀졌다.

음전기*를 띠고 있는 전자는 세 입자 중 가장 작고 가볍다. 1897년에 톰슨이 기체 방전관 실험에서 음전기의 흐름을 확인하여 전자를 발견하였다. 같은 음전기를 띠고 있는 전자들은 서로 반발하므로 원자 안에 모여 있기 어렵다. 이에 전자끼리 흩어지지 않고 원자의 형태를 유지하는 이유를 설명하기 위해 톰슨은 '건포도빵 모형'을 제안하였다. 양전기가 빵 반죽처럼 원자에 고르게* ㉠퍼져 있고, 전자는 건포도처럼 점점이 박혀 있어서 원자가 평소에 전기적으로 중성이라고 생각한 것이다.

양전기를 띠고 있는 양성자는 전자보다 대략 2,000배 정도 무거워서 작은 에너지로 전자처럼 분리해 내거나 가속*시키기 쉽지 않다. 그러나 1898년 마리 퀴리가 천연 광물에서 라듐을 발견한 이후 새로운 실험이 가능해졌다. 라듐은 강한 방사성 물질이어서 양전기를 띤 알파 입자를 큰 에너지로 방출한다. 1911년에 러더퍼드는 라듐에서 방출되는 알파 입자를 얇은 금박에 충돌시키는 실험을 하였다. 그 결과 알파 입자는 금박의 대부분을 통과했지만 일부 지점*들은 통과하지 못하고 튕겨 나갔다. 이 실험을 통해 러더퍼드는 양전기가 빵 반죽처럼 원자 전체에 퍼져 있는 것이 아니라 아주 좁은 구역에만 모여 있다는 것을 알게 되었고, 이 구역을 '원자핵'이라고 하였다. 그는 실험 결과를 바탕으로 태양이 행성들을 당겨 공전시키는 것처럼 양전기를 띤 원자핵도 전자를 잡아당겨 공전시킨다는 '태양계 모형'을 제안하여 톰슨의 모형을 수정하였다.

알아두자! 궁금한 어휘

*음전기(陰電氣): 음의 부호를 가지는 전기.

*고르다: 여럿이 다 높낮이, 크기, 양 따위의 차이가 없이 한결같다.

*가속(加速): 점점 속도를 더함. 또는 그 속도.

*지점(地點): 땅 위의 일정한 점.

1. 문맥상 ㉠과 바꿔 쓰기에 가장 적절한 것은?

① 방출(放出)되어
② 전이(轉移)되어
③ 분포(分布)되어
④ 팽창(膨脹)되어
⑤ 확장(擴張)되어

다 다의어 동 동음이의어 더 더 알아 둘 어휘

어휘	뜻과 예문	더 알아 둘 내용
방출되다 放 놓을 **방** / 出 날 **출**	입자나 전자기파의 형태로 에너지가 내보내지다. 예 오랫동안 달리기를 했더니 열이 몸 밖으로 방출됐다.	다 **방출(放出)되다:** 비축되어 있는 것이 내놓아지다.
전이되다 轉 구를 **전** / 移 옮길 **이**	자리나 위치 따위가 다른 곳으로 옮겨지다. 예 소설 속 주인공은 현실 세계에서 비현실 세계로 전이된다.	
분포되다 分 나눌 **분** / 布 펼 **포**	일정한 범위에 흩어져 퍼져 있다. 예 그 동물군은 우리나라 전역에 분포되어 있다.	더 **퍼지다:** 어떤 물질이나 현상 따위가 넓은 범위에 미치다.
팽창되다 膨 부를 **팽** / 脹 부을 **창**	부풀어서 부피가 커지게 되다. 예 풍선이 금방이라도 터질 듯 팽창되었다.	
확장되다 擴 넓힐 **확** / 張 베풀 **장**	범위, 규모, 세력 따위가 늘어나서 넓어지다. 예 왕은 정복 전쟁을 거듭하며 영토를 확장해 갔다.	

헷갈리는 단어, 홀로 사전 찾기로 더 확실하게 CHECK!

단어	뜻

STEP 2 정답 1. ③ '고르게 퍼져 있고'의 '퍼져'는 '어떤 물질이나 현상 따위가 넓은 범위에 미치다.'의 뜻을 가지고 있다. 이와 바꿔 쓰기에 가장 적절한 단어는 '일정한 범위에 흩어져 퍼져 있다.'라는 의미의 '분포되어'이다.

STEP 2 독서 독해 증진

다음 글을 읽고 물음에 답하시오.

• 2016학년도 9월 모평A

일반적으로 지방질은 사슬 모양을 이루고 있으며 지방질 한 분자에는 글리세롤 한 분자와 지방산 세 분자가 ⓐ결합되어 있다. 지방산은 탄소끼리의 결합을 중심으로 탄소와 수소, 탄소와 산소의 결합을 포함한 사슬 구조로 이루어져 있으며 글리세롤과 결합된 탄소를 ⓑ제외한 모든 탄소는 수소와 결합되어 있다. 지방산에서 탄소끼리의 결합은 대부분 단일결합인데 이중결합인 경우도 있다. 이중결합이 없으면 포화* 지방산, 한 개 이상의 이중결합이 있으면 불포화 지방산이라고 한다. 오메가-3 지방산이나 오메가-6 지방산은 대표적인 불포화 지방산이다. 산화 작용에 의한 산패*는 불포화 지방산이 결합된 지방질에서 일어나며, 이중결합의 수가 많을수록 잘 일어난다. 글리세롤은 지방질의 산패에 큰 영향을 주지 않는다.

예를 들어 글리세롤에 오메가-6 지방산만이 결합되어 있는 A 지방질이 있다고 하자. A 지방질의 오메가-6 지방산 사슬에 있는 탄소에서 산화 작용이 일어나 산패에 이르게 되는데, 이 과정에서 중요한 역할을 하는 것이 라디칼 분자들이다. 대부분의 분자들은 짝수의 전자를 가지는데, 외부 에너지의 ⓒ영향으로 홀수의 전자를 갖는 분자로 변화되기도 한다. 이 변화된 분자를 라디칼 분자라고 한다. 일반적으로 라디칼 분자는 에너지가 높고 불안정하여 주위 분자들과 쉽게 반응하는데, 이러한 반응 과정을 거치면 에너지가 낮고 안정적인 비(非)라디칼 분자로 변화한다.

A 지방질의 이중결합 바로 옆에 있는 탄소가 열이나 빛의 영향을 받으면, A 지방질 분자가 에너지가 높고 불안정한 알릴 라디칼로 변화한다. 알릴 라디칼은 산소와 결합하여 퍼옥시 라디칼로 변화한다. 퍼옥시 라디칼은 주위에 있는 다른 오메가-6 지방산 사슬과 반응하여 새로운 알릴 라디칼을 만들고, 자신은 비(非)라디칼 분자인 하이드로퍼옥사이드로 변화한다. 새로 생성된 알릴 라디칼은 다시 산소와 결합하여 퍼옥시 라디칼이 되면서 위의 ⓓ연쇄 반응이 반복된다. 이로 인해 하이드로퍼옥사이드가 계속 생성되고, 생성된 하이드로퍼옥사이드는 ⓔ분해되어 알코올, 알데히드 등의 화합물로 변화한다. 이 화합물들이 비정상적인 냄새를 나게 하는 주원인*이다.

알아두자! 궁금한 어휘

*포화(飽和): 더 이상의 양을 수용할 수 없이 가득 참.

*산패(酸敗): 술이나 지방류 따위의 유기물이 공기 속의 산소, 빛, 열, 세균, 효소 따위의 작용에 의하여 가수 분해 되거나 산화되어 지방산을 비롯한 여러 가지 산화물을 만드는 현상. 맛과 색이 변하고 불쾌한 냄새가 난다.

*주원인(主原因): 주된 원인.

2. ⓐ~ⓔ의 사전적 의미로 적절하지 않은 것은?

① ⓐ: 둘 이상의 사물이나 사람이 서로 관계를 맺어 하나가 됨.
② ⓑ: 일반적 규칙이나 정례에서 벗어나는 일.
③ ⓒ: 어떤 사물의 효과나 작용이 다른 것에 미치는 일.
④ ⓓ: 사물이나 현상이 사슬처럼 서로 이어져 통일체를 이룸.
⑤ ⓔ: 여러 부분이 결합되어 이루어진 것을 그 낱낱으로 나눔.

다 다의어 동 동음이의어 더 더 알아 둘 어휘

결합
結 맺을 **결** / 合 합할 **합**

둘 이상의 사물이나 사람이 서로 관계를 맺어 하나가 됨.

예 물은 산소와 수소의 결합으로 이루어져 있다.

제외
除 덜 **제** / 外 바깥 **외**

따로 떼어 내어 한데 헤아리지 않음.

예 그는 잠자는 시간을 제외하면 항상 책상에 붙어 있었다.

더 **예외(例外):** 일반적 규칙이나 정례에서 벗어나는 일.

영향
影 그림자 **영** / 響 울릴 **향**

어떤 사물의 효과나 작용이 다른 것에 미치는 일.

예 교사는 학생의 가치관 형성에 지대한 영향을 끼칠 수 있다.

연쇄
連 잇닿을 **연** / 鎖 쇠사슬 **쇄**

사물이나 현상이 사슬처럼 서로 이어져 통일체를 이룸.

예 대기업의 부도 이후 중소기업들도 연쇄적으로 도산되었다.

더 **연관(聯關):** 사물이나 현상이 일정한 관계를 맺는 일.

분해
分 나눌 **분** / 解 풀 **해**

여러 부분이 결합되어 이루어진 것을 그 낱낱으로 나눔.

예 그는 조립해 놓은 가구를 다시 분해하기 시작했다.

더 **분석(分析):** 얽혀 있거나 복잡한 것을 풀어서 개별적인 요소나 성질로 나눔.

헷갈리는 단어, 홀로 사전 찾기로 더 확실하게 CHECK!

단어	뜻

STEP 2 정답 2. ② '글리세롤과 결합된 탄소를 제외한 모든 탄소'의 '제외'는 '따로 떼어 내어 한데 헤아리지 않음.'의 의미를 가지고 있다. '일반적 규칙이나 정례에서 벗어나는 일.'은 '예외'의 사전적 의미이다.

무고 無 없을 **무** / 故 연고 **고**	사고 없이 평안함. 예 집을 떠나 있는 동안 식구들의 무고를 늘 빌었다.
무고 無 없을 **무** / 辜 허물 **고**	아무런 잘못이나 허물이 없음. 예 피의자는 끝까지 자신은 무고하다고 주장했다.
무고 誣 속일 **무** / 告 고할 **고**	사실이 아닌 일을 거짓으로 꾸미어 해당 기관에 고소하거나 고발하는 일. 예 거짓말로 남을 도리어 무고하는 자는 처벌을 받을 것이다.
무구 無 없을 **무** / 垢 때 **구**	때가 묻지 않고 맑고 깨끗함. 예 전쟁으로 무구한 어린아이들이 희생되었다.

Q1 누명을 썼다고 주장하던 피의자는 자신이 (   ) 한 이유를 서면으로 정리하여 제출했다.

반포 頒 나눌 **반** / 布 베 **포**	세상에 널리 퍼뜨려 모두 알게 함. 예 경국대전의 반포로 법제적 기틀이 확립되었다.
선양 宣 베풀 **선** / 揚 오를 **양**	명성이나 권위 따위를 널리 떨치게 함. 예 국위를 선양하다.
선언 宣 베풀 **선** / 言 말씀 **언**	[1]널리 펴서 말함. 또는 그런 내용. [2]국가나 집단이 자기의 방침, 의견, 주장 따위를 외부에 정식으로 표명함. [3]어떤 회의의 진행에 한계를 두기 위하여 말함. 또는 그런 말. 예 [1]그녀는 결혼을 하지 않겠다고 가족들에게 선언했다. [2]교육 민주화 선언. [3]개회 선언.
선포 宣 베풀 **선** / 布 베 **포**	세상에 널리 알림. 예 나라의 독립을 요구하는 결의문을 선포하였다.

Q2 우리 정당은 부정적인 여론을 의식하여 국회 의장 불출마를 (   ) 하였다.

발달 發 필 **발** / 達 통할 **달**	[1]신체, 정서, 지능 따위가 성장하거나 성숙함. [2]학문, 기술, 문명, 사회 따위의 현상이 보다 높은 수준에 이름. [3]지리상의 어떤 지역이나 대상이 제법 크게 형성됨. 또는 기압, 태풍 따위의 규모가 점차 커짐. 예 [1]클래식 음악은 아이의 정서적 발달에 좋다. [2]통신 산업의 발달로 원거리 통신이 훨씬 편리해졌다. [3]고기압의 발달.
발아 發 필 **발** / 芽 싹 **아**	[1]씨앗에서 싹이 틈. [2]어떤 사물이나 사태가 비롯함을 비유적으로 이르는 말. 예 [1]이 보리는 발아된 지 2주 정도 지났다. [2]개화기에 발아된 강한 민족주의 사상은 우리에게 큰 힘이 되었다.
발육 發 필 **발** / 育 기를 **육**	생물체가 자라남. 예 그녀는 막내아들의 발육이 더디다고 걱정을 했다.
발전 發 필 **발** / 展 펼 **전**	[1]더 낫고 좋은 상태나 더 높은 단계로 나아감. [2]일이 어떤 방향으로 전개됨. 예 [1]경제 발전이 국민 의식의 성장에 미치는 영향이 크다. [2]사태의 발전 양상을 보니 우리가 의도했던 결과가 나오기는 어려울 듯하다.

Q3 돼지는 다른 가축에 비해 새끼를 많이 낳고 [   ] 이/가 빠르다.

배급 配 짝 **배** / 給 줄 **급**	영리를 목적으로 하지 않고 상품을 나누어 주는 일. 예 추워진 날씨에 이재민들에게 담요 배급이 이루어졌다.
배당 配 짝 **배** / 當 마땅할 **당**	일정한 기준에 따라 나누어 줌. 예 우리 부서에는 일이 많지 않으니까 인원 배당을 좀 적게 해도 괜찮을 것이다.
배분 配 짝 **배** / 分 나눌 **분**	몫몫이 별러 나눔. 예 국가에서는 국토의 인구 배분 계획을 수립하였다.
배정 配 짝 **배** / 定 정할 **정**	몫을 나누어 정함. 예 수학여행을 계획하면서 각 방마다 적절한 인원을 배정하였다.
할당 割 나눌 **할** / 當 마땅할 **당**	몫을 갈라 나눔. 예 내가 조사해야 할 과제를 할당받았다.

Q4 훈련병들에게 숙소를 [   ] 하고, 앞으로 이어질 훈련에 대한 설명을 이어나갔다.

STEP 3 정답 **A1** 무고(無辜) **A2** [2]선언 **A3** 발육 **A4** 배정

[1~2] 다음 글을 읽고 물음에 답하시오.

• 2020학년도 수능

[앞부분의 줄거리] 아들 유세기가 부모의 허락 없이 백공과 혼사를 결정했다고 여긴 선생은 유세기를 집에서 내쫓는다.

백공이 왈,

"혼인은 좋은 일이라 서로 헤아려 잘 생각할 것이니 어찌 이같이 좋지 않은 일이 일어나는가? 내가 한림의 재모*를 아껴 이같이 기별해 사위를 삼고자 하더니 선생 형제는 도학 군자라 예가 아닌 것을 ㉠문책하시는도다. 내가 마땅히 곡절을 말하리라."

이에 백공이 유씨 집안에 이르러 선생 형제를 보고 인사를 하고 나서 흔쾌히 웃으며 가로되,

"제가 두 형과 더불어 죽마고우*로 절친하고 또 아드님의 특출함을 아껴 제 딸의 배필로 삼고자 하여, 어제 세기를 보고 여차여차하니 아드님이 단호하게 말하고 돌아가더이다. 제가 더욱 ㉡흠모하여 염치를 잊고 거짓말로 일을 꾸며 구혼하면서 '정약*'이라는 글자 둘을 더했으니 이는 진실로 저의 희롱함이외다. 두 형께서 과도히 곧이듣고 아드님을 엄히 꾸짖으셨다 하니, 혼사에 도리어 훼방이 되었으므로 어찌 우습지 않으리까? 원컨대 두 형은 아드님을 용서하여 아드님이 저를 원망하게 하지 마오."

선생과 승상이 바야흐로 아들의 죄가 없는 줄을 알고 기뻐하면서 ㉢사례하여 왈,

"저희 자식이 분에 넘치게 공의 극진한 대우를 받으니 마땅히 그 후의*를 받들 만하되, 이는 선조로부터 대대로 내려오는 가법이 아니기에 감히 재취*를 허락하지 못하였소이다. 저희 자식이 방자함이 있나 ㉣통탄하였더니 그간 곡절이 이렇듯 있었소이다."

백공이 화답하고 이슥고 돌아가서 다시 혼삿말을 이르지 못하고 딸을 다른 데로 시집보냈다. 선생이 백공을 돌려보낸 후에 한림을 불러 앞으로 더욱 행실을 닦을 것을 훈계하자 한림이 절을 하면서 명령을 받들었다. 차후 더욱 예를 삼가고 배우기를 힘써 학문과 도덕이 날로 숙연하고, 소 소저와 더불어 백수해로 하면서 여덟 아들, 두 딸을 두고, 집안에 한 명의 첩도 없이 부부 인생 희로*를 요동함이 없더라.

승상의 둘째 아들 세형의 자는 문희이니, 형제 중 가장 빼어났으니 산천의 정기와 일월의 조화를 타고 태어나 아름다운 얼굴은 윤택한 옥과 빛나는 봄꽃 같고, 호탕하고 깨끗한 풍채는 용과 호랑이의 기상이 있으며, 성품이 호기롭고 의협심*이 강하여 맑고 더러움의 분별을 조금도 잃지 않으니, 부모가 매우 사랑하여 며느리를 널리 구하더라.

(중략)

화설, 장 씨 이화정에 돌아와 긴 단장을 벗고 난간에 기대어 하늘가를 바라보며 평생 살아갈 계책을 골똘히 헤아리자, 한이 눈썹에 맺히고 슬픔이 마음속에 가득하여 생각하되,

알아두자! 궁금한 어휘

*재모(才貌): 재주와 용모를 아울러 이르는 말.

*죽마고우(竹馬故友): 대말을 타고 놀던 벗이라는 뜻으로, 어릴 때부터 같이 놀며 자란 벗.

*정약(定約): 약속이나 계약을 정함.

*후의(厚意): 남에게 두터이 인정을 베푸는 마음.

*재취(再娶): 두 번째 장가가서 맞이한 아내.

*희로(喜怒): 기쁨과 노여움을 아울러 이르는 말.

*의협심(義俠心): 남의 어려움을 돕거나 억울함을 풀어 주기 위하여 자신을 희생하려는 의로운 마음.

정답 P. 200

'내가 재상가의 귀한 몸으로 유생과 백년가약*을 맺었으니 마음이 흡족하고 뜻이 즐거울 것이거늘, 천자의 귀함으로 한 부마를 뽑는데 어찌 구태여 나의 아름다운 낭군을 빼앗아가 위세로써 나로 하여금 공주 저 사람의 아래가 되게 하셨는가? 도리어 저 사람의 덕을 찬송하고 은혜를 읊어 한없는 영광은 남에게 돌려보내고 구차한 자취는 내 일신에 모이게 되었도다. 우주 사이는 우러러 바라보기나 하려니와 나와 공주의 ⓜ현격함은 하늘과 땅 같도다. 나의 재주와 용모가 저 사람보다 떨어지는 것이 없고 먼저 혼인 예물까지 받았는데 이처럼 남의 천대를 감심*할 줄 어찌 알리오? 공주가 덕을 베풀수록 나의 몸엔 빛이 나지 않으리니 제 짐짓 능활*하여 아버님, 어머님이나 시누이를 제 편으로 끌어들인다면 낭군의 마음은 이를 좇아 완전히 달라질지라. 슬프다, 나의 앞날은 어이 될고?'

– 작자 미상, 「유씨삼대록」 –

*백년가약(百年佳約): 젊은 남녀가 부부가 되어 평생을 같이 지낼 것을 굳게 다짐하는 아름다운 언약.

*감심(甘心): 괴로움이나 책망 따위를 기꺼이 받아들임.

*능활(能猾): 능력이 있으면서 교활함.

1. 이같이 좋지 않은 일에 대한 이해로 적절하지 않은 것은?

① 백공의 거짓말 때문에 일어난 일이다.
② 백공이 한림을 곤경에 처하게 한 일이다.
③ 선생과 승상 사이에서 의견 대립이 심화된 일이다.
④ 한림이 선생과 승상으로부터 꾸지람을 당한 일이다.
⑤ 백공이 한림을 자신의 딸과 혼인시키려다 일어난 일이다.

2. ㉠~ⓜ의 사전적 의미로 적절하지 않은 것은?

① ㉠: 잘못을 캐묻고 꾸짖음.
② ㉡: 기쁜 마음으로 공경하며 사모함.
③ ㉢: 언행이나 선물 따위로 상대에게 고마운 뜻을 나타냄.
④ ㉣: 안심이 되지 않아 속을 태움.
⑤ ⓜ: 차이가 매우 심함.

헷갈리는 단어, 홀로 사전 찾기로 더 확실하게 CHECK!

단어	뜻

[3~4] 다음 글을 읽고 물음에 답하시오.

• 2017학년도 9월 모평

18세기에는 열의 실체가 칼로릭(caloric)이며 칼로릭은 온도가 높은 쪽에서 낮은 쪽으로 흐르는 성질을 갖고 있는, 질량이 없는 입자*들의 모임이라는 생각이 받아들여지고 있었다. 이를 칼로릭 이론이라 ㉠부르는데, 이에 따르면 찬 물체와 뜨거운 물체를 접촉시켜 놓았을 때 두 물체의 온도가 같아지는 것은 칼로릭이 뜨거운 물체에서 차가운 물체로 이동하기 때문이라는 것이다. 이러한 상황에서 과학자들의 큰 관심사 중의 하나는 증기 기관과 같은 열기관의 열효율 문제였다.

열기관은 높은 온도의 열원*에서 열을 흡수하고 낮은 온도의 대기와 같은 열기관 외부에 열을 방출하며 일을 하는 기관을 말하는데, 열효율은 열기관이 흡수한 열의 양 대비 한 일의 양으로 정의된다. 19세기 초에 카르노는 열기관의 열효율 문제를 칼로릭 이론에 기반을 두고 ㉡다루었다. 카르노는 물레방아와 같은 수력 기관에서 물이 높은 곳에서 낮은 곳으로 ㉢흐르면서 일을 할 때 물의 양과 한 일의 양의 비가 높이 차이에만 좌우되는* 것에 주목하였다. 물이 높이 차에 의해 이동하는 것과 흡사하게 칼로릭도 고온에서 저온으로 이동하면서 일을 하게 되는데, 열기관의 열효율 역시 이러한 두 온도에만 의존한다는 것이었다.

한편 1840년대에 줄(Joule)은 일정량의 열을 얻기 위해 필요한 각종 에너지의 양을 측정하는 실험을 행하였다. 대표적인 것이 열의 일당량* 실험이었다. 이 실험은 열기관을 대상으로 한 것이 아니라, 추를 낙하시켜 물속의 날개바퀴를 회전시키는 실험이었다. 열의 양은 칼로리(calorie)로 표시되는데, 그는 역학적 에너지인 일이 열로 바뀌는 과정의 정밀한 실험을 통해 1kcal의 열을 얻기 위해서 필요한 일의 양인 열의 일당량을 측정하였다. 줄은 이렇게 일과 열은 형태만 다를 뿐 서로 전환*이 가능한 물리량이므로 등가성*을 갖는다는 것을 입증하였으며, 열과 일이 상호 전환될 때 열과 일의 에너지를 합한 양은 일정하게 보존된다는 사실을 알아내었다. 이후 열과 일뿐만 아니라 화학 에너지, 전기 에너지 등이 등가성을 가지며 상호 전환될 때에 에너지의 총량은 변하지 않는다는 에너지 보존 법칙이 입증되었다.

열과 일에 대한 이러한 이해는 카르노의 이론에 대한 과학자들의 재검토로 이어졌다. 특히 톰슨은 칼로릭 이론에 입각한 카르노의 열기관에 대한 설명이 줄의 에너지 보존 법칙에 위배*된다고 지적하였다. 카르노의 이론에 의하면, 열기관은 높은 온도에서 흡수한 열 전부를 낮은 온도로 방출하면서 일을 한다. 이것은 줄이 입증한 열과 일의 등가성과 에너지 보존 법칙에 ㉣어긋나는 것이어서 열의 실체가 칼로릭이라는 생각은 더 이상 유지될 수 없게 되었다. 하지만 열효율에 관한 카르노의 이론은 클라우지우스의 증명으로 유지될 수 있었다. 그는 카르노의 이론이 유지되지 않는다면 열은 저온에서 고온으로 흐르는 현상이 ㉤생길 수도 있을 것이라는 가정에서 출발하여, 열기관의 열효율은 열기관이 고온에서 열을 흡수하고 저온에 방출할 때의 두 작동 온도에만 관계된다는 카르노의 이론을 증명하였다.

클라우지우스는 자연계에서는 열이 고온에서 저온으로만 흐르고 그와 반대되

알아두자! 궁금한 어휘

*입자(粒子): 물질을 구성하는 미세한 크기의 물체. 소립자, 원자, 분자, 콜로이드 따위를 이른다.

*열원(熱源): 열이 생기는 근원.

*좌우(左右)되다: 어떤 일에 영향이 주어져 지배되다.

*일당량(일當量): 역학적 에너지와 열에너지가 서로 값이 같음을 표시하는 양.

*전환(轉換): 다른 방향이나 상태로 바뀌거나 바꿈.

*등가성(等價性): 가치가 서로 같은 것을 요구하는 상품 교환의 특성.

*위배(違背): 법률, 명령, 약속 따위를 지키지 않고 어김.

정답 P. 200

는 현상은 일어나지 않는 것과 같이 경험적으로 알 수 있는 방향성*이 있다는 점에 주목하였다. 또한 일이 열로 전환될 때와는 달리, 열기관에서 열 전부를 일로 전환할 수 없다는, 즉 열효율이 100%가 될 수 없다는 상호 전환 방향에 관한 비대칭성이 있다는 사실에 주목하였다. 이러한 방향성과 비대칭성에 대한 논의는 이를 설명할 수 있는 새로운 물리량*인 엔트로피의 개념을 낳았다.

*방향성(方向性): 방향이 나타내는 특성. 또는 방향에 따라 제약되는 특성.
*물리량(物理量): 물질계의 성질이나 상태를 나타내는 양.

3. 윗글에서 알 수 있는 내용으로 가장 적절한 것은?

① 열기관은 외부로부터 받은 일을 열로 변환하는 기관이다.
② 수력 기관에서 물의 양과 한 일의 양의 비는 물의 온도 차이에 비례한다.
③ 칼로릭 이론에 의하면 차가운 쇠구슬이 뜨거워지면 쇠구슬의 질량은 증가하게 된다.
④ 칼로릭 이론에서는 칼로릭을 온도가 낮은 곳에서 높은 곳으로 흐르는 입자라고 본다.
⑤ 열기관의 열효율은 두 작동 온도에만 관계된다는 이론은 칼로릭 이론의 오류가 밝혀졌음에도 유지되었다.

4. 윗글의 ㉠~㉤과 같은 의미로 사용된 것은?

① ㉠: 웃음은 또 다른 웃음을 부르는 법이다.
② ㉡: 그는 익숙한 솜씨로 기계를 다루고 있었다.
③ ㉢: 이야기가 엉뚱한 방향으로 흐르고 있다.
④ ㉣: 그는 상식에 어긋나는 일을 한 적이 없다.
⑤ ㉤: 하늘을 보니 당장이라도 비가 오게 생겼다.

DAY 15

헷갈리는 단어, 홀로 사전 찾기로 더 확실하게 CHECK!

단어	뜻

[5~6] 다음 글을 읽고 물음에 답하시오.

• 2018학년도 9월 모평

고전 역학에 ⓐ따르면, 물체의 크기에 관계없이 초기 운동 상태를 정확히 알 수 있다면 일정한 시간 후의 물체의 상태는 정확히 측정될 수 있으며, 배타적인 두 개의 상태가 공존*할 수 없다. 하지만 20세기에 등장한 양자 역학에 의해 미시 세계에서는 상호 배타적인 상태들이 공존할 수 있음이 알려졌다.

미시* 세계에서의 상호 배타적인 상태의 공존을 이해하기 위해, 거시* 세계에서 회전하고 있는 반지름 5㎝의 팽이를 생각해 보자. 그 팽이는 시계 방향 또는 반시계 방향 중 한쪽으로 회전하고 있을 것이다. 팽이의 회전 방향은 관찰하기 이전에 이미 정해져 있으며, 다만 관찰을 통해 ⓑ알게 되는 것뿐이다. 이와 달리 미시 세계에서 전자만큼 작은 팽이 하나가 회전하고 있다고 상상해 보자. 이 팽이의 회전 방향은 시계 방향과 반시계 방향의 두 상태가 공존하고 있다. 하나의 팽이에 공존하고 있는 두 상태는 관찰을 통해서 한 가지 회전 방향으로 결정된다. 두 개의 방향 중 어떤 쪽이 결정될지는 관찰하기 이전에는 알 수 없다. 거시 세계와 달리 양자 역학*이 지배하는 미시 세계에서는, 우리가 관찰하기 이전에는 상호 배타적인 상태가 공존하는 것이다. 배타적인 상태의 공존과 관찰 자체가 물체의 상태를 결정한다는 개념을 받아들이기 힘들었기 때문에, 아인슈타인은 "당신이 달을 보기 전에는 달이 존재하지 않는 것인가?"라는 말로 양자 역학의 해석에 회의적*인 태도를 취하였다.

최근에는 상호 배타적인 상태의 공존을 적용함으로써 초고속 연산을 수행하는 양자 컴퓨터에 대한 연구가 진행되고 있다. 이는 양자 역학에서 말하는 상호 배타적인 상태의 공존이 현실에서 실제로 구현될 수 있음을 잘 보여 주는 예라 할 수 있다. 미시 세계에 대한 이러한 연구 성과는 거시 세계에 대해 우리가 자연스럽게 ⓒ지니게 된 상식적인 생각들에 근본적인 의문을 ⓓ던진다. 이와 비슷한 의문은 논리학에서도 볼 수 있다.

고전 논리는 '참'과 '거짓'이라는 두 개의 진리치*만 있는 이치 논리이다. 그리고 고전 논리에서는 어떠한 진술이든 '참' 또는 '거짓'이다. 이는 우리의 상식적인 생각과 잘 ⓔ들어맞는다. 그러나 프리스트에 따르면, '참'인 진술과 '거짓'인 진술 이외에 '참인 동시에 거짓'인 진술이 있다. 이를 설명하기 위해 그는 '거짓말쟁이 문장'을 제시한다. 거짓말쟁이 문장을 이해하기 위해 자기 지시적 문장과 자기 지시적이지 않은 문장을 구분해 보자. [자기 지시적 문장]은 말 그대로 자기 자신을 가리키는 문장을 말한다. 예를 들어 "이 문장은 모두 열여덟 음절로 이루어져 있다."라는 '참'인 문장은 자기 자신을 가리키며 그것이 몇 음절로 이루어져 있는지 말하고 있다. 반면 "페루의 수도는 리마이다."라는 '참'인 문장은 페루의 수도가 어디인지 말할 뿐 자기 자신을 가리키는 문장은 아니다.

"이 문장은 거짓이다."는 거짓말쟁이 문장이다. 이는 '이 문장'이라는 표현이 문장 자체를 가리키며 그것이 '거짓'이라고 말하는 자기 지시적 문장이다. 그렇다면 프리스트는 왜 거짓말쟁이 문장에 '참인 동시에 거짓'을 부여*해야 한다고 생각할까? 이에 답하기 위해 우선 거짓말쟁이 문장이 '참'이라고 가정해 보자. 그렇다면 거짓말쟁이 문장은 '거짓'이다. 왜냐하면 거짓말쟁이 문장은 자기 자신을

알아두자! 궁금한 어휘

- *공존(共存): 두 가지 이상의 사물이나 현상이 함께 존재함.
- *미시(微視): 작게 보임. 또는 작게 봄.
- *거시(巨視): 어떤 대상을 전체적으로 크게 봄.
- *양자 역학(量子力學): 입자 및 입자 집단을 다루는 현대 물리학의 기초 이론.
- *회의적(懷疑的): 어떤 일에 의심을 품는 것.
- *진리치(眞理値): 명제나 명제 변수가 취하는 값. 일반적으로 '참'과 '거짓'의 값을 이름.
- *부여(附與): 사람에게 권리 · 명예 · 임무 따위를 지니도록 해 주거나, 사물이나 일에 가치 · 의의 따위를 붙여 줌.

가리키며 그것이 '거짓'이라고 말하는 문장이기 때문이다. 반면 거짓말쟁이 문장이 '거짓'이라고 가정해 보자. 그렇다면 거짓말쟁이 문장은 '참'이다. 왜냐하면 그것이 바로 그 문장이 말하는 바이기 때문이다. 프리스트에 따르면 어떤 경우에도 거짓말쟁이 문장은 '참인 동시에 거짓'인 문장이다. 따라서 그는 거짓말쟁이 문장에 '참인 동시에 거짓'을 부여해야 한다고 본다. 그는 거짓말쟁이 문장 이외에 '참인 동시에 거짓'인 진리치가 존재함을 뒷받침하는 다양한 사례를 제시한다. 특히 그는 양자 역학에서 상호 배타적인 상태의 공존은 이 점을 시사하고 있다고 본다.

고전 논리에서는 '참인 동시에 거짓'인 진리치를 지닌 문장을 다룰 수 없기 때문에 프리스트는 그것도 다룰 수 있는 비고전 논리 중 하나인 LP*를 제시하였다. 그런데 LP에서는 직관적*으로 호소력* 있는 몇몇 추론 규칙이 성립하지 않는다. 전건 긍정 규칙을 예로 들어 생각해 보자. 고전 논리에서는 전건 긍정 규칙이 성립한다. 이는 "P이면 Q이다."라는 조건문과 그것의 전건인 P가 '참'이라면 그것의 후건인 Q도 반드시 '참'이 된다는 것이다. 이와 비슷한 방식으로 LP에서 전건 긍정 규칙이 성립하려면, 조건문과 그것의 전건인 P가 모두 '참' 또는 '참인 동시에 거짓'이라면 그것의 후건인 Q도 반드시 '참' 또는 '참인 동시에 거짓'이어야 한다. 그러나 LP에서 조건문의 전건은 '참인 동시에 거짓'이고 후건은 '거짓'인 경우, 조건문과 전건은 모두 '참인 동시에 거짓'이지만 후건은 '거짓'이 된다. 비록 전건 긍정 규칙이 성립하지는 않지만, LP는 고전 논리에 대한 근본적*인 의문들에 답하기 위한 하나의 시도로서 의의가 있다.

*LP: '역설의 논리(Logic of Paradox)'의 약자.

*직관적(直觀的): 판단이나 추리 따위의 사유 작용을 거치지 아니하고 대상을 직접적으로 파악하는 것.

*호소력(呼訴力): 강한 인상을 주어 마음을 사로잡을 수 있는 힘.

*근본적(根本的): 근본을 이루거나 근본이 되는 것.

5. 자기 지시적 문장에 대해 이해한 내용으로 적절한 것은?

① "붕어빵에는 붕어가 없다."는 자기 지시적 문장이다.
② "이 문장은 자기 지시적이다."라는 자기 지시적 문장은 '거짓'이 아니다.
③ "이 문장은 거짓이다."는 이치 논리에서 자기 지시적인 문장이 될 수 없다.
④ 고전 논리에서는 어떠한 자기 지시적 문장에도 진리치를 부여하지 못한다.
⑤ 비고전 논리에서는 모든 자기 지시적 문장에 '참인 동시에 거짓'을 부여한다.

6. 문맥상 ⓐ~ⓔ와 바꾸어 쓸 수 있는 말로 적절하지 않은 것은?

① ⓐ: 의거(依據)하면
② ⓑ: 인지(認知)하게
③ ⓒ: 소지(所持)하게
④ ⓓ: 제기(提起)한다
⑤ ⓔ: 부합(符合)한다

다음 글을 읽고 물음에 답하시오.

• 2017학년도 6월 모평

경자년(庚子年, 1600년) 늦봄, 최척(崔陟)은 주우(朱佑)*와 함께 배를 타고 이곳저곳을 돌아다니며 차(茶)를 팔다가 마침 내 안남*에 이르게 되었다. 이때 일본인 상선(商船)* 10여 척도 강 어귀에 정박하여* 10여 일을 함께 머물게 되었다.

날짜는 어느덧 4월 보름이 되어 있었다. 하늘에는 구름 한 점 없고 물은 비단결처럼 빛났으며, 바람이 불지 않아 물결 또한 잔잔하였다. 이날 밤이 장차 깊어 가면서 밝은 달이 강에 비치고 옅은 안개가 물 위에 어리었으며, 뱃사람들은 모두 갔은 잠에 빠지고 물새만이 간간히 울고 있었다. 이때 문득 일본인 배 안에서 염불하는 소리가 은은히 들려왔는데, 그 소리가 매우 구슬펐다. 최척은 홀로 선창에 기대어 있다가 이 소리를 듣고 자신의 신세가 처량하게 느껴졌다. 그래서 즉시 ㉠행장에서 피리를 꺼내 몇 곡을 불어서 가슴속에 맺힌 ㉡회한을 풀었다. 때마침 바다와 하늘은 고요하고 구름과 안개가 걷히니, 애절한 가락과 그윽한 흐느낌이 피리 소리에 뒤섞이어 맑게 펴져 나갔다. 이에 수많은 뱃사람들이 놀라 잠에서 깨어났으며, 그들은 ㉢처연하게 앉아 피리 소리에 조용히 귀를 기울였다. 격분해서 머리가 곧추선 사람도 피리 소리에 분을 가라앉힐 정도였다.

(중략)

"조금 전에 저 배 안에서 들려왔던 시구는 바로 내 아내가 손수 지은 것이라네. 다른 사람은 평생 저 시를 들어도 절대 알아내지 못할 것일세. 시를 읊는 소리마저 내 아내의 목소리와 너무 비슷해 절로 마음이 슬퍼진 것이라네. 하지만 어떻게 내 아내가 여기까지 와서 저 배 안에 있을 수 있겠는가?"

이어서 온 가족이 왜군에게 포로로 잡혀간 일을 말하자, 배 안에 있던 사람들 가운데 ㉣비탄에 젖지 않은 사람이 없었다. 그 가운데는 두홍(杜洪)*이라는 사람이 있었는데, 젊고 용맹한 장정*이었다. 그는 최척의 말을 듣더니, 얼굴에 의기를 띠고 주먹으로 노를 치면서 ㉤분연히 일어나며 말했다.

"내가 가서 알아보고 오겠소." / 주우가 저지하며 말했다.

"깊은 밤에 시끄럽게 굴면 많은 사람들이 동요할까* 두렵네. 내일 아침에 조용히 물어보아도 늦지 않을 것일세."

주위 사람들이 모두 말했다. / "그럽시다."

최척은 앉은 채로 아침이 되기를 기다렸다.

– 조위한, 「최척전」 –

*주우, 두홍: 최척과 함께 장사를 하는 중국인들.
*안남: 베트남.

알아두자! 궁금한 어휘

*상선(商船): 삯을 받고 사람이나 짐을 나르는 데에 쓰는 배.
*정박(碇泊)하다: 배가 닻을 내리고 머무르다.
*장정(壯丁): 나이가 젊고 기운이 좋은 남자.
*동요(動搖)하다: 어떤 체제나 상황 따위가 혼란스럽고 술렁이다.

1. ㉠~㉤의 사전적 의미로 적절하지 않은 것은?

① ㉠: 여행할 때 쓰는 물건과 차림.
② ㉡: 뉘우치고 한탄함.
③ ㉢: 기운이 차고 쓸쓸하게.
④ ㉣: 몹시 슬퍼하면서 탄식함.
⑤ ㉤: 떨쳐 일어서는 기운이 세차고 꿋꿋한 모양.

다 다의어 동 동음이의어 더 더 알아 둘 어휘

행장
行 다닐 **행** / 裝 꾸밀 **장**

여행할 때 쓰는 물건과 차림.
예 먼 길을 떠나기 위해 행장을 차리다.

회한
悔 뉘우칠 **회** / 恨 한할 **한**

뉘우치고 한탄함. (=오한(懊恨))
예 그는 돌아가신 어머니를 떠올리며 회한의 눈물을 남몰래 흘리었다.

더 **오한(惡寒)**: 몸이 오슬오슬 춥고 떨리는 증상.

처연하다
悽 슬퍼할 **처** / 然 그럴 **연**

애달프고 구슬프다.
예 눈 앞의 꽃은 사람의 마음을 처연하게 만드는 꽃이었다.

동 **처연(凄然)하다**: 기운이 차고 쓸쓸하다.

비탄
悲 슬플 **비** / 歎 탄식할 **탄**

몹시 슬퍼하면서 탄식함. 또는 그 탄식.
예 국왕이 죽자 나라 안의 온 백성은 비탄에 잠겼다.

분연히
奮 떨칠 **분** / 然 그럴 **연**

떨쳐 일어서는 기운이 세차고 꿋꿋한 모양.
예 전쟁이 일어나자 그들은 붓 대신 칼을 잡고 나라를 구하고자 분연히 일어섰다.

DAY 16

문학 TIP 고전소설 속 호칭 (2)

부인(夫人)	결혼한 여성(자신의 성(姓)이나 남편의 성(姓)을 앞에 붙여 사용)	충렬 / 정렬 / 공렬 / 정경부인	높은 벼슬아치의 부인의 호칭(명예직)
과부(寡婦)	남편이 죽어 혼자 사는 여인	궐녀(厥女)	여자를 일컫는 3인칭 대명사
선친(先親)	돌아가신 아버지	배필(配匹)	배우자가 될 사람
소부(小父)	처녀의 아버지	동(童),동자(童子)	보통의 아이
매파(媒婆)	혼인을 중매하는 늙은 여성	노비(奴婢), 노복(奴僕), 노복(老僕), 시비(侍婢), 비복(婢僕)	하인

STEP 1 정답 1. ③ 윗글에서 '그들'은 '애절한 가락과 그윽한 흐느낌'이 뒤섞인 피리 소리를 들으며 '처연하게 앉아' 있다. 이때의 '처연(悽然)하다'는 '애달프고 구슬프다.'를 의미한다. '기운이 차고 쓸쓸하다.'는 동음이의어인 '처연(凄然)하다'의 사전적 의미이다.

세포(細胞)	대부분의 생명체를 구성하는 구조적인 기본 단위.
세포 분열(細胞分裂)	하나의 세포가 갈라지면서 세포의 개수가 늘어나는 생명 현상.

거의 모든 생명체는 세포로 구성되어 있어. 박테리아같이 세포 하나로 이루어진 단세포 생물, 사람이나 동물같이 수많은 세포들로 복잡하게 구성되어 있는 다세포 생물 모두 그 기본 단위는 세포야. 참고로 인간이 갖고 있는 세포는 약 60조 개 정도라고 하니 얼마나 복잡할지 상상도 안 되지? 아, 세포의 크기는 덩치가 큰 코끼리나 작은 개미나 크게 차이가 없어. 다만 코끼리가 세포의 수가 더 많기 때문에 덩치가 큰 거야.

• 2017학년도 경찰대

포유동물의 신체가 그러하듯이 포유동물의 뇌도 공통적인 보편 설계를 따른다. 인간과 유인원은 물론 포유강 전체에 걸쳐 동일한 세포 형태, 화학 물질, 세포 조직, 하부 기관, 간이역, 경로들이 많이 발견된다. 그런데 이들 간의 뚜렷하고 큰 차이는 부분들의 팽창이나 축소에서 발견된다. 영장류는 시각 영역, 시각 영역들의 상호 연결, 시각 영역과 전두엽의 운동 영역 및 결정 영역과의 접속 등의 수에 있어 다른 포유동물과 차이를 보인다.

위의 지문에서는 포유강의 세포에 대해 언급하고 있어. 세포는 동물 세포와 식물 세포로 나누어서 생각해 볼 수 있어. 두 세포는 서로 거의 비슷한데 식물 세포에는 동물 세포에 없는 세포벽과 엽록체가 있다는 것이 가장 큰 차이점이지. 식물은 동물과 달리 뼈가 없기 때문에 스스로 지탱할 수 있는 단단한 부분이 있어야 하는데 세포벽이 그 역할을 해. 또 엽록체는 식물이 광합성을 통해 영양분을 얻을 수 있게 하는 역할을 하지. 이와 달리 동물은 음식을 통해 영양분을 얻으니까 광합성을 할 필요가 없지. 그리고 동물 세포와 식물 세포에 모두 있는 핵은 세포의 유전 물질이 들어 있는 중요한 부분이야. 세포의 모든 활동을 핵이 조절하거든.

우리가 살아가려면 밥도 먹어야 하고 호흡도 해야 하는 것처럼 세포도 영양소를 흡수하고 배설물도 내보내. 그리고 우리처럼 산소를 마시고 이산화탄소를 내보내는 호흡을 하기도 하는데, 이것을 세포의 물질 대사라고 해. 물질 대사를 하지 못하면 세포는 살아있지 못하고 손상이 생길 수 있지.

한편 세포는 스스로 자기와 똑같은 세포를 만들어 내면서 그 수를 늘리는데 이것을 세포 분열이라고 해. 손톱을 깎아도 며칠 후 손톱이 다시 자라 있는 것은 손톱 세포가 계속 생겨나기 때문이야. 이렇게 세포의 수가 많아지게 하는 것이 세포 분열인데, 세포 분열은 크게 두 가지로 나눌 수 있어. 우리의 신체의 크기나 길이를 키우기 위한 체세포 분열과 종을 유지하고 번식하기 위해 생식 기관에서 일어나는 생식 세포 분열이 그것이지. 생식 세포 분열은 감수 분열이라고도 해. 머리카락이나 손톱, 키가 자라고 몸이 커지는 것은 체세포 분열, 생식 세포인 정자와 난자를 만드는 것은 생식 세포 분열이야. 동물의 몸에서 세포 분열이 비정상적으로 일어나서 생기는 질병이 암이야. 암세포는 빠르게 분열해서 몸의 다른 부분으로 퍼지기 때문에 조기에 발견하고 치료하는 것이 중요해.

정답 P. 201

지문을 통해 읽어보기

• 2017학년도 경찰대

포유동물의 신체가 그러하듯이 포유동물의 뇌도 공통적인 보편 설계를 따른다. 인간과 유인원은 물론 포유강 전체에 걸쳐 동일한 세포 형태, 화학 물질, 세포 조직, 하부 기관, 간이역, 경로들이 많이 발견된다. 그런데 이들 간의 뚜렷하고 큰 차이는 부분들의 팽창이나 축소에서 발견된다. 영장류는 시각 영역, 시각 영역들의 상호 연결, 시각 영역과 전두엽의 운동 영역 및 결정 영역과의 접속 등의 수에 있어 다른 포유동물과 차이를 보인다.

(중략)

인간의 뇌도 진화 이야기를 갖고 있다. 나란히 놓고 비교해보면 영장류의 뇌가 크게 개량되어 결국 인간의 뇌가 되었음을 알 수 있다. 인간의 뇌는 신체 크기를 기준으로 볼 때 일반적인 원숭이나 유인원보다 약 세 배가량 크다. 인간의 뇌는 태아기의 뇌 성장이 출생 후 1년 동안 연장됨으로써 폭발적으로 성장한다. 만일 그 시기에 우리의 몸이 뇌와 나란히 성장한다면 우리는 키 3미터에 몸무게 0.5톤이 될 것이다.

Q1 출생 후에 인간의 뇌는 신체의 다른 부분보다 훨씬 빠르게 성장한다.

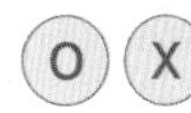

지문을 통해 읽어보기

• 2016학년도 9월 모평B

암 치료에 사용되는 항암제는 세포 독성 항암제와 표적 항암제로 나뉜다. ㉠파클리탁셀과 같은 세포 독성 항암제는 세포 분열을 방해하여 세포가 증식하지 못하고 사멸에 이르게 한다. 그러므로 세포 독성 항암제는 암세포뿐 아니라 정상 세포 중 빈번하게 세포 분열하는 종류의 세포도 손상시킨다. 이러한 세포 독성 항암제의 부작용은 이 약제의 사용을 꺼리게 하는 주된 이유이다. 반면에 표적 항암제는 암세포에 선택적으로 작용하도록 고안된 것이다.

(중략)

신생 혈관 억제제는 암세포가 새로운 혈관을 생성하는 것을 방해한다. 암세포가 증식하여 종양이 되고 그 종양이 자라려면 산소와 영양분이 계속 공급되어야 한다. 종양이 계속 자라려면 종양에 인접한 정상 조직과 종양이 혈관으로 연결되고, 종양 속으로 혈관이 뻗어 들어와야 한다. 대부분의 암세포들은 혈관 내피 성장인자(VEGF)를 분비하여 암세포 주변의 조직에서 혈관내피세포를 증식시킴으로써 새로운 혈관을 형성한다. 이러한 원리에 착안하여 종양의 혈관 생성을 저지할 수 있는 약제인 ㉡베바시주맙이 개발되었다. 이 약제는 인공적인 항체로서 혈관내피 성장인자를 항원으로 인식하여 결합함으로써 혈관 생성을 방해한다. 베바시주맙은 대장암의 치료제로 개발되었지만 다른 여러 종류의 암에도 효과가 있다.

Q2 ㉠은 ㉡과 달리 세포의 증식을 방해한다.

STEP 2 ▶ 독서 독해 증진

다음 글을 읽고 물음에 답하시오.

• 2020학년도 6월 모평

우리는 한 대의 자동차는 개체*라고 하지만 바닷물을 개체라고 하지는 않는다. 어떤 부분들이 모여 하나의 개체를 ⓐ이룬다고 할 때 이를 개체라고 부를 수 있는 조건은 무엇일까? 일단 부분들 사이의 유사성은 개체성의 조건이 될 수 없다. 가령 일란성 쌍둥이인 두 사람은 DNA 염기 서열과 외모도 같지만 동일한 개체는 아니다. 그래서 부분들의 강한 유기적* 상호작용이 그 조건으로 흔히 제시된다. 하나의 개체를 구성하는 부분들은 외부 존재가 개체에 영향을 주는 것과는 비교할 수 없이 강한 방식으로 서로 영향을 주고받는다.

(중략)

개체성에 대한 이러한 철학적 질문은 생물학에서도 중요한 연구 주제가 된다. 생명체를 구성하는 단위는 세포이다. 세포는 생명체의 고유한 유전 정보가 담긴 DNA를 가지며 이를 복제하여 증식*하고 번식*하는 과정을 통해 자신의 DNA를 후세에 전달한다. 세포는 사람과 같은 진핵생물의 진핵세포와, 박테리아나 고세균과 같은 원핵생물의 원핵세포로 구분된다. 진핵세포는 세포질에 막으로 둘러싸인 핵이 있고 그 안에 DNA가 있지만, 원핵세포는 핵이 없다. 또한 진핵세포의 세포질에는 막으로 둘러싸인 여러 종류의 세포 소기관이 있으며, 그중 미토콘드리아는 세포 활동에 필요한 생체* 에너지를 생산하는 기관이다. 대부분의 진핵세포는 미토콘드리아를 필수적으로 ⓑ가지고 있다.

(중략)

공생*발생설은 한동안 생물학계로부터 인정받지 못했다. 미토콘드리아의 기능과 대략적인 구조, 그리고 생명체 간 내부 공생의 사례는 이미 알려졌지만 미토콘드리아가 과거에 독립된 생명체였다는 것을 쉽게 ⓒ믿을 수 없었기 때문이었다. 그리고 한 생명체가 세대를 이어 가는 과정 중에 돌연변이와 자연선택이 일어나고, 이로 인해 종이 진화하고 분화한다고 보는 전통적인 유전학에서 두 원핵생물의 결합은 주목받지 못했다. 그러다가 전자 현미경의 등장으로 미토콘드리아의 내부까지 세밀히 관찰하게 되고, 미토콘드리아 안에는 세포핵의 DNA와는 다른 DNA가 있으며 단백질을 합성하는 자신만의 리보솜을 가지고 있다는 사실이 ⓓ밝혀지면서 공생발생설이 새롭게 부각되었다.

공생발생설에 따르면 진핵생물은 원생미토콘드리아가 고세균의 세포 안에서 내부 공생을 하다가 탄생했다고 본다. 고세균의 핵의 형성과 내부 공생의 시작 중 어느 것이 먼저인지에 대해서는 논란이 있지만, 고세균은 세포질에 핵이 생겨 진핵세포가 되고 원생미토콘드리아는 세포 소기관인 미토콘드리아가 되어 진핵생물이 탄생했다는 것이다. 미토콘드리아가 원래 박테리아의 한 종류였다는 근거는 여러 가지가 있다. 박테리아와 마찬가지로 새로운 미토콘드리아는 이미 존재하는 미토콘드리아의 '이분 분열'을 통해서만 ⓔ만들어진다. 미토콘드리아의 막에는 진핵 세포막의 수송 단백질과는 다른 종류의 수송 단백질인 포린이 존재하고 박테리아의 세포막에 있는 카디오리핀이 존재한다. 또 미토콘드리아의 리보솜은 진핵세포의 리보솜보다 박테리아의 리보솜과 더 유사하다.

알아두자! 궁금한 어휘

***개체(個體)**: 전체나 집단에 상대하여 하나하나의 낱개를 이르는 말.

***유기적(有機的)**: 생물체처럼 전체를 구성하고 있는 각 부분이 서로 밀접하게 관련을 가지고 있어서 떼어 낼 수 없는 것.

***증식(增殖)**: 생물이나 조직 세포 따위가 세포 분열을 하여 그 수를 늘려 감. 또는 그런 현상.

***번식(繁殖)**: 붇고 늘어서 많이 퍼짐.

***생체(生體)**: 생물의 몸. 또는 살아 있는 몸.

***공생(共生)**: 종류가 다른 생물이 같은 곳에서 살며 서로에게 이익을 주며 함께 사는 일.

1. 문맥상 ⓐ~ⓔ와 바꿔 쓰기에 적절하지 않은 것은?

① ⓐ: 구성(構成)한다고
② ⓑ: 보유(保有)하고
③ ⓒ: 신뢰(信賴)할
④ ⓓ: 조명(照明)되면서
⑤ ⓔ: 생성(生成)된다

다 다의어 동 동음이의어 더 더 알아 둘 어휘

구성
構 얽을 **구** / 成 이룰 **성**

몇 가지 부분이나 요소들을 모아서 일정한 전체를 짜 이룸. 또는 그 이룬 결과.

예 능력 중심으로 실무진을 구성하다.

보유
保 보전할 **보** / 有 있을 **유**

가지고 있거나 간직하고 있음.

예 자동차 한 대를 보유하다.

더 **보전(保全)**: 온전하게 보호하여 유지함.

신뢰
信 믿을 **신** / 賴 힘입을 **뢰**

굳게 믿고 의지함.

예 그 이론은 검증을 거치지 않은 것이므로 신뢰할 수 없다.

조명
照 비출 **조** / 明 밝을 **명**

어떤 대상을 일정한 관점으로 바라봄.

예 그 라디오 프로그램은 실향민들의 아픔을 조명한다.

다 **조명(照明)**: 광선으로 밝게 비춤. 또는 그 광선.

생성
生 날 **생** / 成 이룰 **성**

사물이 생겨남. 또는 사물이 생겨 이루어지게 함.

예 이 지형은 오랜 시간에 걸친 풍화 작용으로 생성된 것이다.

더 **소멸(消滅)**: 사라져 없어짐.

헷갈리는 단어, 홀로 사전 찾기로 더 확실하게 CHECK!

단어	뜻

STEP 2 정답 1. ④ '밝혀지다'는 '진리, 가치, 옳고 그름 따위가 판단되어 드러나 알려지다.'라는 의미이므로, '어떤 대상이 일정한 관점으로 바라보이다.'라는 의미의 '조명되다'와 바꿔 쓸 수 없다.

DAY 16

다음 글을 읽고 물음에 답하시오.

• 2018학년도 3월 학평

혈액을 통해 운반된 노폐물*이나 독소는 주로 콩팥의 사구체를 통해 일차적으로 여과*된다. 사구체는 모세 혈관이 뭉쳐진 덩어리로, 보먼주머니에 담겨 있다. 사구체는 들세동맥에서 ⓐ유입되는 혈액 중 혈구나 대부분의 단백질은 여과시키지 않고 날세동맥으로 흘려보내며, 물 · 요소 · 나트륨 · 포도당 등과 같이 작은 물질들은 사구체막을 통과시켜 보먼주머니를 통해 세뇨관으로 나가게 한다. 이 과정을 '사구체 여과'라고 한다.

사구체 여과가 발생하기 위해서는 사구체로 들어온 혈액을 사구체막 바깥쪽으로 밀어 주는 힘이 필요한데, 이 힘은 주로 들세동맥과 날세동맥의 직경* 차이에서 비롯된다. 사구체로 혈액이 들어가는 들세동맥의 직경보다 사구체로부터 혈액이 나오는 날세동맥의 직경이 작다. 이에 따라 사구체로 유입되는 혈류량보다 나가는 혈류량이 적기 때문에 자연히 사구체의 모세 혈관에는 다른 신체 기관의 모세 혈관보다 높은 혈압*이 발생하고, 이 혈압으로 인해 사구체의 모세 혈관에서 사구체 여과가 이루어진다. 사구체의 혈압은 동맥의 혈압에 따라 변화가 일어날 수 있지만 생명 유지를 위해 일정하게 유지된다.

사구체막은 사구체 여과가 발생하기 위해 ⓑ적절한 구조를 갖추고 있다. 사구체막은 모세 혈관 벽과 기저막, 보먼주머니 내층으로 이루어진다. 모세 혈관 벽은 편평한 내피세포 한 층으로 이루어져 있다. 이 내피세포들에는 구멍이 있으며 내피세포들 사이에도 구멍이 있다. 이 때문에 사구체의 모세 혈관은 다른 신체 기관의 모세 혈관에 비해 동일한 혈압으로도 100배 정도 높은 투과성*을 보인다. 기저막은 내피세포와 보먼주머니 내층 사이의 비세포성 젤라틴 층으로, 콜라겐과 당단백질로 구성된다. 콜라겐은 구조적 강도를 높이고, 당단백질은 내피세포의 구멍을 통과할 수 있는 알부민과 같이 작은 단백질들의 여과를 ⓒ억제한다. 이는 알부민을 비롯한 작은 단백질들이 음전하를 띠는데 당단백질 역시 음전하를 띠기 때문에 ⓓ가능한 것이다. 보먼주머니 내층은 문어처럼 생긴 발세포로 이루어지는데, 각각의 발세포에서는 돌기가 나와 기저막을 감싸고 있다. 돌기 사이의 좁은 틈을 따라 여과액이 빠져나오면 보먼주머니 내강에 도달하게 된다.

(중략)

질환이 있지 않은 정상 상태에서는 혈장 교질 삼투압*과 보먼주머니 수압이 크게 변하지 않는다. 그러나 사구체의 혈압은 동맥의 혈압에 따라 증가하거나 감소할 수 있다. 이 같은 변동은 생명 유지에 ⓔ적합하지 않기 때문에 자가 조절 기능에 의해 관리된다. 즉 콩팥은 심장의 수축에 의해 발생하는 혈압에 변동이 생기더라도 제한된 범위 내에서 사구체로 유입되는 혈류량을 일정하게 유지한다. 자가 조절은 주로 들세동맥의 직경을 조절함으로써 가능하다.

알아두자! 궁금한 어휘

* **노폐물(老廢物)**: 생체 내에서 생성된 대사산물 중 생체에서 필요 없는 것.
* **여과(濾過)**: 거름종이나 여과기를 써서 액체 속에 들어 있는 침전물이나 입자를 걸러 내는 일.
* **직경(直徑)**: 원이나 구 따위에서, 중심을 지나는 직선으로 그 둘레 위의 두 점을 이은 선분. 또는 그 선분의 길이.
* **혈압(血壓)**: 심장에서 혈액을 밀어 낼 때, 혈관 내에 생기는 압력.
* **투과성(透過性)**: 어떤 물질이나 구조가 물질 분자와 이온의 투과(장애물에 빛이 비치거나 액체가 스미면서 통과함)를 허용하는 성질.
* **삼투압(滲透壓)**: 삼투 현상(반투막을 사이에 두고 양쪽 용액에 농도 차가 있을 경우, 농도가 높은 쪽으로 용매가 옮겨 가는 현상)이 일어날 때에 반투성의 막(膜)이 받는 압력.

2. ⓐ~ⓔ의 사전적 의미로 적절하지 않은 것은?

① ⓐ: 액체나 기체 따위가 어떤 곳으로 흘러듦.
② ⓑ: 꼭 알맞음.
③ ⓒ: 조건을 붙여 내용을 제한함.
④ ⓓ: 할 수 있거나 될 수 있음.
⑤ ⓔ: 일이나 조건 따위에 꼭 알맞음.

다 다의어 동 동음이의어 더 더 알아 둘 어휘

유입
流 흐를 유 / 入 들 입

액체나 기체, 열 따위가 어떤 곳으로 흘러듦.

예 공장 폐수의 하천 유입을 막기 위한 시위가 열렸다.

적절
適 맞을 적 / 切 끊을 절

꼭 알맞음.

예 적절한 예시는 우리의 이해에 도움을 준다.

억제
抑 누를 억 / 制 억제할 제

정도나 한도를 넘어서 나아가려는 것을 억눌러 그치게 함.

예 부동산 투기를 억제하기 위한 정책이 시행된다.

가능
可 옳을 가 / 能 능할 능

할 수 있거나 될 수 있음.

예 그 병은 완치가 가능한 병이다.

적합
適 맞을 적 / 合 합할 합

일이나 조건 따위에 꼭 알맞음.

예 그는 성품이 온화하여 지도자로 적합하다.

더 **조응(照應):** 둘 이상의 사물이나 현상 또는 말과 글의 앞뒤 따위가 서로 일치하게 대응함.

헷갈리는 단어, 홀로 사전 찾기로 더 확실하게 CHECK!

단어	뜻

STEP 2 정답 2. ③ '억제'의 사전적 의미는 '정도나 한도를 넘어서 나아가려는 것을 억눌러 그치게 함.'이다. '조건을 붙여 내용을 제한함.'은 '제약'의 사전적 의미이다.

무성 茂 우거질 **무** / 盛 성할 **성**	풀이나 나무 따위가 자라서 우거져 있음. 예 산속 깊이 들어가자 잎이 무성한 나무들이 우리를 반겼다.
번영 繁 많을 **번** / 榮 꽃 **영**	번성하고 영화롭게 됨. 예 나날이 번영하는 회사가 되고 있습니다.
번창 繁 많을 **번** / 昌 창성할 **창**	번화하게 창성함. 예 기업의 번창을 기원하다.
융성 隆 높일 **융** / 盛 성할 **성**	기운차게 일어나거나 대단히 번성함. 예 고려나 조선이나 모두 융성했던 시절이 있었다.

Q1 한동안 묘를 돌보지 않았더니 잡초가 [　　　　] 하게 자라 있었다.

변경 變 변할 **변** / 更 고칠 **경**	다르게 바꾸어 새롭게 고침. 예 홍이에게 어떤 심경의 변화, 혹은 계획의 변경이 있었던 것 같다.
변모 變 변할 **변** / 貌 모양 **모**	모양이나 모습이 달라지거나 바뀜. 또는 그 모양이나 모습. 예 오랜만에 돌아와 보니 서울의 변모가 아주 놀라웠다.
변용 變 변할 **변** / 容 얼굴 **용**	용모가 바뀜. 또는 그렇게 바뀐 용모. 예 세월이 흘러 변용된 그를 보니 기분이 묘했다.
변천 變 변할 **변** / 遷 옮길 **천**	세월의 흐름에 따라 바뀌고 변함. 예 이번 전시회에서는 의복의 변천을 한눈에 볼 수 있다.

Q2 이 논문은 시대적 흐름에 따른 문화사의 [　　　　] 과정을 규명하고 있다.

변질
變 변할 **변** / 質 바탕 **질**

성질이 달라지거나 물질의 질이 변함. 또는 그런 성질이나 물질.
예 식료품의 변질을 막기 위해서는 냉동 보관이 필요하다.

변형
變 변할 **변** / 形 형상 **형**

모양이나 형태가 달라지거나 달라지게 함. 또는 그 달라진 형태.
예 도착한 물건은 심하게 변형되어 원래 형태를 찾아볼 수 없었다.

변화
變 변할 **변** / 化 될 **화**

사물의 성질, 모양, 상태 따위가 바뀌어 달라짐.
예 이번 기획안은 사업의 획기적인 변화를 가져올 것이다.

변환
變 변할 **변** / 換 바꿀 **환**

달라져서 바뀜. 또는 다르게 하여 바꿈.
예 이번에 평양에서 열리는 남북 회담은 동북아시아가 직면한 역사적 변환을 알려 주는 지표이다.

Q3 기온이 높아지는 여름에 유제품은 [ ] 되기 쉬우니 냉장고에 보관해야 한다.

변호
辯 말 잘할 **변** / 護 보호할 **호**

남의 이익을 위하여 변명하고 감싸서 도와줌.
예 대한민국 헌법에 따라 어떤 범죄자라도 변호를 받을 권리가 있다.

보호
保 보전할 **보** / 護 보호할 **호**

위험이나 곤란 따위가 미치지 아니하도록 잘 보살펴 돌봄.
예 나이 어린 노동자의 경제적 착취를 방지하기 위한 보호 대책이 시급하다.

수호
守 지킬 **수** / 護 보호할 **호**

지키고 보호함.
예 그 분은 세계 평화의 수호에 기여하였다.

옹호
擁 안을 **옹** / 護 보호할 **호**

두둔하고 편들어 지킴.
예 회사 측도 노동자의 권익 옹호가 필요하다는 점엔 동의했다.

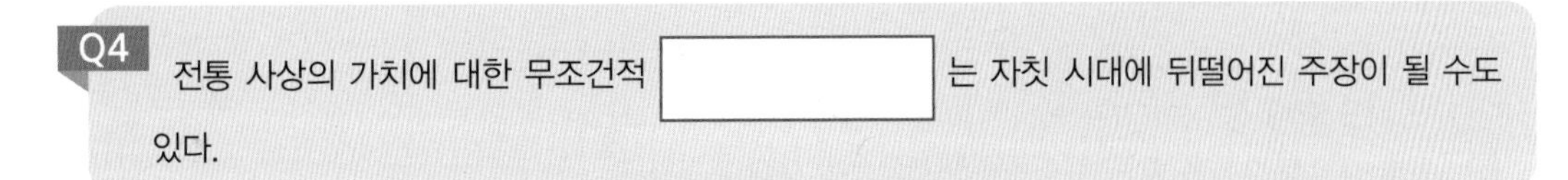

Q4 전통 사상의 가치에 대한 무조건적 [ ] 는 자칫 시대에 뒤떨어진 주장이 될 수도 있다.

STEP 3 정답 A1 무성 A2 변천 A3 변질 A4 옹호

DAY 16

다음 글을 읽고 물음에 답하시오.

• 2016학년도 수능AB

한창 이리 춤을 출 제, 대장 범치 토끼 옆에 섰다가,

"이크, 토끼 뱃속에 간이 촐랑촐랑하는구나."

토끼 깜짝 놀라,

'어떤 게 간이라고? 뱃속에 물똥이 들어 촐랑거리는 걸 간이라 하것다. 아뿔싸, 낌새를 보아 떠나라고 하였거니 즉시 가는 것만 못할지고.'

이리할 제 별주부 ㉠연석에 참여하였다가 눈을 부릅떠 토끼를 보며 가만히 꾸짖어 왈,

"내 듣기에도 촐랑촐랑하는 것이 분명한 간인 듯하거든 네 저러한 꾀로 우리 대왕을 속이려 하느냐?"

토끼 마음에 분하여 잔치가 끝난 후 왕께 아뢰어,

"소토 세상에서 약간 의서를 보았거니와 음허화동(陰虛火動)으로 난 병에 원기 회복하기는 왕배탕이 제일 좋다 하오니 왕배는 곧 자라라, 오래 묵은 자라를 구하여 쓰면 기운이 자연 회복할 것이요, 그 다음에 소토의 간을 쓰면 병세 며칠 안으로 나으리다."

왕이 이때 토끼 말이라 하면 사슴을 말이라 해도 믿는지라.

즉시 명령을 내리되,

"세상에 나갔던 별주부 오래 묵었으니 법을 좇아 잡아들이라."

하니 현의도독 거북이 아뢰기를,

"옛 말씀에 '토끼를 다 잡으면 사냥개를 삶아 먹고 높이 뜬 새 없어지면 좋은 활이 숨는다.' 하였사오니 선생 말씀이 옳사오나 주부는 만리타국의 정성을 다하여 공을 이루고 왔삽거늘 제후*로 봉하기는 고사하고 죽이는 것은 이웃나라가 알게 해서는 안 되는 일이나이다. 특별히 ㉡권도를 좇아 암자라로 ㉢대용하심을 바라나이다."

왕 왈,

"윤허하노라*."

하시니라.

이때 별주부 천지 망극하여 집에 돌아와서 부부 서로 손을 잡고 통곡하다가 문득 생각하여 왈,

"내 일시 경솔한 말로 ㉣음해를 만나 무죄한 부인을 이 지경을 당하게 하였거니와 천 리를 함께 온 정이 적지 아니하고 제 마음이 악독하여 고집스럽지 않으니 우리 정성을 다하여 빌면 다시 측은히 생각하여 구해 주리라."

하고, 즉시 별당을 깨끗이 치우고 잔치를 배설하여 토끼를 정으로 청하여 상좌*에 앉히고 별주부 내외 당하에 꿇어 백배 애걸하는 말이,

"오늘날 우리 두 사람 목숨이 선생께 달렸으니 넓으신 ㉤도량으로 짐작하여 잔명을 구하여 주옵소서."

– 작자 미상, 「토끼전」 –

알아두자! 궁금한 어휘

***제후(諸侯)**: 봉건 시대에 일정한 영토를 가지고 그 영내의 백성을 지배하는 권력을 가지던 사람.

***윤허(允許)하다**: 임금이 신하의 청을 허락하다.

***상좌(上座)**: 윗사람이 앉는 자리.

1. ㉠~㉤의 사전적 의미로 적절하지 않은 것은?

① ㉠: 잔치를 베푸는 자리.
② ㉡: 목적을 달성하기 위해 도를 권함.
③ ㉢: 대신하여 다른 것을 사용함.
④ ㉣: 몸을 드러내지 아니한 채 음흉한 방법으로 남에게 해를 가함.
⑤ ㉤: 사물을 너그럽게 용납하여 처리할 수 있는 넓은 마음과 깊은 생각.

다 다의어 동 동음이의어 더 더 알아 둘 어휘

연석
宴 잔치 **연** / 席 자리 **석**

잔치를 베푸는 자리.

예 할아버지의 생신을 맞아 회갑 연석을 베풀었다.

더 **연회(宴會)**: 축하, 위로, 환영, 석별 따위를 위하여 여러 사람이 모여 베푸는 잔치.

권도
權 권세 **권** / 道 길 **도**

목적 달성을 위하여 그때그때의 형편에 따라 임기응변으로 일을 처리하는 방도.

예 옛 법에도 필요한 경우 권도가 용인되었다고 한다.

동 **권도(勸導)**: 타일러서 이끎.

대용
代 대신할 **대** / 用 쓸 **용**

대신하여 다른 것을 씀. 또는 그런 물건.

예 종이 상자를 물품 보관함 대용으로 쓰고 있다.

음해
陰 응달 **음** / 害 해로울 **해**

몸을 드러내지 아니한 채 음흉한 방법으로 남에게 해를 가함. (=은해(隱害))

예 그는 숙모에게 앙심을 품고 숙모의 회사를 비밀리에 조사한 후 음해 공작을 폈다.

더 **음모(陰謀)**: 나쁜 목적으로 몰래 흉악한 일을 꾸밈. 또는 그런 꾀.

도량
度 법도 **도** / 量 헤아릴 **량**

사물을 너그럽게 용납하여 처리할 수 있는 넓은 마음과 깊은 생각.

예 그 스님은 도량이 큰 분이니 너의 잘못도 이해해 주실 거다.

더 **아량(雅量)**: 너그럽고 속이 깊은 마음씨.

문학 TIP 고전소설 속 상황/정서 (1)

경각(頃刻)	아주 짧은 순간	황망(慌忙)하다	급하고 당황하다
창황(倉皇)하다	너무 갑작스럽다	황황히	허둥지둥 매우 급하게
하릴없이	달리 어떻게 할 도리가 없이	허탄(虛誕)하다	거짓되고 미덥지 않다
홀연(忽然)히	뜻하지 않게 갑자기	허황(虛荒)하다	헛되고 황당하며 미덥지 못하다
남가일몽(南柯一夢)	꿈과 같이 헛된 일	망령(妄靈)되다	정신이 흐려서 말, 행동이 정상이 아니다

STEP 1 정답 1. ② 주부의 사정을 고려하여 '특별히 권도를 좇'자고 할 때의 '권도'는 '목적 달성을 위하여 그때그때의 형편에 따라 임기응변으로 일을 처리하는 방도.'를 의미한다. 이는 목적을 달성하기 위해 도를 권하는 것과 관련이 없다.

항원(抗原)	체내에 침입한 물질로 항체에 반응하여 면역을 일으키는 물질.
항체(抗體)	체내에서 만들어져 항원에 반응하는 물질.
면역(免疫)	신체가 외부의 항원에 대항하여 스스로를 보호하는 방어 체계.

독감에 걸리기 전에 예방 주사를 맞으러 가본 적, 다들 있지? 예방 주사를 맞은 날은 왠지 컨디션도 안 좋은 것 같고 열도 나는 것 같은 느낌이 들어. 나만 그런가?

항원은 외부로부터 우리 몸에 침입하는 물질이야. 독감 바이러스가 우리 몸에 침입하면 항원이 되는 거야. 우리 몸은 외부로부터 항원이 침입하면 거기에 대응하는 물질을 만들어내는데 그 대응하는 물질을 항체라고 해. 그리고 항원이 침입하면 대응하는 항체가 만들어져서 항원에 결합하는 것을 항원-항체 반응이라고 하는데, 이 반응에서 꼭 기억해야 할 것! 한 종류의 항원에 대응하는 항체는 한 가지 종류밖에 없어. A라는 항원에 대응해 만들어진 항체가 a라면, 항체 a는 다른 항원에는 반응하지 않는다는 말이야. 마치 한 사람에게만 작동하는 지문 인식 장치같이 작용하는 거지.

우리 몸이 하나의 항원에 대해 한번 항체를 만들었다면 몸은 그 항원을 기억하고 있어. 그리고 그 항원이 다시 침입하면 몸은 '너 예전에 왔던 놈이지? 이미 난 너를 상대할 무기를 가지고 있다고.' 하면서 이전에 만들어 놓은 항체를 내보내. 위에서 이야기한 독감 예방 주사는 다양한 종류의 독감 바이러스를 약하게 만들어서 우리 몸에 넣어 주는 거야. 그러면 우리 몸은 그 바이러스들에 대한 항체를 다 만들어 놓고 진짜 바이러스들이 들어오면 싸울 수 있도록 준비해 놓게 돼. 이렇게 가지고 있는 항체로 외부 항원의 침입에 맞서는 것을 면역이라고 해. 면역은 우리 몸이 외부 바이러스를 방어하기 위한 방법인 거지.

그러니 예방 주사를 맞은 날 컨디션이 안 좋은 이유는 약하긴 해도 독감 바이러스들이 몸에 들어왔기 때문이야. 하지만 이렇게 몸이 항원을 기억한 후에는 진짜 독감 바이러스가 들어와도 항체들을 통해 바이러스가 활동하지 못하게 해. 그래서 독감에 걸리지 않는 거지. 예방 주사를 맞았는데도 독감에 걸렸다고? 그럼 그 바이러스는 몸이 처음 보는 녀석인 거야. 바이러스의 종류가 워낙 많아서 그런 것이니 의사 선생님을 탓하지는 말자. 제일 좋은 면역은 운동이라는 사실도 기억해 둬!

정답 P. 201

지문을 통해 다시 읽어보기

• 2019학년도 6월 모평

LFIA 키트를 이용하면 키트에 나타나는 선을 통해, 액상의 시료에서 검출하고자 하는 목표 성분의 유무를 간편하게 확인할 수 있다. LFIA 키트는 가로로 긴 납작한 막대 모양인데, 시료 패드, 결합 패드, 반응막, 흡수 패드가 순서대로 나란히 배열된 구조로 되어 있다. 시료 패드로 흡수된 시료는 결합 패드에서 복합체와 함께 반응막을 지나 여분의 시료가 흡수되는 흡수 패드로 이동한다. 결합 패드에 있는 복합체는 금-나노 입자 또는 형광 비드 등의 표지 물질에 특정 물질이 붙어 이루어진다. 표지 물질은 발색 반응에 의해 색깔을 내는데, 이 표지 물질에 붙어 있는 특정 물질은 키트 방식에 따라 종류가 다르다. 일반적으로 한 가지 목표 성분을 검출하는 키트의 반응막에는 항체들이 띠 모양으로 두 가닥 고정되어 있는데, 그중 시료 패드와 가까운 쪽에 있는 가닥이 검사선이고 다른 가닥은 표준선이다.

Q1 LFIA 키트에서 시료 패드와 흡수 패드는 모두 시료를 흡수하는 역할을 한다.

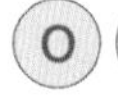

지문을 통해 다시 읽어보기

• 2019학년도 6월 모평

검사선이 발색되어 나타나는 반응선을 통해서는 목표 성분의 유무를 판정할 수 있다. 표준선이 발색된 반응선이 나타나면 검사가 정상적으로 진행되었음을 알 수 있다.

LFIA 키트는 주로 직접 방식 또는 경쟁 방식으로 제작되는데, 방식에 따라 검사선의 발색 여부가 의미하는 바가 다르다. 직접 방식에서 복합체에 포함된 특정 물질은 목표 성분에 결합할 수 있는 항체이다. 시료에 목표 성분이 포함되어 있다면 목표 성분은 이 항체와 일차적으로 결합하고, 이후 검사선의 고정된 항체와 결합한다. 따라서 검사선이 발색되면 시료에서 목표 성분이 검출되었다고 판정한다. 한편 경쟁 방식에서 복합체에 포함된 특정 물질은 목표 성분에 대한 항체가 아니라 목표 성분 자체이다. 만약 시료에 목표 성분이 포함되어 있으면 시료의 목표 성분과 복합체의 목표 성분이 서로 검사선의 항체와 결합하려 경쟁한다. 이때 시료에 목표 성분이 충분히 많다면 시료의 목표 성분은 복합체의 목표 성분이 검사선의 항체와 결합하는 것을 방해하므로 검사선이 발색되지 않는다. 직접 방식은 세균이나 분자량이 큰 단백질 등을 검출할 때 이용하고, 경쟁 방식은 항생 물질처럼 목표 성분의 크기가 작은 경우에 이용한다.

Q2 LFIA 키트를 이용하여 검사할 때, 시료에 목표 성분이 포함되어 있지 않더라도 검사선이 발색될 수 있다.

STEP 2 독서 독해 증진

다음 글을 읽고 물음에 답하시오.

• 2020학년도 수능

신체의 세포, 조직, 장기가 손상되어 더 이상 제 기능을 하지 못할 때에 이를 ㉠대체하기 위해 이식*을 실시한다. 이때 이식으로 옮겨 붙이는 세포, 조직, 장기를 이식편이라 한다. 자신이나 일란성 쌍둥이의 이식편을 이용할 수 없다면 다른 사람의 이식편으로 '동종* 이식'을 실시한다. 그런데 우리의 몸은 자신의 것이 아닌 물질이 체내로 유입될 경우 면역 반응을 일으키므로, 유전적으로 동일하지 않은 이식편에 대해 항상 거부 반응을 일으킨다. 면역적 거부 반응은 면역 세포가 ㉡표면에 발현하는 주조직적합복합체(MHC) 분자의 차이에 의해 유발된다. 개체마다 MHC에 차이가 있는데 서로 간의 유전적 거리가 멀수록 MHC에 차이가 커져 거부 반응이 강해진다. 이를 막기 위해 면역 억제제를 사용하는데, 이는 면역 반응을 억제하여 질병 감염의 위험성을 높인다.

(중략)

이종 이식의 또 다른 문제는 내인성 레트로바이러스이다. 내인성 레트로바이러스는 생명체의 DNA의 일부분으로, 레트로 바이러스로부터 유래된 것으로 여겨지는 부위들이다. 이는 바이러스의 활성을 가지지 않으며 사람을 포함한 모든 포유류에 존재한다. 레트로바이러스는 자신의 유전 정보를 RNA에 담고 있고 역전사 효소를 갖고 있는 바이러스로서, 특정한 종류의 세포를 ㉢감염시킨다. 유전 정보가 담긴 DNA로부터 RNA가 생성되는 전사 과정만 일어날 수 있는 다른 생명체와는 달리, 레트로바이러스는 다른 생명체의 세포에 들어간 후 역전사 과정을 통해 자신의 RNA를 DNA로 바꾸고 그 세포의 DNA에 끼어들어 감염시킨다. 이후에는 다른 바이러스와 마찬가지로 자신이 속해 있는 생명체를 숙주*로 삼아 숙주 세포의 시스템을 이용하여 복제, 증식하고 일정한 조건이 되면 숙주 세포를 파괴한다. 그런데 정자, 난자와 같은 생식 세포가 레트로바이러스에 감염되고도 살아남는 경우가 있었다. 이런 세포로부터 유래된 자손의 모든 세포가 갖게 된 것이 내인성 레트로바이러스이다. 내인성 레트로바이러스는 세대가 지나면서 돌연변이로 인해 염기 서열의 ㉣변화가 일어나며 해당 세포 안에서는 바이러스로 활동하지 않는다. 그러나 내인성 레트로바이러스를 떼어 내어 다른 종의 세포 속에 주입하면 이는 레트로바이러스로 변환되어 그 세포를 감염시키기도 한다. 따라서 미니돼지의 DNA에 포함된 내인성 레트로바이러스를 효과적으로 제거하는 기술이 개발 중에 있다.

그동안의 대체 기술과 관련된 연구 성과를 ㉤토대로 이상적*인 이식편을 개발하기 위해 많은 연구가 수행되고 있다.

알아두자! 궁금한 어휘

* 이식(移植): 살아 있는 조직이나 장기를 생체로부터 떼어 내어, 같은 개체의 다른 부분 또는 다른 개체에 옮겨 붙이는 일.
* 동종(同種): 같은 종류.
* 이종(異種): 다른 종류.
* 숙주(宿主): 기생 생물에게 영양을 공급하는 생물.
* 이상적(理想的): 생각할 수 있는 범위 안에서 가장 완전하다고 여겨지는 것.

1. ㉠~㉤의 사전적 의미로 적절하지 않은 것은?

① ㉠: 다른 것으로 대신함.
② ㉡: 사물의 가장 바깥쪽이나 가장 윗부분.
③ ㉢: 병원체인 미생물이 동물이나 식물의 몸 안에 들어가 증식하는 일.
④ ㉣: 사물의 성질, 모양, 상태 따위가 바뀌어 달라짐.
⑤ ㉤: 어떤 사물이나 상태를 변화시키거나 일으키게 하는 근본이 된 일이나 사건.

다 다의어 동 동음이의어 더 더 알아 둘 어휘

대체
代 대신할 **대** / 替 바꿀 **체**

다른 것으로 대신함.

예 환경을 위한 대체 에너지 개발이 시급하다.

표면
表 겉 **표** / 面 낯 **면**

사물의 가장 바깥쪽. 또는 가장 윗부분.

예 삶은 계란의 껍질을 벗겨서 만져 보면 표면이 매끈매끈하다.

감염
感 느낄 **감** / 染 물들일 **염**

병원체인 미생물이 동물이나 식물의 몸 안에 들어가 증식하는 일.

예 예방 접종으로 병원균에 감염되는 것을 미리 막을 수 있다.

변화
變 변할 **변** / 化 될 **화**

사물의 성질, 모양, 상태 따위가 바뀌어 달라짐.

예 정보 통신의 발달로 사회는 급격한 변화를 겪고 있다.

더 **변천(變遷)**: 세월의 흐름에 따라 바뀌고 변함.

토대
土 흙 **토** / 臺 돈대 **대**

어떤 사물이나 사업의 밑바탕이 되는 기초와 밑천을 비유적으로 이르는 말.

예 그녀는 설문 조사 결과를 토대로 사업 계획서를 작성하였다.

더 **원인(原因)**: 어떤 사물이나 상태를 변화시키거나 일으키게 하는 근본이 된 일이나 사건.

헷갈리는 단어, 홀로 사전 찾기로 더 확실하게 CHECK!

단어	뜻

STEP 2 정답 1. ⑤ '토대'는 '어떤 사물이나 사업의 밑바탕이 되는 기초와 밑천을 비유적으로 이르는 말.'이라는 의미이다. '어떤 사물이나 상태를 변화시키거나 일으키게 하는 근본이 된 일이나 사건.'은 '원인'의 사전적 의미이다.

DAY 17

다음 글을 읽고 물음에 답하시오.

• 2009학년도 10월 학평

우리 몸은 '자연적 치유*'의 기능을 가지고 있다. 여기서 '자연적 치유'라는 것은 무슨 의미일까? '자연적 치유'라는 것은 우리 몸에 바이러스(항원)가 침투하더라도 외부의 도움 없이 이겨낼 수 있는 면역 시스템을 가지고 있다는 것을 의미한다. 이를 보다 정확하게 말하자면, 면역 시스템은 여러 가지 방법으로 바이러스에 감염된 세포를 찾아 바이러스를 ⓐ제거한다. 그런데 이러한 면역 시스템에 관여하는 세포 중에서 매우 중요한 역할을 하는 세포가 있다. 그것은 바로 바이러스에 감염된 세포를 직접 찾아내 제거하는 '킬러 T세포'(killer T cells)이다. 킬러 T세포는 우리 몸을 지키는 파수꾼*인 셈이다.

킬러 T세포는 혈액이나 림프액을 타고 몸속 곳곳을 순찰하는 일을 담당하는 림프세포의 일종이다. 림프세포에는 킬러 T세포 말고도 헬퍼 T세포와 B세포가 더 있다. 헬퍼 T세포는 바이러스가 침투하면, B세포를 활성화시켜 항체를 생산하게 하고 이로 하여금 바이러스를 ⓑ파괴하게 한다. 반면 킬러 T세포는 감염된 세포를 직접 공격한다. 한편 킬러 T세포는 도로에서 모든 운전자를 대상으로 음주 단속을 하는 경찰처럼 세포 하나하나를 점검하여 바이러스에 감염된 세포를 찾아낸다. 이 과정에서 바이러스에 감염된 세포가 킬러 T세포에게 ⓒ발각이 되면 죽게 된다. 그렇다면 킬러 T세포는 어떤 방법으로 바이러스에 감염된 세포를 파괴할까?

면역 시스템에서 먼저 활동을 시작하는 것은 세포 표면에 있는 'MHC(주요 조직 적합성 유전자 복합체)'이다. MHC는 꽃게 집게발 모양의 단백질 분자로 세포 안에 있는 단백질 조각을 세포 표면으로 끌고 나오는 역할을 한다. 이 과정을 조금 더 자세히 살펴보자. 본래 세포 속에는 자기 단백질이 대부분이지만, 일단 바이러스에 감염되면 원래 없던 바이러스 단백질이 세포 안에 만들어진다. 이렇게 만들어진 자기 단백질과 바이러스 단백질은 단백질 분해효소에 의해 펩티드* 조각으로 분해되어 세포 속을 떠돌아다니다가 MHC와 결합해 세포 표면으로 배달되는 것이다.

이번에는 킬러 T세포가 활동한다. 킬러 T세포는 자기 표면에 있는 'TCR(T세포 수용체)'을 통해 세포의 밖으로 나온 MHC와 펩티드 조각이 결합해 이루어진 구조를 인식함으로써 바이러스 감염 여부를 ⓓ판단한다. 만약 MHC와 결합된 펩티드가 자기 단백질의 것이라면 T세포는 자신이 만난 세포를 정상 세포로 인식하고 그냥 지나친다. 하지만 MHC와 결합된 펩티드가 바이러스 단백질의 것이라면 T세포는 활성화*되면서 세포를 공격하는 단백질을 감염된 세포 속으로 보낸다. 이렇게 T세포의 공격을 받은 세포는 곧 죽게 되며 그 안의 바이러스 역시 죽음을 맞이하게 된다.

지금도 우리 몸의 이곳저곳에서는 비정상적인 세포분열이나 바이러스 감염이 계속되고 있다. 하지만 우리 몸에 있는 킬러 T세포가 병든 세포를 찾아내 파괴하는 메커니즘*이 정상적으로 작동하고 있는 한 건강한 상태를 ⓔ유지할 수 있다. 이렇듯 면역 시스템은 우리 몸을 지켜주는 수호신이다. 또한 우리 몸이 유기적으로 잘 짜인 구조임을 보여주는 좋은 예라고 할 수 있다.

*펩티드: 단백질 분자와 구조적으로 비슷하면서 보다 작은 유기물질.

알아두자! 궁금한 어휘

*치유(治癒): 치료하여 병을 낫게 함.

*파수(把守)꾼: 경계하여 지키는 일을 하는 사람.

*활성화(活性化): 생체나 생체 물질이 그 기능을 발휘함. 또는 그런 일.

*메커니즘: 사물의 작용 원리나 구조.

2. ⓐ~ⓔ의 문맥적 의미를 활용하여 만든 문장으로 적절하지 않은 것은?

① ⓐ: 해당 제품의 가격은 부가세를 제거한 금액입니다.
② ⓑ: 국민들은 지진으로 파괴된 도시를 복구하는 데 힘을 합쳤다.
③ ⓒ: 은밀히 추진해온 일이 발각될 위기에 놓였다.
④ ⓓ: 분노는 이성적인 판단을 할 수 없게 만든다.
⑤ ⓔ: 우리 팀은 어제 경기에서 가까스로 승리하여 선두를 유지했다.

다 다의어 동 동음이의어 더 더 알아 둘 어휘

제거
除 덜 **제** / 去 갈 **거**

없애 버림.

예 청소기 필터의 먼지를 제거하니 작동이 잘 되었다.

더 **척결(剔抉)**: 나쁜 부분이나 요소들을 깨끗이 없애 버림.

파괴
破 깨뜨릴 **파** / 壞 무너질 **괴**

때려 부수거나 깨뜨려 헐어 버림.

예 공습으로 인한 철도와 교량의 파괴로 물자 수송에 어려움을 겪고 있다.

발각
發 필 **발** / 覺 깨달을 **각**

숨기던 것이 드러남.

예 그가 몰래 통금시간을 어기고 나가려던 일이 발각되어 기숙사가 발칵 뒤집혔다.

판단
判 판가름할 **판** / 斷 끊을 **단**

사물을 인식하여 논리나 기준 등에 따라 판정을 내림.

예 상황 판단을 잘못하여 사고를 당했다.

더 **판결(判決)**: 시비나 선악을 판단하여 결정함.

유지
維 바 **유** / 持 가질 **지**

어떤 상태나 상황을 그대로 보존하거나 변함없이 계속하여 지탱함.

예 건강을 유지하려면 운동을 규칙적으로 해야 한다.

DAY 17

헷갈리는 단어, 홀로 사전 찾기로 더 확실하게 CHECK!

단어	뜻

STEP 2 정답 2. ① '바이러스를 제거한다.'의 '제거'는 '없애 버림.'이라는 뜻이다. ①의 경우에는 '따로 떼어 내어 한데 헤아리지 않음.'의 의미인 '제외'가 들어가는 것이 적절하다.

STEP 3 헷갈리는 어휘

설립 設 베풀 **설** / 立 설 **립**	기관이나 조직체 따위를 만들어 일으킴. 예 이번에 학원의 설립과 운영에 관한 법률이 제정되었다.
성립 成 이룰 **성** / 立 설 **립**	일이나 관계 따위가 제대로 이루어짐. 예 두 사람의 혼인이 성립되었음을 선언합니다.
자립 自 스스로 **자** / 立 설 **립**	남에게 예속되거나 의지하지 아니하고 스스로 섬. 예 원하는 곳에 취업을 한 그녀는 고향을 떠나 자립 생활을 시작했다.
존립 存 있을 **존** / 立 설 **립**	생존하여 자립함. 예 저의 존립을 위해 힘써 주신 모든 분들께 감사드립니다.

Q1 계약서를 쓰지 않았다고 하더라도 구체적인 근로 조건에 대한 합의가 이루어진 경우에는 근로계약이 [　　　　] 된 것으로 볼 수 있다.

손상 損 덜 **손** / 傷 상처 **상**	[1]물체가 깨지거나 상함. [2]명예나 체면, 가치 따위가 떨어짐. 예 [1]도자기를 떨어뜨리자 손상이 갔다. [2]나쁜 소문이 돌아 그의 체면이 손상될 우려가 있다.
파손 破 깨뜨릴 **파** / 損 덜 **손**	깨어져 못 쓰게 됨. 또는 깨뜨려 못 쓰게 함. 예 파손된 물건들은 무슨 수를 쓰든지 오늘 안으로 완전히 고쳐놓아야 한다.
훼방 毁 헐 **훼** / 謗 헐뜯을 **방**	남의 일을 방해함. 예 경쟁 업체의 훼방으로 이번 프로젝트는 난관에 봉착했다.
훼손 毁 헐 **훼** / 損 덜 **손**	[1]체면이나 명예를 손상함. [2]헐거나 깨뜨려 못 쓰게 만듦. 예 [1]이번 사건으로 그의 명예가 크게 훼손됐다. [2]무분별한 개발로 자연이 많이 훼손되고 있다.

Q2 그 사람이 [　　　　] 을 놓는 바람에 일이 엉망이 되었다.

어휘	뜻 / 예문
요건 要 중요할 **요** / 件 사건 **건**	필요한 조건. 예 드디어 해병대에 입대할 수 있는 자격 요건을 갖추었다.
요소 要 중요할 **요** / 素 흴 **소**	사물의 성립이나 효력 발생 따위에 꼭 필요한 성분. 또는 근본 조건. 예 이 물체는 여러 가지 요소로 구성되어 있다.
요인 要 중요할 **요** / 因 인할 **인**	사물이나 사건이 성립되는 까닭. 또는 조건이 되는 요소. 예 우리의 실패 요인을 찾아 개선해 보자.
조건 條 가지 **조** / 件 사건 **건**	어떤 일을 이루게 하거나 이루지 못하게 하기 위하여 갖추어야 할 상태나 요소. 예 조건에 따라 받을 수 있는 지원금이 달라진다.

Q3 상대방이 어떠한 [   ] 을/를 내걸 것인지에 따라 나의 행동이 달라질 것이다.

어휘	뜻 / 예문
습득 習 익힐 **습** / 得 얻을 **득**	학문이나 기술 따위를 배워서 자기 것으로 함. 예 언어 습득 능력은 어린이가 어른보다 훨씬 뛰어나다.
체득 體 몸 **체** / 得 얻을 **득**	몸소 체험하여 알게 됨. 예 팀을 이끄는 경험을 통해 자연스럽게 책임감과 성실함을 체득하게 되었다.
취득 取 취할 **취** / 得 얻을 **득**	자기 것으로 만들어 가짐. 예 나는 국적 취득에 필요한 사항을 알아보기 위해 대사관을 방문했다.
터득 攄 펼 **터** / 得 얻을 **득**	깊이 생각하여 이치를 깨달아 알아냄. 예 그런 마음은 오랜 참선 끝에 터득할 수 있다.
획득 獲 얻을 **획** / 得 얻을 **득**	얻어 내거나 얻어 가짐. 예 꾸준한 훈련 끝에 그는 대회에서 높은 점수를 획득하였다.

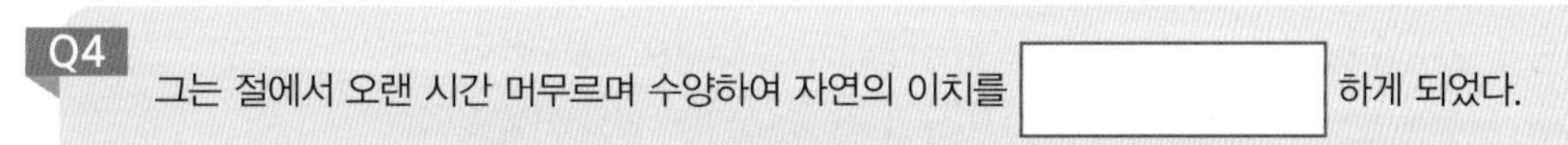

Q4 그는 절에서 오랜 시간 머무르며 수양하여 자연의 이치를 [   ] 하게 되었다.

STEP 3 정답 A1 성립 A2 훼방 A3 조건 A4 터득

다음 글을 읽고 물음에 답하시오.

• 2016학년도 9월 모평A

이혈룡이 어이가 없어서,

"오냐, 내가 너를 친구라고 찾아왔다가 ㉠통지를 할 수 없어 한 달이나 지나서 노자*도 떨어지고 ㉡기갈을 견디지 못하여 문전걸식*하고 다니다가 오늘에야 이 자리에서 너를 보니 죽어도 한이 없다. 나는 너를 친구라고 찾아왔는데 어찌 이같이 ㉢괄시한단 말이냐? 오랜 친구도 쓸데없고 결의형제도 쓸데없구나. 내가 네 처지라면 이같이는 괄시하지 않을 거다. 다만 돈백이라도 준다면 모친과 처자를 먹여 살리겠다."

하면서 대성통곡하였다. 이혈룡은 다시 울먹이는 말로,

"이 몹쓸 김진희야, 내가 지금 푼전의 노자가 없으니 멀고 먼 서울 길을 어찌 돌아가랴."

하니, 김 감사는 노발대발,

"이 미친놈 봤나."

호통을 치면서 사공을 불러 엄명하였다.

"이놈을 배에 싣고 가서 강물 한가운데 던져라."

이에 사공들이 영을 받고 물러 나와 이혈룡을 묶어서 배에 실을 때에 연회장에 있던 옥단춘이 넌지시 보니, 비록 의복은 남루하나* 얼굴이 ㉣비범한 것을 보고 불쌍히 여기고 감사에게 거짓말하여 고하기를,

"소녀 지금 오한이 일어나며 온몸이 괴로워 견딜 수가 없습니다."

하니 감사가,

"그러면 물러가서 치료하라."

하였다. 옥단춘이 물러 나와서 사공을 급히 불렀다.

"저기 가는 저 사공들, 잠깐 기다리시오."

하니 사공들이 머무르거늘 옥단춘이 하는 말이,

"내 이 양반의 몸값을 후하게 줄 것이니 이 양반을 죽이지 말고 죽인 듯이 모래를 덮어서 숨겨 두고 오시오."

하였다.

(중략)

그러자 모친과 부인은 그 사실을 듣고 혈룡의 죽을 고생을 생각하고 서로 슬픈 눈물을 흘렸다. 동시에 옥단춘이 혈룡을 구제한 전후 사실을 듣고, 그 은혜를 서로 ㉤치사하여 마지않았다.

오래간만에 만난 가족들은 그동안의 회포를 서로 다 이야기하여 풀고 다시 원만한 가정을 이루게 되었다. 모친도 죽었던 자식 다시 본 듯, 부인도 잃었던 낭군 다시 본 듯 잠시도 서로 떠날 마음이 없이 행복하게 살게 되었다.

이때에 과거 날이 되었으므로 혈룡이 모친의 슬하*를 떠나서 대궐 안 과거장에 들어가니 팔도에서 글 잘한다는 선비들이 구름같이 모여 있었다.

– 작자 미상, 「옥단춘전」 –

알아두자! 궁금한 어휘

***노자(路資):** 먼 길을 떠나 오가는 데 드는 비용.

***문전걸식(門前乞食):** 이 집 저 집 돌아다니며 빌어먹음.

***남루(襤褸)하다:** 옷 따위가 낡아 해지고 차림새가 너저분하다.

***슬하(膝下):** 무릎의 아래라는 뜻으로, 어버이나 조부모의 보살핌 아래. 주로 부모의 보호를 받는 테두리 안을 이른다.

1. 문맥상 ㉠~㉤과 바꿔 쓰기에 적절하지 않은 것은?

① ㉠: 기별 ② ㉡: 허기 ③ ㉢: 홀대
④ ㉣: 범상 ⑤ ㉤: 칭송

다 다의어 동 동음이의어 더 더 알아 둘 어휘

통지
通 통할 **통** / 知 알 **지**

기별을 보내어 알게 함.

예 그는 부친이 위독하다는 통지를 받고 곧장 고향으로 떠났다.

더 **기별(奇別)**: 다른 곳에 있는 사람에게 소식을 전함. 또는 소식을 적은 종이.

기갈
飢 주릴 **기** / 渴 목마를 **갈**

배고픔과 목마름을 아울러 이르는 말.

예 피로와 기갈에 시달린 그의 몰골은 말이 아니었다.

더 **허기(虛飢)**: 몹시 굶어서 배고픈 느낌.

괄시
恝 근심 없을 **괄** / 視 볼 **시**

업신여겨 하찮게 대함.

예 그렇게 괄시하던 제게 무슨 일로 찾아오셨어요?

더 **홀대(忽待)**: 소홀히 대접함.

비범
非 아닐 **비** / 凡 무릇 **범**

보통 수준보다 훨씬 뛰어남.

예 그는 손재주가 비범하다.

더 **범상(凡常)**: 중요하게 여길 만하지 아니하고 예사로움.
더 **특출(特出)**: 특별히 뛰어남.

치사
致 이를 **치** / 詞 말씀 **사**

다른 사람을 칭찬함. 또는 그런 말.

예 넌 결국 그가 한 말이 모두 입에 발린 치사라는 말을 하고 싶은 것이구나.

더 **칭송(稱頌)**: 칭찬하여 일컬음. 또는 그런 말.
더 **치성(致誠)**: 있는 정성을 다함. 또는 그 정성.

문학 TIP 고전소설 속 상황/정서 (2)

상사(相思)	서로 그리워 함	회한(悔恨)	뉘우치고 한탄함
망극(罔極)	끝이 없음, 끝이 없는 슬픔	애통(哀慟)	슬퍼함
분별(分別)	판단	고락(苦樂)	괴로움과 즐거움
대희(大喜), 대열하다	크게 기뻐함, 크게 기뻐하다	대경(大驚), 대경실색(大驚失色)	크게 놀람
만단정회(萬端情懷)	갖가지 정과 회포	산란(散亂)하다	마음이 어지럽다
분기탱천(憤氣撐天)	분한 마음이 하늘을 찌름	비분강개(悲憤慷慨)	슬프고 분한 감정이 가득함
보은(報恩)	은혜를 갚음	자탄(自歎)	스스로 탄식함

STEP 1 정답 1. ④ '의복은 남루하나 얼굴이 비범한'의 '비범'은 '보통 수준보다 훨씬 뛰어남.'이라는 의미이므로 '중요하게 여길 만하지 아니하고 예사로움.'이라는 의미의 '범상'과 바꿔쓸 수 없다.

지구의 자전(自轉)	지구가 하루 동안 스스로 한 바퀴 회전하는 것.
지구의 공전(公轉)	지구가 일 년 동안 태양을 중심으로 한 바퀴 회전하는 것.

우리가 살고 있는 지구는 하루에 한 바퀴, 일 년에 한 바퀴를 회전하고 있어. 지구의 회전을 몸으로 느낄 수는 없지만 지구가 회전하기 때문에 생기는 현상들을 통해 이를 알아챌 수 있지.

지구가 자기 스스로 하루에 한 바퀴 회전하는 것을 자전이라고 해. 한 번 자전하는 데 24시간이 걸려서 지구의 자전 주기는 24시간이야. 지구가 자전하기 때문에 우리는 밤과 낮이 하루에 한 번씩 바뀌는 것, 해가 하루에 한 번 뜨고 지는 것, 달과 별이 하루에 한 번 뜨고 지는 것을 볼 수 있어. 자전 주기가 하루이기 때문에 하늘에서 하루에 한 번 꼴로 일어나는 이런 현상들을 '일주 운동'이라고 불러.

지구는 자전을 하면서 동시에 태양을 중심으로 크게 한 바퀴 회전해. 이렇게 한 점을 기준으로 크게 회전하는 것을 공전이라고 하는데 지구는 한 번 공전하는 데 일 년의 시간이 걸려. 우리나라의 계절이 일 년을 주기로 바뀌는 것, 하늘에 보이는 별자리의 위치가 일 년을 주기로 바뀌는 것 등은 지구의 공전 때문에 일어나는 현상이야. 이렇게 공전 때문에 일 년 단위로 일어나는 현상을 '연주 운동'이라고 불러. 지구가 태양 주위를 공전하는 길을 공전 궤도라고 하는데, 궤도의 모양은 반듯한 원이 아니라 살짝 타원 모양이야. 그래서 지구와 태양이 조금 더 가까워지는 때, 더 멀어지는 때가 생기기도 해.

과학(물리) 시간에 배웠을 수도 있겠지만, 힘은 물체의 운동 상태(빠르기, 방향)를 변화시켜! 자전과 공전같이 물체의 회전 원운동은 매 순간 운동하는 방향이 바뀌는 가속도 운동이야. 회전하는 물체 위에 가만히 서 있다고 생각해봐. 매 순간 내가 바라보는 방향이 바뀌겠지? 즉 원 운동, 회전 운동, 자전, 공전하는 물체는 매 순간 힘을 받아 운동 방향이 바뀐다는 사실도 참고로 알아 두면 좋을 거야.

정답 P. 202

지문을 통해 다시 읽어보기

• 2015학년도 수능B

타원은 두 개의 초점이 있고 두 초점으로부터의 거리를 합한 값이 일정한 점들의 집합이다. 두 초점이 가까울수록 원 모양에 가까워진다. 타원에서 두 초점을 지나는 긴지름을 가리켜 장축이라 하는데, 두 초점 사이의 거리를 장축의 길이로 나눈 값을 이심률이라 한다. 두 초점이 가까울수록 이심률은 작아진다.

달은 지구를 한 초점으로 하면서 이심률이 약 0.055인 타원 궤도를 돌고 있다. 이 궤도의 장축 상에서 지구로부터 가장 먼지점을 '원지점', 가장 가까운 지점을 '근지점'이라 한다.

(중략)

이러한 원일점, 근일점, 원지점, 근지점의 위치는 태양, 행성 등 다른 천체들의 인력에 의해 영향을 받아 미세하게 변한다. 현재 지구 공전 궤도의 이심률은 약 0.017인데, 일정한 주기로 이심률이 변한다. 천체의 다른 조건들을 고려하지 않을 때 지구 공전 궤도의 이심률만이 현재보다 더 작아지면 근일점은 현재보다 더 멀어지며 원일점은 현재보다 더 가까워지게 된다. 이는 달의 공전 궤도 상에 있는 근지점과 원지점도 마찬가지이다. 천체의 다른 조건들을 고려하지 않을 때 천체의 공전 궤도의 이심률만이 현재보다 커지면 반대의 현상이 일어난다.

Q1 현재의 달 공전 궤도는 현재의 지구 공전 궤도보다 원 모양에 더 가깝다.

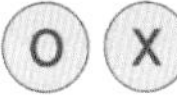

DAY 18

지문을 통해 다시 읽어보기

• 2015학년도 수능B

지구에서 본 천체의 겉보기 지름을 각도로 나타낸 것을 각지름이라 하는데, 관측되는 천체까지의 거리가 가까워지면 각지름이 커진다. 예를 들어, 달과 태양의 경우 평균적인 각지름은 각각 0.5° 정도이다.

지구의 공전 궤도에서도 이와 같은 현상이 나타난다. 지구 역시 태양을 한 초점으로 하는 타원 궤도로 공전하고 있으므로, 궤도 상의 지구의 위치에 따라 태양과의 거리가 다르다. 달과 마찬가지로 지구도 공전 궤도의 장축 상에서 태양으로부터 가장 먼 지점과 가장 가까운 지점을 갖는데, 이를 각각 원일점과 근일점이라 한다. 지구와 태양 사이의 이러한 거리 차이에 따라 일식 현상이 다르게 나타난다. 세 천체가 '태양–달–지구'의 순서로 늘어서고, 달이 태양을 가릴 수 있는 특정한 위치에 있을 때, 일식 현상이 일어난다. 이때 달이 근지점이나 그 근처에 위치하면 대부분의 경우 태양 면의 전체 면적이 달에 의해 완전히 가려지는 개기 일식이 관측된다. 하지만 일식이 일어나는 같은 조건에서 달이 원지점이나 그 근처에 위치하면 대부분의 경우 태양 면이 달에 의해 완전히 가려지지 않아 태양 면의 가장자리가 빛나는 고리처럼 보이는 금환 일식이 관측될 수 있다.

Q2 지구 공전 궤도 상의 근일점에서 관측한 태양의 각지름은 원일점에서 관측한 태양의 각지름보다 더 크다.

다음 글을 읽고 물음에 답하시오.

• 2014학년도 수능B

우주에서 지구의 북극을 내려다보면 지구는 시계 반대 방향으로 빠르게 자전하고 있지만 우리는 그 사실을 잘 ㉠인지하지 못한다. 지구의 자전 때문에 일어나는 현상 중 하나는 지구 상에서 운동하는 물체의 운동 방향이 편향*되는 것이다. 이러한 현상의 원인이 되는 ㉡가상적인 힘을 전향력이라 한다.

전향력은 지구가 자전하기 때문에 나타난다. 구* 모양인 지구의 둘레는 적도*가 가장 길고 위도*가 높아질수록 짧아진다. 지구의 자전 ㉢주기는 위도와 상관없이 동일하므로 자전하는 속력은 적도에서 가장 빠르고, 고위도로 갈수록 속력이 느려져서 남극과 북극에서는 0이 된다.

적도 상의 특정 지점에서 동일한 경도* 상에 있는 북위 30도 지점을 목표로 어떤 물체를 ㉣발사한다고 하자. 이때 물체에 영향을 주는 마찰력이나 다른 힘은 없다고 가정한다. 적도 상의 발사 지점은 약 1,600km/h의 속력으로 자전하고 있다. 북쪽으로 발사된 물체는 발사 속력 외에 약 1,600km/h로 동쪽으로 진행하는 속력을 동시에 갖게 된다. 한편 북위 30도 지점은 약 1,400km/h의 속력으로 자전하고 있다. 목표 지점은 발사 지점보다 약 200km/h가 더 느리게 동쪽으로 움직이고 있는 것이다. 따라서 발사된 물체는 겨냥했던 목표 지점보다 더 동쪽에 있는 지점에 도달하게 된다. 이때 지구 표면의 발사 지점에서 보면, 발사된 물체의 이동 ㉤경로는 처음에 목표로 했던 북쪽 방향의 오른쪽으로 휘어져 나타나게 된다.

알아두자! 궁금한 어휘

*편향(偏向): 한쪽으로 치우침.
*구(球): 공처럼 둥글게 생긴 물체. 또는 그런 모양.
*적도(赤道): 위도의 기준이 되는 선. 지구의 남북 양극으로부터 같은 거리에 있는 지구 표면에서의 점을 이은 선.
*위도(緯度): 지구 위의 위치를 나타내는 좌표축 중에서 가로로 된 것.
*경도(經度): 지구 위의 위치를 나타내는 좌표축 중에서 세로로 된 것.

1. ㉠~㉤의 사전적 의미로 적절하지 않은 것은?

① ㉠: 어떤 사실을 인정하여 앎.
② ㉡: 실물처럼 보이는 거짓 형상.
③ ㉢: 회전하는 물체가 한 번 돌아서 본래의 위치로 오기까지의 기간.
④ ㉣: 활 · 총포 · 로켓이나 광선 · 음파 따위를 쏘는 일.
⑤ ㉤: 일이 진행되는 방법이나 순서.

인지
認 알 **인** / 知 알 **지**

어떤 사실을 인정하여 앎.

예 아버지가 위독하신 상황임을 인지하기 시작했다.

가상
假 거짓 **가** / 像 모양 **상**

실물처럼 보이는 거짓 형상.

예 기술의 발달로 가상 세계와 현실 공간의 경계가 모호해지고 있다.

주기
週 돌 **주** / 期 기약할 **기**

회전하는 물체가 한 번 돌아서 본래의 위치로 오기까지의 기간.

예 달의 자전과 공전 주기는 모두 한 달 정도이다.

발사
發 필 **발** / 射 쏠 **사**

활 · 총포 · 로켓이나 광선 · 음파 따위를 쏘는 일.

예 아무리 경찰이라도 함부로 권총을 발사할 수 없다.

경로
經 경서 **경** / 路 길 **로**

지나는 길.

예 그곳으로 가는 데에는 여러 가지 경로가 있다.

다 **경로(經路):** 일이 진행되는 방법이나 순서.

헷갈리는 단어, 홀로 사전 찾기로 더 확실하게 CHECK!

단어	뜻

STEP 2 정답 1. ⑤ '발사된 물체의 이동 경로'의 '경로'는 문맥상 '지나는 길.'의 의미로 사용되었으므로 적절하지 않다.

다음 글을 읽고 물음에 답하시오.

• 2019학년도 수능

복잡한 문제를 단순화하여 푸는 수학적 전통을 이어받은 코페르니쿠스는 천체*의 운행*을 단순하게 기술할 방법을 찾고자 하였고, 그것이 ⓐ일으킬 형이상학적 문제에는 별 관심이 없었다. 고대의 아리스토텔레스와 프톨레마이오스는 우주의 중심에 고정되어 움직이지 않는 지구의 주위를 달, 태양, 다른 행성들의 천구*들과, 항성들이 붙어 있는 항성 천구가 회전한다는 지구 중심설을 내세웠다. 그와 달리 코페르니쿠스는 태양을 우주의 중심에 고정하고 그 주위를 지구를 비롯한 행성들이 공전하며 지구가 자전하는 우주 모형을 ⓑ만들었다. 그러자 프톨레마이오스보다 훨씬 적은 수의 원으로 행성들의 가시적인 운동을 설명할 수 있었고 행성이 태양에서 멀수록 공전 주기가 길어진다는 점에서 단순성이 충족되었다. 그러나 아리스토텔레스의 형이상학을 고수하는 다수 지식인과 종교 지도자들은 그의 이론을 받아들이려 하지 않았다. 왜냐하면 그것은 지상계와 천상계를 대립시키는 아리스토텔레스의 이분법*적 구도를 무너뜨리고, 신의 형상을 ⓒ지닌 인간을 한갓 행성의 거주자로 전락시키는 것으로 여겨졌기 때문이다.

(중략)

16세기 말부터 중국에 본격 유입된 서양 과학은, 청 왕조가 1644년 중국의 역법(曆法)을 기반으로 서양 천문학 모델과 계산법을 수용한 시헌력을 공식 채택함에 따라 그 위상이 구체화되었다. 브라헤와 케플러의 천문 이론을 차례대로 수용하여 정확도를 높인 시헌력이 생활 리듬으로 자리 잡았지만, 중국 지식인들은 서양 과학이 중국의 지적 유산에 적절히 연결되지 않으면 아무리 효율적이더라도 불온한 요소로 ⓓ여겼다. 이에 따라 서양 과학에 매료된 학자들도 어떤 방식으로든 서양 과학과 중국 전통 사이의 적절한 관계 맺음을 통해 이 문제를 해결하고자 하였다.

17세기 웅명우와 방이지 등은 중국 고대 문헌에 수록된 우주론에 대해서는 부정적 태도를 견지*하면서 성리학적 기론(氣論)에 입각하여 실증적인 서양 과학을 재해석한 독창적 이론을 제시하였다. 수성과 금성이 태양 주위를 회전한다는 그들의 태양계 학설은 브라헤의 영향이었지만, 태양의 크기에 대한 서양 천문학 이론에 의문을 제기하고 기(氣)와 빛을 결부하여 제시한 광학 이론은 그들이 창안*한 것이었다.

17세기 후반 왕석천과 매문정은 서양 과학의 영향을 받아 경험적 추론과 수학적 계산을 통해 우주의 원리를 파악하고자 하였다. 그러면서 서양 과학의 우수한 면은 모두 중국 고전에 이미 ⓔ갖추어져 있던 것인데 웅명우 등이 이를 깨닫지 못한 채 성리학 같은 형이상학에 몰두했다고 비판했다. 매문정은 고대 문헌에 언급된, 하늘이 땅의 네 모퉁이를 가릴 수 없을 것이라는 증자의 말을 땅이 둥글다는 서양 이론과 연결하는 등 서양 과학의 중국 기원론을 뒷받침하였다.

알아두자! 궁금한 어휘

* **천체(天體)**: 우주에 존재하는 모든 물체.
* **운행(運行)**: 천체가 그 궤도를 따라 운동하는 일.
* **천구(天球)**: 천체의 겉보기위치를 정하기 위하여 관측자를 중심으로 하는 무한 반경의 큰 구면.
* **이분법(二分法)**: 논리적 구분의 방법. 그 범위에 있어서 서로 배척되는 두 개의 구분지(區分肢)로 나누는 경우.
* **견지(堅持)**: 어떤 견해나 입장 따위를 굳게 지니거나 지킴.
* **창안(創案)**: 어떤 방안, 물건 따위를 처음으로 생각하여 냄. 또는 그런 생각이나 방안.

2. 문맥상 ⓐ~ⓔ와 바꿔 쓴 것으로 가장 적절한 것은?

① ⓐ: 진작(振作)할
② ⓑ: 고안(考案)했다
③ ⓒ: 소지(所持)한
④ ⓓ: 설정(設定)했다
⑤ ⓔ: 시사(示唆)되어

다 다의어 동 동음이의어 더 더 알아 둘 어휘

어휘	뜻·예문	더 알아 둘 어휘
진작 振 떨칠 **진** / 作 지을 **작**	떨쳐 일어남. 또는 떨쳐 일으킴. 예 정부는 소비 진작을 위한 정책을 발표했다.	
고안 考 생각할 **고** / 案 책상 **안**	연구하여 새로운 안을 생각해 냄. 또는 그 안. 예 신제품을 고안하다.	더 **개발(開發):** 새로운 물건을 만들거나 새로운 생각을 내어놓음.
소지 所 바 **소** / 持 가질 **지**	물건을 지니고 있는 일. 또는 그런 물건. 예 소지하고 있던 물품을 제출하다.	더 **보유(保有):** 가지고 있거나 간직하고 있음.
설정 設 베풀 **설** / 定 정할 **정**	새로 만들어 정해 둠. 예 명확한 목표 설정이 중요하다.	더 **제정(制定):** 제도나 법률 따위를 만들어서 정함. 더 **정립(定立):** 정하여 세움. 더 **수립(樹立):** 국가나 정부, 제도, 계획 따위를 이룩하여 세움.
시사 示 보일 **시** / 唆 부추길 **사**	어떤 것을 미리 간접적으로 표현해 줌. 예 정부는 이번 발표를 통해 단속 강화를 강력히 시사했다.	더 **암시(暗示):** 넌지시 알림. 또는 그 내용.

DAY 18

헷갈리는 단어, 홀로 사전 찾기로 더 확실하게 CHECK!

단어	뜻

STEP 2 정답 2. ② '만들다'는 '규칙이나 법, 제도 따위를 정하다.'라는 뜻이므로 '연구하여 새로운 안을 생각해 내다.'라는 뜻의 '고안하다'와 바꿔 쓸 수 있다.

신청 申 납 **신** / 請 청할 **청**	단체나 기관에 어떠한 일이나 물건을 알려 청구함. 예 이번 학기에는 잊지 말고 장학금 신청을 꼭 해야겠다.
요구 要 중요할 **요** / 求 구할 **구**	받아야 할 것을 필요에 의하여 달라고 청함. 또는 그 청. 예 그들의 요구 사항에는 실현 불가능한 내용이 더 많았다.
요청 要 중요할 **요** / 請 청할 **청**	필요한 어떤 일이나 행동을 청함. 또는 그런 청. 예 그의 간곡한 요청에도 어머니는 고개를 저을 뿐이었다.
청구 請 청할 **청** / 求 구할 **구**	남에게 돈이나 물건 따위를 달라고 요구함. 예 거래하는 회사에서 물품 대금 청구가 들어왔다.

Q1 나는 이번 학기에 최소한 20학점을 학교에 [   ] 해야 졸업이 가능하다.

참견 參 참여할 **참** / 見 볼 **견**	자기와 별로 관계없는 일이나 말 따위에 끼어들어 쓸데없이 아는 체하거나 이래라저래라 함. 예 굳이 다른 사람의 일에 섣불리 참견하지 마.
참관 參 참여할 **참** / 觀 볼 **관**	어떤 자리에 직접 나아가서 봄. 예 많은 학생들이 집회에 참관하였다.
참여 參 참여할 **참** / 與 더불 **여**	어떤 일에 끼어들어 관계함. 예 그들은 정치 현실에 적극적으로 참여하여 잘못된 제도를 바꾸고자 하였다.
참작 參 참여할 **참** / 酌 헤아릴 **작**	이리저리 비추어 보아서 알맞게 고려함. 예 인륜을 저버린 살인마에게는 참작의 여지도 없다.

Q2 전문가들은 학부모들이 1년에 한 번은 아이들의 수업에 [   ] 하여 지켜볼 것을 권장하고 있다.

침략 侵 침노할 **침** / 掠 노략질할 **략**	남의 나라를 불법으로 쳐들어가서 약탈함. 예 왜구의 침략에 대비해 국방을 튼튼히 해야 한다.
침탈 侵 침노할 **침** / 奪 빼앗을 **탈**	침범하여 빼앗음. 예 그들은 힘을 모아 경제적 침탈에 대항하였다.
침공 侵 침노할 **침** / 攻 칠 **공**	다른 나라를 침범하여 공격함. 예 장군은 한밤중에 침공을 감행하였다.
침입 侵 침노할 **침** / 入 들 **입**	침범하여 들어가거나 들어옴. 예 저희는 혹시 모를 침입을 막기 위해 보안을 철저히 하고 있습니다.

Q3 경찰은 목격자의 제보를 받고 빈집에 [ ] 하려던 도둑을 검거하였다.

침통 沈 잠길 **침** / 痛 아플 **통**	슬픔이나 걱정 따위로 몹시 마음이 괴롭거나 슬픔. 예 벌벌 떨던 남자의 입에서 무거운 목소리가 침통하게 흘러나왔다.
통감 痛 아플 **통** / 感 느낄 **감**	마음에 사무치게 느낌. 예 입원해 있는 동안 나는 무엇보다 건강이 제일임을 통감했다.
통렬 痛 아플 **통** / 烈 세찰 **렬**	몹시 날카롭고 매서움. 예 그 책에는 현대 사회에 대한 통렬한 비판이 담겨 있다.
통탄 痛 아플 **통** / 歎 탄식할 **탄**	몹시 탄식함. 또는 그런 탄식. 예 그마저 도망쳐버린 이 상황에서 나는 통탄할 수밖에 없었다.

Q4 그 말은 민중으로서 위선적 정치 현실에 대한 [ ] 한 비판이었고, 왜곡되어 가고 있는 사회 현실에 대한 정확한 증언이었다.

STEP 3 정답 A1 신청 A2 참관 A3 침입 A4 통렬

DAY 19 STEP 1 문학 독해 증진

다음 글을 읽고 물음에 답하시오.

• 2016학년도 6월 모평A

여공이 물러 나오자 위공과 정렬 부인이 다시 일어나 칭찬하기를,

"어지신 덕택으로 계월을 구하사 친자식같이 길러 입신양명*하게 하시니 은혜가 백골난망*이로소이다."

하며 슬픈 ㉠감회를 금치 못하거늘 여공이 더욱 감사하며 공손히 응답하더라. 평국과 보국이 또한 엎드려 먼 길에 평안히 행차하심을 ㉡치하하더라. 위공과 정렬 부인이며 기주후와 공렬 부인과 춘랑도 또한 자리에 참례하고 양윤이 또한 마음에 기꺼함을 헤아리지 못할지라. 이날 큰 잔치를 배설하고 삼 일을 즐기니라.

이때 천자 신하들을 돌아보고 이르기를,

"평국과 보국을 한 궁궐 안에 살게 하리라."

하시고, 종남산 아래에 터를 닦고 집을 지을새, 천여 칸을 불일성지(不日成之)로 지으니, 그 장함을 헤아리지 못할지라. 집을 다 지은 후에 노비 천 명과 수성군 백 명씩 내려 주시고 또 채단과 보화를 수천 바리를 상으로 내려 주시니, 평국과 보국이 황은을 축수하고 한 궁궐 안에 침소*를 정하고 거처하니 그 궁궐 안 넓이가 십 리가 남은지라 위의와 거동이 천자나 다름이 없더라.

이때 평국이 전장에 다녀온 후로 자연 몸이 곤하여 병이 침중하니 집안이 ㉢경동하여 주야* 약으로 치료하니, 천자께서 이 말을 들으시고 매우 놀라사 명의를 급히 보내어,

"병세를 자세히 보고 오라. 만일 ㉣위중하면 짐이 친히 가 보리라."

하시고 어의(御醫)를 명하사 보내시니, 어의 황명을 받자와 평국의 침소에 와 병세를 진맥하니 병세 위중하지 아니한지라. 속히 약을 가르쳐 쓰라 하고 돌아와 천자께 사실을 아뢰더라.

어의 다녀와 아뢰기를,

"평국의 병세는 위중하지 아니하옵기로 약을 가르쳐 쓰라 하옵고 왔사오나 또한 괴이한 일이 있어 수상하여이다."

하더라. 천자 놀라 묻기를,

"무슨 연고가 있더냐."

어의 땅에 엎드려 아뢰기를,

"평국의 맥을 보오니 남자의 맥이 아니오매 이상하여이다."

천자 그 말을 들으시고 이르기를,

"평국이 여자면 어찌 적진에 나가 적진 십만 대병을 ㉤소멸하고 왔으리오. 평국의 얼굴이 도화색(桃花色)이요, 체격이 작고 약하여 혹 미심하거니와 아직은 누설하지 말라."

– 작자 미상, 「홍계월전」 –

알아두자! 궁금한 어휘

* **입신양명(立身揚名)**: 출세하여 이름을 세상에 떨침.
* **백골난망(白骨難忘)**: 죽어서 백골이 되어도 잊을 수 없다는 뜻으로, 남에게 큰 은덕을 입었을 때 고마움의 뜻으로 이르는 말.
* **침소(寢所)**: 사람이 잠을 자는 곳.
* **주야(晝夜)**: 밤과 낮을 아울러 이르는 말.

1. ㉠~㉤의 사전적 의미로 적절하지 않은 것은?

① ㉠: 지난 일을 돌이켜 볼 때 느껴지는 회포.
② ㉡: 남이 한 일에 대하여 고마움이나 칭찬의 뜻을 표시함.
③ ㉢: 놀라서 움직임.
④ ㉣: 위엄이 있고 태도가 무겁다.
⑤ ㉤: 싹 쓸어서 없애다.

다 다의어 동 동음이의어 더 더 알아 둘 어휘

감회
感 느낄 **감** / 懷 품을 **회**

지난 일을 돌이켜 볼 때 느껴지는 회포.

예 20년 만에 조국 땅을 밟는 그의 감회는 남달랐다.

더 **회포(懷抱)**: 마음 속에 품은 생각이나 정(情).

치하
致 이를 **치** / 賀 하례할 **하**

남이 한 일에 대하여 고마움이나 칭찬의 뜻을 표시함. (주로 윗사람이 아랫사람에게 한다.)

예 대표이사는 그녀의 수고와 노력을 치하하였다.

더 **하례(賀禮)**: 축하하여 예를 차림.

경동
驚 놀랄 **경** / 動 움직일 **동**

놀라서 움직임.

예 안중근 의사의 총소리에 온 중국이 경동하였다.

위중하다
危 위태할 **위** / 重 무거울 **중**

병세가 위험할 정도로 중하다.

예 그는 모친이 위중하다는 기별을 받고 고향으로 달려갔다.

다 **위중(危重)하다**: 어떤 사태가 매우 위태롭고 중하다.

동 **위중(威重)하다**: 위엄이 있고 태도가 무겁다.

더 **위태(危殆)하다**: 어떤 형세가 마음을 놓을 수 없을 만큼 위험하다.

소멸하다
掃 쓸 **소** / 滅 멸망할 **멸**

싹 쓸어서 없애다.

예 그는 얼마 안 되는 군사를 이끌고 나가 적을 완전히 소멸하였다.

동 **소멸(消滅)하다**: 사라져 없어지다.

문학 TIP 고전소설 속 상황/정서 (3)

재색(才色), 재덕(才德)	재주와 아름다운 용모, 재주와 덕(德)	화용월태(花容月態)	아름다운 여인의 얼굴과 맵시
영민(英敏)하다	영특하고 민첩하다	외람(猥濫)되다	하는 짓이 분수에 지나치다
용렬(庸劣)하다	사람이 못나고 변변치 못하다	음해(陰害)	음흉하게 남을 해함
간계(奸計), 간교(奸巧)	간사한 꾀, 간사하고 교활함	비양하다	빈정거리다

STEP 1 정답 1. ④ 평국의 병세를 살피라 명령하며 '위중하면' 친히 가 보겠다고 할 때의 '위중(危重)하다'는 '병세가 위험할 정도로 중하다.'를 의미하는 것으로, '위엄이 있고 태도가 무겁다.'를 의미하는 '위중(威重)하다'와는 그 의미가 서로 다르다.

DAY 19

디지털 신호(Digital 信號)	0과 1로 표현되는 신호.
부호화(符號化)	아날로그 신호를 디지털 신호로 바꾸는 것.

기술 지문에 디지털 신호, 이진수라는 표현이나 01100, 1001 같은 숫자들이 등장하면 내용을 파악하기도 전에 겁을 먹지는 않니? 사실 표현이 우리를 힘들게 하는 수학이라 그렇지 개념은 생각보다 어렵지 않아.

디지털이라는 말은 많이 들어봤지? 아날로그가 연속적으로 변화하는 양을 나타내는 방식이라면, 디지털은 어떤 값을 끊어서 숫자로 표시하는 방식이야. 대부분의 영상, 음향, 컴퓨터 기기들은 디지털 신호를 사용해. 그런데 우리가 눈과 귀로 느끼는 것들은 대부분 아날로그 신호야. 그래서 아날로그 신호들을 기계로 저장하고, 다루기 위해서는 이를 기계들이 알아들을 수 있는 디지털 신호로 바꿔주어야 해. 디지털 신호는 0과 1 딱 두 가지만 있어서 이진수를 사용한다고 말하지.

이렇게 아날로그 신호를 디지털 신호로 바꿔주는 것을 부호화라고 해. 부호화의 방법은 여러 가지가 있는데 그 방법들은 지문에서 설명해 줄 테니, 우리는 일단 부호화는 연속된 신호를 끊어서 0과 1로 표현된 숫자로 바꾸는 것이라는 것만 알아두자. 예를 들어 '■'이라는 정보가 있어. 우리는 눈으로 빨간색이라고 알 수 있지만 기계는 그렇지 않아. 그래서 부호화 과정을 통해서 '■'을 예를 들어 '10110'이라는 0과 1로 표현된 디지털 신호로 바꿔주는 거야. 그리고 10110을 받아들인 기계는 이것이 빨간색이라는 정보를 인식하게 되는 거지. 반대로 기계가 처리한 신호를 아날로그 신호로 바꿔주는 것을 복호화라고 해. 기계가 처리한 것을 다시 사람이 알아 볼 수 있게 만드는 거지.

아날로그 신호가 디지털 신호가 표현할 수 없는 '있는 그대로'를 보여준다는 장점이 있다면, 디지털 신호의 장점은 신호를 빠르게 처리할 수 있고 중간에 발생한 오류나 신호의 결함을 비교적 정확하게 찾아내 원래 상태로 고치기가 쉽다는 거야. 우리가 기기를 활용해 빠르고 편리하게 생활할 수 있는 데에 디지털 신호가 큰 역할을 하고 있는 거지!

정답 P. 202

지문을 통해 다시 읽어보기

• 2014학년도 6월 모평A

플래시 메모리는 EPROM과 EEPROM의 장점을 취하여 만든 메모리이다. EPROM은 한 개의 트랜지스터로 셀을 구성하여 셀 면적이 작은 반면, 데이터를 지울 때 칩을 떼어 내어 자외선으로 소거해야 한다는 단점이 있다. EEPROM은 전기를 이용하여 간편하게 데이터를 지울 수 있지만, 셀 하나당 두 개의 트랜지스터가 필요하다. 플래시 메모리는 한 개의 트랜지스터로 셀을 구성하며, 전기적으로 데이터를 쓰고 지울 수 있다.

한편 메모리는 전원 차단 시에 데이터의 보존 유무에 따라 휘발성과 비휘발성 메모리로 구분되는데, 플래시 메모리는 플로팅 게이트가 절연체로 둘러싸여 있기 때문에 전원을 꺼도 1이나 0의 상태가 유지되므로 비휘발성 메모리이다. 이런 장점 때문에 휴대용 디지털 장치는 주로 플래시 메모리를 이용하여 데이터를 저장한다.

Q1 플래시 메모리는 EEPROM과 비교되는 EPROM의 단점을 개선하여 셀 면적을 더 작게 만들었다.

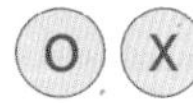

지문을 통해 다시 읽어보기

• 2014학년도 6월 모평A

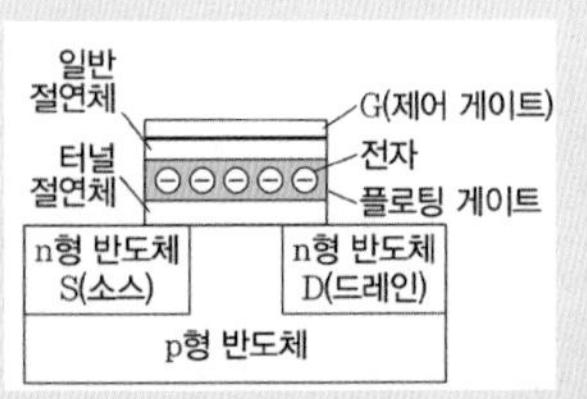

플래시 메모리에서는 두 가지 과정을 거쳐 데이터가 저장된다. 일단 데이터를 지우는 과정이 필요하다. 데이터 지우기는 여러 개의 셀이 연결된 블록 단위로 이루어진다. 블록에 포함된 모든 셀마다 G에 0V, p형 반도체에 약 20V의 양의 전압을 가하면, 플로팅 게이트에 전자가 있는 경우, 그 전자가 터널 절연체를 넘어 p형 반도체로 이동한다. 반면 전자가 없는 경우는 플로팅 게이트에 변화가 없다. 따라서 해당 블록의 모든 셀은 0의 상태가 된다. 터널 절연체는 전류 흐름을 항상 차단하는 일반 절연체와는 다르게 일정 이상의 전압이 가해졌을 때는 전자를 통과시킨다.

이와 같은 과정을 거친 후에야 데이터 쓰기가 가능하다. 데이터를 저장하려면 1을 쓰려는 셀의 G에 약 20V, p형 반도체에는 0V의 전압을 가한다. 그러면 p 형 반도체에 있던 전자들이 터널 절연체를 넘어 플로팅 게이트로 들어가 저장된다. 이것이 1의 상태이다.

Q2 플래시 메모리에서 터널 절연체 대신에 일반 절연체를 사용하면 데이터를 반복해서 지우고 쓸 수 없다.

다음 글을 읽고 물음에 답하시오.

• 2018학년도 수능

디지털 통신 시스템은 송신기, 채널, 수신기로 구성되며, ⓐ전송할 데이터* 를 빠르고 정확하게 전달하기 위해 부호화 과정을 거쳐 전송한다. 영상, 문자 등인 데이터는 ⓑ기호 집합에 있는 기호들의 조합이다. 예를 들어 기호 집합 {a, b, c, d, e, f}에서 기호들을 조합한 add, cab, beef 등이 데이터이다. 정보량은 어떤 기호가 발생했다는 것을 알았을 때 얻는 정보의 크기이다. 어떤 기호 집합에서 특정 기호의 발생 확률이 높으면 그 기호의 정보량은 적고, 발생 확률이 낮으면 그 기호의 정보량은 많다. 기호 집합의 평균 정보량*을 기호 집합의 엔트로피라고 하는데 모든 기호들이 동일한 발생 확률을 가질 때 그 기호 집합의 엔트로피는 최댓값을 갖는다.

송신기에서는 소스 부호화, 채널 부호화, 선 부호화를 거쳐 기호를 ⓒ부호로 변환한다. 소스 부호화는 데이터를 압축하기 위해 기호를 0과 1로 이루어진 부호로 변환하는 과정이다. 어떤 기호가 110과 같은 부호로 변환되었을 때 0 또는 1을 비트라고 하며 이 부호의 비트 수는 3이다. 이때 기호 집합의 엔트로피는 기호 집합에 있는 기호를 부호로 표현하는 데 필요한 평균 비트 수의 최솟값이다. 전송된 부호를 수신기에서 원래의 기호로 ⓓ복원하려면 부호들의 평균 비트 수가 기호 집합의 엔트로피보다 크거나 같아야 한다. 기호 집합을 엔트로피에 최대한 가까운 평균 비트 수를 갖는 부호들로 변환하는 것을 엔트로피 부호화라 한다. 그중 하나인 '허프만 부호화'에서는 발생 확률이 높은 기호에는 비트 수가 적은 부호를, 발생 확률이 낮은 기호에는 비트 수가 많은 부호를 할당*한다.

(중략)

채널 부호화를 거친 부호들을 채널을 통해 전송하려면 부호들을 전기 신호로 변환해야 한다. 0 또는 1에 해당하는 전기 신호의 전압을 결정하는 과정이 선 부호화이다. 전압의 ⓔ결정 방법은 선 부호화 방식에 따라 다르다. 선 부호화 중 하나인 '차동 부호화'는 부호의 비트가 0이면 전압을 유지하고 1이면 전압을 변화시킨다. 차동 부호화를 시작할 때는 기준 신호가 필요하다. 예를 들어 차동 부호화 직전의 기준 신호가 양(+)의 전압*이라면 부호 0110은 '양, 음, 양, 양'의 전압을 갖는 전기 신호로 변환된다. 수신기에서는 송신기와 동일한 기준 신호를 사용하여, 전압의 변화가 있으면 1로 판단하고 변화가 없으면 0으로 판단한다.

*평균 정보량: 각 기호의 발생 확률과 정보량을 서로 곱하여 모두 더한 것.

알아두자! 궁금한 어휘

*데이터: 컴퓨터가 처리할 수 있는 문자, 숫자, 소리, 그림 따위의 형태로 된 정보.

*할당(割當): 몫을 갈라 나눔. 또는 그 몫.

*전압(電壓): 전기장이나 도체 안에 있는 두 점 사이의 전기적인 위치 에너지 차.

1. 문맥을 고려할 때, 밑줄 친 말이 ⓐ~ⓔ의 동음이의어가 아닌 것은?

① ⓐ: 공항에서 해외로 떠나는 친구를 전송(餞送)할 계획이다.
② ⓑ: 대중의 기호(嗜好)에 맞추어 상품을 개발한다.
③ ⓒ: 나는 가난하지만 귀족이나 부호(富豪)가 부럽지 않다.
④ ⓓ: 한번 금이 간 인간관계를 복원(復原)하기는 어렵다.
⑤ ⓔ: 이 작품은 그 화가의 오랜 노력의 결정(結晶)이다.

다 다의어 동 동음이의어 더 더 알아 둘 어휘

전송 電 번개 **전** / 送 보낼 **송**	글이나 사진 따위를 전류나 전파를 이용하여 먼 곳에 보냄. 예 문자 메시지를 통해 사진을 전송하였습니다.	동 **전송(餞送):** 서운하여 잔치를 베풀고 보낸다는 뜻으로, 예를 갖추어 떠나보냄을 이르는 말.
기호 記 기록할 **기** / 號 이름 **호**	어떠한 뜻을 나타내기 위하여 쓰이는 부호, 문자, 표지 따위를 통틀어 이르는 말. 예 컴퓨터에는 알아보기 쉽게 만든 많은 기호들이 사용된다.	동 **기호(嗜好):** 즐기고 좋아함.
부호 符 부신 **부** / 號 이름 **호**	일정한 뜻을 나타내기 위하여 따로 정하여 쓰는 기호. 예 모스 부호를 사용하여 정보를 전달하였다.	동 **부호(富豪):** 재산이 넉넉하고 세력이 있는 사람.
복원 復 돌아올 **복** / 原 근원 **원**	원래대로 회복함. 예 문화재 복원을 위한 작업을 시작하였다.	
결정 決 결정할 **결** / 定 정할 **정**	행동이나 태도를 분명하게 정함. 또는 그렇게 정해진 내용. 예 내일 아침 이곳을 떠나기로 결정하였다.	동 **결정(結晶):** 애써 노력하여 보람 있는 결과를 이루는 것이나 그 결과를 비유적으로 이르는 말.

DAY 19

헷갈리는 단어, 홀로 사전 찾기로 더 확실하게 CHECK!

단어	뜻

STEP 2 정답 1. ④ '원래의 기호로 복원하려면'의 '복원'은 '원래대로 회복함.'이라는 의미이며, '인간관계를 복원하기는'의 '복원'도 이와 같은 의미로 사용되었다.

다음 글을 읽고 물음에 답하시오.

• 2018학년도 6월 모평

인터넷에 연결된 컴퓨터들이 서로를 식별*하고 통신하기 위해서 각 컴퓨터들은 IP(인터넷 프로토콜)에 따라 ㉠만들어지는 고유 IP 주소를 가져야 한다. 프로토콜은 컴퓨터들이 연결되어 서로 데이터를 주고받기 위해 사용하는 통신 규약*으로 소프트웨어나 하드웨어로 구현된다. 현재 주로 사용하는 IP 주소는 '***.126.63.1'처럼 점으로 구분된 4개의 필드에 숫자를 사용하여 ㉡나타낸다. 이 주소를 중복 지정하거나 임의로 지정해서는 안 되고 공인 IP 주소를 부여받아야 한다.

(중략)

인터넷은 공인 IP 주소를 기반으로 동작하지만 우리가 인터넷을 사용할 때는 IP 주소 대신 사용하기 쉽게 'www.***.***' 등과 같이 문자로 이루어진 도메인 네임을 이용한다. 따라서 도메인 네임을 IP 주소로 변환해 주는 DNS가 필요하며 DNS를 운영하는 장치를 네임서버라고 한다. 컴퓨터에는 네임서버의 IP 주소가 기록되어 있어야 하는데, 유동 IP 주소를 할당받는 컴퓨터에는 IP 주소를 ㉢받을 때 네임서버의 IP 주소가 자동으로 기록되지만, 고정 IP 주소를 사용하는 컴퓨터에는 사용자가 네임서버의 IP 주소를 직접 기록해 놓아야 한다. 인터넷 통신사는 가입자들이 공동으로 사용할 수 있는 네임서버를 운영하고 있다.

사용자가 어떤 사이트에 정상적으로 접속하는 과정을 살펴보자. 웹 사이트에 접속하려고 하는 컴퓨터를 클라이언트라 한다. 사용자가 방문하고자 하는 사이트의 도메인 네임을 주소창에 직접 입력*하거나 포털 사이트에서 그 사이트를 검색해 클릭하면 클라이언트는 기록되어 있는 네임서버에 도메인 네임에 해당하는 IP 주소를 물어보는 질의 패킷을 보낸다. 네임서버는 해당 IP 주소가 자신의 목록에 있으면 클라이언트에 이 IP 주소를 알려 주는 응답 패킷을 보낸다. 응답 패킷에는 어느 질의 패킷에 대한 응답인지가 적혀 있다. 만일 해당 IP 주소가 목록에 없으면 네임서버는 다른 네임서버의 IP 주소를 알려 주는 응답 패킷을 보내고, 클라이언트는 다시 그 네임서버에 질의 패킷을 보내는 단계로 돌아가 같은 과정을 반복한다. 클라이언트는 이렇게 ㉣알아낸 IP 주소로 사이트를 찾아간다. 네임서버와 클라이언트는 UDP라는 프로토콜에 ㉤맞추어 패킷을 주고받는다. UDP는 패킷의 빠른 전송 속도를 확보하기 위해 상대에게 패킷을 보내기만 할 뿐 도착 여부는 확인하지 않으며, 특정 질의 패킷에 대해 처음 도착한 응답 패킷을 신뢰하고 다음에 도착한 패킷은 확인하지 않고 버린다. DNS 스푸핑은 UDP의 이런 허점들을 이용한다.

알아두자! 궁금한 어휘

* *식별(識別): 분별하여 알아봄.
* *규약(規約): 조직체 안에서, 서로 지키도록 협의하여 정하여 놓은 규칙.
* *입력(入力): 문자나 숫자를 컴퓨터가 기억하게 하는 일.

2. 문맥상 ㉠~㉤과 바꿔 쓰기에 가장 적절한 것은?

① ㉠: 창출(創出)되는　② ㉡: 표시(標示)한다　③ ㉢: 허용(許容)할
④ ㉣: 발견(發見)한　⑤ ㉤: 비교(比較)해

창출
創 비롯할 **창** / 出 날 **출**

전에 없던 것을 처음으로 생각하여 지어내거나 만들어 냄.

예 그는 국가를 세우고 새로운 질서와 제도를 창출해 냈다.

표시
標 표 **표** / 示 보일 **시**

표를 하여 외부에 드러내 보임.

예 제품 겉 포장에 원산지 표시가 적혀 있다.

더 **징표(徵標):** 어떤 것과 다른 것을 드러내 보이는 뚜렷한 점.

허용
許 허락할 **허** / 容 얼굴 **용**

허락하여 너그럽게 받아들임.

예 이 건물에서는 흡연이 허용되지 않는다.

발견
發 필 **발** / 見 볼 **견**

미처 찾아내지 못하였거나 아직 알려지지 아니한 사물이나 현상, 사실 따위를 찾아냄.

예 새로운 유적과 유물이 발견되면서 고고학계가 크게 술렁거렸다.

비교
比 견줄 **비** / 較 견줄 **교**

둘 이상의 사물을 견주어 서로 간의 유사점, 차이점, 일반 법칙 따위를 고찰하는 일.

예 내가 가진 것과는 비교가 안 될 만큼 좋은 물건이었다.

더 **대비(對比):** 두 가지의 차이를 밝히기 위하여 서로 맞대어 비교함. 또는 그런 비교.

더 **대조(對照):** [1]둘 이상인 대상의 내용을 맞대어 같고 다름을 검토함. [2]서로 달라서 대비가 됨.

헷갈리는 단어, 홀로 사전 찾기로 더 확실하게 CHECK!

단어	뜻

STEP 2 정답 2. ② '나타내다'는 '어떤 일의 결과나 징후를 외부에 드러내다.'라는 의미이므로 '표를 하여 외부에 드러내 보이다.'라는 의미의 '표시하다'와 바꿔 쓸 수 있다.

타협 妥 온당할 **타** / 協 도울 **협**	어떤 일을 서로 양보하며 협의함. 예 전세금 문제가 아직 주인과 타협되지 않았기 때문에 이사를 갈 수 없다.
협상 協 도울 **협** / 商 장사 **상**	어떤 목적에 부합되는 결정을 하기 위하여 여럿이 서로 의논함. 예 노조는 한 달여간의 파업 끝에 회사 측과 임금 인상 문제를 협상하기로 했다.
협약 協 도울 **협** / 約 맺을 **약**	협상에 의하여 조약을 맺음. 또는 그 조약. 예 이장님은 농산물의 가격을 모든 생산자가 모여서 결정할 것을 이웃 동네 이장님과 협약하셨다.
협조 協 도울 **협** / 助 도울 **조**	힘을 보태어 도움. 예 경찰은 택시 기사의 적극적인 협조로 한 시간 만에 범인을 잡을 수 있었다.

Q1 비행기 내에서는 안전과 질서 유지를 위하여 직원의 협력 요청에 적극적으로 [ ] 해야 한다.

편견 偏 치우칠 **편** / 見 볼 **견**	공정하지 못하고 한쪽으로 치우친 생각. 예 그는 편견에 사로잡혀 눈앞에 있는 사람을 있는 그대로 보지 못했다.
편애 偏 치우칠 **편** / 愛 사랑 **애**	어느 한 사람이나 한쪽만을 치우치게 사랑함. 예 손녀에 대한 그의 유별난 편애는 손자의 불만을 샀다.
편중 偏 치우칠 **편** / 重 무거울 **중**	중심이 한쪽으로 치우침. 예 생각이 너무 한쪽으로만 편중해 있으면 올바른 판단을 할 수 없다.
편차 偏 치우칠 **편** / 差 어그러질 **차**	수치, 위치, 방향 따위가 일정한 기준에서 벗어난 정도나 크기. 예 개인마다 편차가 있겠지만 여러분들의 작업 속도는 매우 느린 편입니다.

Q2 일반적으로 특정 인종에 대한 안 좋은 [ ] 을/를 가지고 있는 사람들은 개개인이 지닌 독특한 특성을 의식적으로, 혹은 무의식적으로 무시해 버리는 경향이 있다.

혼돈 混 섞을 혼 / 沌 엉길 돈	마구 뒤섞여 있어 갈피를 잡을 수 없음. 또는 그런 상태. 예 그 나라는 극심한 정치적 혼돈에 휩싸였다.
혼동 混 섞을 혼 / 同 같을 동	구별하지 못하고 뒤섞어서 생각함. 예 안내 사항을 꼼꼼히 확인하여 고사장을 혼동하는 일이 없어야 한다.
혼선 混 섞을 혼 / 線 선 선	말이나 일 따위를 서로 다르게 파악하여 혼란이 생김. 예 의사소통이 제대로 안됐는지 정책 결정에 혼선된 부분이 생겼다.
혼용 混 섞을 혼 / 用 쓸 용	한데 섞어 쓰거나 어울려 씀. 예 그 신문에서는 한자를 한글과 혼용하고 있다.
혼잡 混 섞을 혼 / 雜 섞일 잡	여럿이 한데 뒤섞이어 어수선함. 예 극장에서 쏟아져 나온 사람들로 보도는 혼잡했다.
혼합 混 섞을 혼 / 合 합할 합	뒤섞어서 한데 합함. 예 불교는 전통 사상과 혼합되면서 그 성격이 많이 바뀌었다.

Q3 관련 부서 간에 의견이 서로 달라 업무 진행이 [　　　　] 을 빚고 있다.

흡수 吸 숨 들이쉴 흡 / 收 거둘 수	빨아서 거두어들임. 예 정보와 지식의 흡수만을 목표로 하는 독서는 한계가 있기 마련이다.
흡인 吸 숨 들이쉴 흡 / 引 끌 인	빨아들이거나 끌어당김. 예 우리 공장에서는 분진 흡인 시설을 마련할 예정이다.
흡입 吸 숨 들이쉴 흡 / 入 들 입	기체나 액체 따위를 빨아들임. 예 실린더 안으로 흡입된 공기는 피스톤의 압축으로 고온이 된다.
흡착 吸 숨 들이쉴 흡 / 着 붙을 착	어떤 물질이 달라붙음. 예 방독 마스크는 특수 여과통을 부착해 유해 가스 흡착 및 제독 능력을 발휘하는 제품이다.

Q4 공기청정기의 에어필터는 여과지면의 정전기를 이용해 떠다니던 미세 먼지가 필터에 [　　　　] 되도록 한다.

STEP 3 정답 A1 협조 A2 편견 A3 혼선 A4 흡착

DAY 19

[1~2] 다음 글을 읽고 물음에 답하시오.

• 2014학년도 수능B

[앞부분의 줄거리] 천상에서 벌을 받은 문창성은 꿈을 꾸어 인간 세상에 양창곡으로 다시 태어난다. 천상에 함께 있었던 제방옥녀, 천요성, 홍란성, 제천선녀, 도화성도 인간 세상에서 윤 소저, 황소저, 강남홍, 벽성선, 일지련으로 다시 태어나 양창곡과 결연*을 맺는다. 양창곡은 벼슬하고 공을 세워 연왕에 오른다. 그 뒤 부친 양현, 모친 허 부인, 다섯 아내, 자식들과 영화로운 삶을 살게 된다.

이날 밤에 강남홍이 취하여 취봉루에 가 의상을 풀지 아니하고 책상에 ㉠의지하여 잠이 들었더니 홀연* 정신이 황홀하고 몸이 정처 없이 떠돌아 일처에 이르매 한 명산이라. 봉우리가 높고 험준하거늘 강남홍이 가운데 봉우리에 이르니 한 보살이 눈썹이 푸르며 얼굴이 백옥 같은데 비단 가사를 걸치고 석장(錫杖)*을 짚고 있다가 웃으며 강남홍을 맞아 왈*,

"강남홍은 인간지락(人間之樂)이 어떠한가?"

강남홍이 ㉡망연히 깨닫지 못하여 왈,

"도사는 누구시며 인간지락은 무엇을 이르시는 것입니까?"

보살이 웃고 석장을 공중에 던지니 한 줄기 무지개 되어 하늘에 닿았거늘 보살이 강남홍을 ㉢인도하여 무지개를 밟아 공중에 올라가더니 앞에 큰 문이 있고 오색구름이 어리었는지라. 강남홍이 문 왈,

"이는 무슨 문입니까?"

보살 왈,

"남천문이니 그대는 문 위에 올라가 보라."

강남홍이 보살을 따라 올라 한 곳을 바라보니 일월(日月)광채 ㉣휘황한데 누각 하나가 허공에 솟았거늘 백옥 난간이며 유리 기둥이 영롱하여 눈이 부시고 누각 아래 푸른 난새와 붉은 봉황이 쌍쌍이 ㉤배회하며 몇몇 선동(仙童)과 서너 명의 시녀가 신선 차림으로 난간머리에 섰으며 누각 위를 바라보니 한 선관과 다섯 선녀가 난간에 의지하여 취하여 자는지라. 보살께 문 왈,

"이곳은 어느 곳이며 저 선관, 선녀는 어떠한 사람입니까?"

보살이 미소 지으며 왈,

"이곳은 백옥루요 제일 위에 누운 선관은 문창성(文昌星)이요 차례로 누운 선녀는 제방옥녀(諸方玉女)와 천요성(天妖星)과 홍란성(紅鸞星)과 제천선녀(諸天仙女)와 도화성(桃花星)이니, 홍란성은 즉 그대의 전신(前身)*이니라."

강남홍이 속으로 놀라 왈,

"저 다섯 선녀는 다 천상에서 입도(入道)한 선관이라. 어찌 저다지 취하여 잠을 잡니까?"

보살이 홀연 서쪽을 보며 합장하더니 시 한 구를 외워 왈,

정이 있으면 인연이 생기고
인연이 있으면 정이 생기도다.
정이 다하고 인연이 끊어지면
만 가지 생각이 함께 텅 비는구나.

강남홍이 듣고 정신이 상쾌하여 문득 깨달아 왈,

알아두자! 궁금한 어휘

*결연(結緣): 인연을 맺음. 또는 그런 관계.

*홀연(忽然): 뜻하지 아니하게 갑자기.

*석장(錫杖): 승려가 짚고 다니는 지팡이.

*왈(曰): '가로되', '가라사대'.

*전신(前身): 전생의 몸.

정답 P. 202

"나는 본디 천상의 별인데 인연을 맺어 잠깐 하계(下界)*에 내려온 것이로다."

(중략)

강남홍 왈, / "그러하면 저도 또한 천상의 별이라, 이미 여기 왔으니 다시 인간 세상에 돌아갈 마음이 없나이다."

보살이 웃으며 왈,

"하늘이 정한 인연을 인력*으로 할 바 아니다. 그대 인간 인연을 마치지 못하였으니 빨리 돌아가라. 사십 년 후에 다시 와 옥황상제께 조회하고 천상지락(天上之樂)을 누릴지어다."

강남홍이 문 왈, / "보살은 뉘십니까?"

보살이 웃으며 왈, / "빈도(貧道)는 남해 수월암 관세음보살이라. 부처의 명을 받아 그대를 지도하러 왔노라."

보살이 말을 마치고 석장을 공중에 던지니 오색 무지개 일어 나며 홀연 우렛소리 울리거늘 강남홍이 놀라 깨어 보니 몸이 취봉루 책상 앞에 누웠는지라.

강남홍은 꿈속 일이 의아하여 연왕과 윤 부인, 황 부인, 벽성선, 일지련에게 낱낱이 말하니 그들 또한 같은 꿈을 꾸었는지라. 서로 탄식하며 의아해 하더니 허 부인이 듣고 강남홍더러 왈,

"내 고향에 있을 적 늦도록 무자(無子)*하여 옥련봉 돌부처에게 기도하고 연왕을 낳았으니 그 돌부처가 곧 관세음보살이라. 그 한량없는 공덕을 갚지 못하였더니 이제 너의 꿈에 나타나 불사(佛事)를 권하는 것이 아니겠느냐? 듣자 하니 벽성선의 부친 보조국사께서 자개봉 대승사에 계신데 불법(佛法)에 정통하다 하니 청하여 옥련봉 돌부처를 위하여 일개 암자를 짓고 한편으로 대승사에 백일 동안 재(齋)*를 올려 관세음보살의 자비로운 공덕을 갚고자 하노라."

– 남영로, 「옥루몽」 –

*하계(下界): 천상계에 상대하여 사람이 사는 이 세상을 이르는 말.

*인력(人力): 사람의 힘.

*무자(無子): 대를 이을 아들이 없음.

*재(齋): 우리나라 절에서, 부처에게 드리는 공양.

1. 윗글에 대한 이해로 적절하지 <u>않은</u> 것은?

① '강남홍'은 '명산'에서 '보살'을 처음 만났다.

② '보살'은 '석장'을 이용하여 '남천문'에 당도하였다.

③ '강남홍'은 선관, 선녀들과 '남천문'에서 재회하였다.

④ '보살'은 '강남홍'이 천상의 존재였음을 알려 주었다.

⑤ '허 부인'은 '옥련봉 돌부처'에게 기도하여 '양창곡'을 낳았다.

2. 문맥상 ㉠~㉤과 바꿔 쓰기에 적절하지 <u>않은</u> 것은?

① ㉠: 기대어

② ㉡: 멍하니

③ ㉢: 이끌어

④ ㉣: 눈부신데

⑤ ㉤: 어울리며

[3~4] 다음 글을 읽고 물음에 답하시오.

• 2015학년도 수능A

우리 몸은 단백질의 합성*과 분해를 끊임없이 반복한다. 단백질 합성은 아미노산을 연결하여 긴 사슬을 만드는 과정인데, 20여 가지의 아미노산이 체내 단백질 합성에 이용된다. 단백질 합성에서 아미노산들은 DNA 염기 서열에 담긴 정보에 따라 정해진 순서대로 결합된다. 단백질 분해는 아미노산 간의 결합을 끊어 개별 아미노산으로 분리하는 과정이다. 체내 단백질 분해를 통해 오래되거나 손상된 단백질이 축적*되는 것을 막고, 우리 몸에 부족한 에너지 및 포도당을 보충할 수 있다.

단백질 분해 과정의 하나인, 프로테아솜이라는 효소 복합체에 의한 단백질 분해는 세포 내에서 이루어진다. 프로테아솜은 유비퀴틴이라는 물질이 일정량 이상 결합되어 있는 단백질을 아미노산으로 분해한다. 단백질 분해를 통해 생성된 아미노산의 약 75%는 다른 단백질을 합성하는 데 이용되며, 나머지 아미노산은 분해된다. 아미노산이 분해될 때는 아미노기가 아미노산으로부터 분리되어 암모니아로 바뀐 다음, 요소(尿素)로 합성되어 체외로 배출된다. 그리고 아미노기가 떨어지고 남은 부분은 에너지나 포도당이 부족할 때는 이들을 생성하는 데 이용되고, 그렇지 않으면 지방산으로 합성되거나 체외로 배출된다.

단백질이 지속적으로 분해됨에도 불구하고 체내 단백질의 총량이 유지되거나 증가할 수 있는 것은 세포 내에서 단백질 합성이 끊임없이 일어나기 때문이다. 단백질 합성에 필요한 아미노산은 세포 내에서 합성되거나, 음식으로 섭취한 단백질로부터 얻거나, 체내 단백질을 분해하는 과정에서 생성된다. 단백질 합성에 필요한 아미노산 중 체내에서 합성할 수 없어 필요량을 스스로 충족할 수 없는 것을 필수아미노산이라고 한다. 어떤 단백질 합성에 필요한 각 필수아미노산의 비율은 정해져 있다. 체내 단백질 분해를 통해 생성되는 필수아미노산도 다시 단백질 합성에 이용되기도 하지만, 부족한 양이 외부로부터 공급되지 않으면 전체의 체내 단백질 합성량이 줄어들게 된다. 그러므로 필수아미노산은 반드시 음식물을 통해 섭취되어야 한다. 다만 성인과 달리 성장기 어린이의 경우, 체내에서 합성할 수는 있으나 그 양이 너무 적어서 음식물로 보충해야 하는 아미노산도 필수아미노산에 포함된다.

각 식품마다 포함된 필수아미노산의 양은 다르며, 필수아미노산이 균형을 이룰수록 공급된 필수아미노산의 총량 중 단백질 합성에 이용되는 양의 비율, 즉 필수아미노산의 이용 효율이 ㉠높다. 일반적으로 육류, 계란 등 동물성 단백질은 필수아미 노산을 균형 있게 함유*하고 있어 필수아미노산의 이용 효율이 높은 반면, 쌀이나 콩류 등에 포함된 식물성 단백질은 제한아미노산을 가지며 필수아미노산의 이용 효율이 상대적으로 낮다.

제한아미노산은 단백질 합성에 필요한 각각의 필수아미노산의 양에 비해 공급된 어떤 식품에 포함된 해당 필수아미노산의 양의 비율이 가장 낮은 필수아미노산을 말한다. 가령, 가상의 P 단백질 1몰*을 합성하기 위해서는 필수아미노산 A와 B가 각각 2몰과 1몰이 필요하다고 하자. P를 2몰 합성하려고 할 때, A와 B

알아두자! 궁금한 어휘

*합성(合成): 생물이 빛이나 유기물, 무기물의 산화에 의하여 얻은 에너지를 이용하여 유기 화합물을 만듦. 또는 그런 작용.

*축적(蓄積): 지식, 경험, 자금 따위를 모아서 쌓음. 또는 모아서 쌓은 것.

*함유(含有): 물질이 어떤 성분을 포함하고 있음.

정답 P. 203

가 각각 2몰씩 공급*되었다면 A는 필요량에 비해 2몰이 부족하게 되어 P는 결국 1몰만 합성된다. 이때 A가 부족하여 합성할 수 있는 단백질의 양이 제한되기 때문에 A가 제한아미노산이 된다.

*몰: 물질의 양을 나타내는 단위.

*공급(供給): 요구나 필요에 따라 물품 따위를 제공함.

3. 윗글의 내용과 일치하지 않는 것은?

① 체내 단백질의 분해를 통해 오래되거나 손상된 단백질의 축적을 막는다.
② 유비퀴틴이 결합된 단백질을 아미노산으로 분해하는 것은 프로테아솜이다.
③ 아미노산에서 분리되어 요소로 합성되는 것은 아미노산에서 아미노기를 제외한 부분이다.
④ 세포 내에서 합성되는 단백질의 아미노산 결합 순서는 DNA 염기 서열에 담긴 정보에 따른다.
⑤ 성장기의 어린이에게 필요한 필수아미노산 중에는 체내에서 합성할 수 있는 것도 포함되어 있다.

4. ㉠의 문맥적 의미와 가장 가까운 것은?

① 가을이 되면 그 어느 때보다 하늘이 높다.
② 우리나라는 원자재의 수입 의존도가 높다.
③ 이번에 새로 지은 건물은 높이가 매우 높다.
④ 잘못을 시정하라는 주민들의 목소리가 높다.
⑤ 친구는 이 분야의 전문가로서 이름이 높다.

헷갈리는 단어, 홀로 사전 찾기로 더 확실하게 CHECK!

단어	뜻

[5~6] 다음 글을 읽고 물음에 답하시오.

• 2017학년도 9월 모평

'콘크리트'는 건축 재료로 다양하게 사용되고 있다. 일반적으로 콘크리트가 근대 기술의 ㉠산물로 알려져 있지만 콘크리트는 이미 고대 로마 시대에도 사용되었다. 로마 시대의 탁월한 건축미를 보여 주는 판테온은 콘크리트 구조물인데, 반구형의 지붕인 돔*은 오직 콘크리트로만 이루어져 있다. 로마인들은 콘크리트의 골재* 배합을 달리하면서 돔의 상부로 갈수록 두께를 점점 줄여 지붕을 가볍게 할 수 있었다. 돔 지붕이 지름 45m 남짓의 넓은 원형 내부 공간과 이어지도록 하였고, 지붕의 중앙에는 지름 9m가 넘는 ㉡원형의 천창을 내어 빛이 내부 공간을 채울 수 있도록 하였다.

콘크리트는 시멘트에 모래와 자갈 등의 골재를 섞어 물로 반죽한 혼합물이다. 콘크리트에서 결합재 역할을 하는 시멘트가 물과 만나면 ㉢점성을 띠는 상태가 되며, 시간이 지남에 따라 수화* 반응이 일어나 골재, 물, 시멘트가 결합하면서 굳어진다. 콘크리트의 수화 반응은 상온에서 일어나기 때문에 작업하기에도 좋다. 반죽 상태의 콘크리트를 거푸집*에 부어 경화시키면 다양한 형태와 크기의 구조물을 만들 수 있다. 콘크리트의 골재는 종류에 따라 강도와 밀도가 다양하므로 골재의 종류와 비율을 조절하여 콘크리트의 강도와 밀도를 다양하게 변화시킬 수 있다. 그리고 골재들 간의 접촉을 높여야 강도가 높아지기 때문에, 서로 다른 크기의 골재를 배합하는 것이 효과적이다.

콘크리트가 철근 콘크리트로 발전함에 따라 건축은 구조적으로 더욱 견고해지고, 형태 면에서는 더욱 다양하고 자유로운 표현이 가능해졌다. 일반적으로 콘크리트는 누르는 힘인 압축력에는 쉽게 부서지지 않지만 당기는 힘인 인장력에는 쉽게 부서진다. 압축력이나 인장력에 재료가 부서지지 않고 그 힘에 견딜 수 있는, 단위 면적당 최대의 힘을 각각 압축 강도와 인장 강도라 한다. 콘크리트의 압축 강도는 인장 강도보다 10배 이상 높다. 또한 압축력을 가했을 때 최대한 줄어드는 길이는 인장력을 가했을 때 최대한 늘어나는 길이보다 훨씬 길다. 그런데 철근이나 철골과 같은 철재는 인장력과 압축력에 의한 변형 정도가 콘크리트보다 작은 데다가 압축 강도와 인장 강도 모두가 콘크리트보다 높다. 특히 인장 강도는 월등히 더 높다. 따라서 보강재로 철근을 콘크리트에 넣어 대부분의 인장력을 철근이 받도록 하면 인장력에 취약*한 콘크리트의 단점이 크게 보완된다. 다만 철근은 무겁고 비싸기 때문에, 대개는 인장력을 많이 받는 부분을 정확히 계산하여 그 지점을 ㉣위주로 철근을 보강한다. 또한 가해진 힘의 방향에 수직인 방향으로 재료가 변형되는 점도 고려해야 하는데, 이때 필요한 것이 포아송 비이다. 철재는 콘크리트보다 포아송 비가 크며, 대체로 철재의 포아송 비는 0.3, 콘크리트는 0.15 정도이다.

강도가 높고 지지력*이 좋아진 철근 콘크리트를 건축 재료로 사용하면서, 대형 공간을 축조하고 기둥의 간격도 넓힐 수 있게 되었다. 20세기에 들어서면서부터 근대 건축에서 철근 콘크리트는 예술적 ㉤영감을 줄 수 있는 재료로 인식되기 시작 하였다. 기술이 예술의 가장 중요한 근원이라는 신념을 가졌던 르 코르뷔지에는 철근 콘크리트 구조의 장점을 사보아 주택에서 완벽히 구현하였다. 사

알아두자! 궁금한 어휘

* 돔: 반구형으로 된 지붕.
* 골재(骨材): 콘크리트나 모르타르를 만드는 데 쓰는 모래나 자갈 따위의 재료.
* 수화(水和): 수용액 속에서 용해된 용질 분자나 이온을 용매인 물 분자가 둘러싸고 상호작용하면서 마치 하나의 분자처럼 행동하게 되는 현상.
* 거푸집: 만들려는 물건의 모양대로 속이 비어 있어 거기에 쇠붙이를 녹여 붓도록 되어 있는 틀.
* 취약(脆弱): 무르고 약함.
* 지지력(支持力): 버티거나 버티게 하여 주는 힘.

정답 P. 203

보아 주택은, 벽이 건물의 무게를 지탱하는 구조로 설계된 건축물과는 달리 기둥만으로 건물 본체의 하중*을 지탱하도록 설계되어 건물이 공중에 떠 있는 듯한 느낌을 준다. 2층 거실을 둘러싼 벽에는 수평으로 긴 창이 나 있고, 건축가가 '건축적 산책로'라고 이름 붙인 경사로는 지상의 출입구에서 2층의 주거 공간으로 이어지다가 다시 테라스로 나와 지붕까지 연결된다. 목욕실 지붕에 설치된 작은 천창을 통해 하늘을 바라보면 이 주택이 자신을 중심으로 펼쳐진 또 다른 소우주임을 느낄 수 있다. 평평하고 넓은 지붕에는 정원이 조성되어, 여기서 산책하다 보면 대지를 바다 삼아 항해하는 기선의 갑판에 서 있는 듯하다.

철근 콘크리트는 근대 이후 가장 중요한 건축 재료로 널리 사용되어 왔지만 철근 콘크리트의 인장 강도를 높이려는 연구가 계속되어 프리스트레스트 콘크리트가 등장하였다. 프리스트레스트 콘크리트는 다음과 같이 제작된다. 먼저, 거푸집에 철근을 넣고 철근을 당긴 상태에서 콘크리트 반죽을 붓는다. 콘크리트가 굳은 뒤에 당기는 힘을 제거하면, 철근이 줄어들면서 콘크리트에 압축력이 작용하여 외부의 인장력에 대한 저항성이 높아진 프리스트레스트 콘크리트가 만들어진다. 킴벨 미술관은 개방감을 주기 위하여 기둥 사이를 30m 이상 벌리고 내부의 전시 공간을 하나의 층으로 만들었다. 이 간격은 프리스트레스트 콘크리트 구조를 활용하였기에 구현할 수 있었고, 일반적인 철근 콘크리트로는 구현하기 어려웠다. 이 구조로 이루어진 긴 지붕의 틈새로 들어오는 빛이 넓은 실내를 환하게 채우며 철근 콘크리트로 이루어진 내부를 대리석처럼 빛나게 한다.

*하중(荷重): 어떤 물체 따위의 무게.

DAY 20

5. 윗글의 내용에 대한 이해로 적절하지 않은 것은?

① 판테온의 돔에서 상대적으로 더 얇은 부분은 상부 쪽이다.
② 사보아 주택의 지붕은 여유를 즐길 수 있는 공간으로도 활용 되었다.
③ 킴벨 미술관은 철근 콘크리트의 인장 강도를 높이는 방법을 이용하여 넓고 개방된 내부 공간을 확보하였다.
④ 판테온과 사보아 주택은 모두 천창을 두어 빛이 위에서 들어올 수 있도록 하였다.
⑤ 사보아 주택과 킴벨 미술관은 모두 층을 구분하지 않도록 구성하여 개방감을 확보하였다.

6. ㉠~㉤을 사용하여 만든 문장으로 적절하지 않은 것은?

① ㉠: 행복은 성실하고 꾸준한 노력의 산물이다.
② ㉡: 이 건축물은 후대 미술관의 원형이 되었다.
③ ㉢: 이 물질은 점성 때문에 끈적끈적한 느낌을 준다.
④ ㉣: 그녀는 채소 위주의 식단을 유지하고 있다.
⑤ ㉤: 그의 발명품은 형의 조언에서 영감을 얻은 것이다.

수능 국어

1등급을 위한

문학 · 독서 어휘력

집중 학습 프로그램

정답과
해설

DAY 01

문제 P. 11

A1. ⓧ

2014학년도 사관학교B

윗글에서는 라이프니츠가 '일상 언어로 두 명제의 진릿값을 검토하는 것도 꽤 복잡한데, 여러 명제들이 결합된 것의 진릿값을 판단하는 것은 더더욱 어려운 일'이라고 생각하였기에, 수학적 표현을 연역 논증에 적용하려 하였음을 설명하고 있다. 즉 윗글을 통해서는 라이프니츠가 수학적 표현을 연역 논증에 사용한 이유만을 알 수 있을 뿐, 라이프니츠가 전제가 많을수록 결론이 참이 될 가능성이 높아진다고 생각했는지에 대해서는 알 수 없다.

A2. ⓞ

2016학년도 수능A

윗글에서 "귀납이 정당한 추론이다."라는 주장의 정당화는 "자연은 일양적이다."라는 다른 지식을 전제로 하는데 그 지식은 다시 귀납에 의해 정당화되어야 한다고 하였다. 즉 흄은 귀납의 정당화("귀납이 정당한 추론이다."라는 주장의 정당화)가 귀납에 의한 정당화를 필요로 하는 지식("자연은 일양적이다."라는 지식)에 근거해야 가능하다고 본 것이다.

DAY 02

문제 P. 21

A1. ⓞ

2017학년도 3월 학평

윗글에서 '분위기 이론'은 사람들이 삼단 논법의 두 전제 중 '하나라도 부정문이면 부정 결론을 받아들이는 경향이 있'으며 '하나라도 특칭이면 특칭 결론을 선호'한다고 본다고 하였다. 〈보기〉의 ㉮에서는 '어떤'이라는 특칭과 '아니다'라는 부정이 사용되었는데, ㉰에서도 동일하게 특칭과 부정이 사용되고 있다. 따라서 '분위기 이론'에서는 사람들이 이렇듯 ㉮에 사용된 '특칭'과 '부정'의 영향을 받아 ㉰가 '반드시 도출된다'라고 답하는 경향이 있을 것이라고 설명할 것이다.

A2. ⓧ

2019학년도 수능

윗글에서 'P와 ~P가 모두 참인 것은 가능하지 않다는 법칙을 무모순율이라고 한다.'라고 하였다. 따라서 무모순율에 따랐을 때, P와 ~P가 모두 참인 것은 불가능하다.

DAY 03

문제 P. 31

A1. ⓞ

2007학년도 6월 모평

윗글에서 철수는 '혐의자가 자신의 형임을 알고 놓아주었'기 때문에 '그의 행동은 형에 대한 개인적 선호를 표현한 것'이라고 하였다. 여기에는 체포한 사람이 형이 아니라 모르는 사람이었다면 놓아주지 않았을 것이라는 전제가 생략되어 있다. 즉, 혐의자가 모르는 사람이었다면 놓아주지 않았을 것인데, 자신의 형임을 알고 놓아주었으므로 그의 행동은 형에 대한 개인적 선호를 표현한 것이 된다.

A2. ⓧ

2011학년도 9월 모평

윗글에서 전통적 공리주의는 '가장 선한 행동은 최대 다수의 최대 행복을 산출하는 것'으로 본다고 하였다. 따라서 전통적 공리주의의 관점에서 '갑'의 행동을 선하다고 평가할 수 있다면, 그 이유는 갑이 다친 사람을 도움으로써 개인(자신)이 아닌 전체의 행복의 양을 증가시키는 쪽으로 행동했기 때문이라고 볼 수 있다.

DAY 04

문제 P. 41

A1. ⓞ

2016학년도 6월 모평B

윗글에 따르면 마음이 '불 꺼진 재와 같'다는 것은 곧 '나 자신을 잊'는 것과 같고, 동시에 '불꽃처럼 마음속에 치솟던 분별 작용이 사라'져 '텅 빈 마음', 혹은 '정적의 상태'가 되었음을 의미한다. 윗글에서는 '이런 고요한 마음을 유지해야 천지만물을 있는 그대로 받아들일 수 있'으며, 이렇듯 '편협한 자아'를 잊음으로써 '세계와 자유롭게 소통하는 합일의 경지에 도달'할 수 있다고 본다.

A2. ⓧ

2010학년도 수능

윗글에서 조선의 성리학자들은 '만물의 이치가 마음에 본래 갖추어져 있다고 여기고 도덕적 수양을 통해 그 이치를 찾고자' 하였다고 했다. 즉 성리학자들은 만물의 이치를 외부 세계로부터 오는 대상이 아닌, 이미 마음에 내재되어 있어 도덕적 수양을 통해 찾을 수 있는 대상으로 보았던 것이다.

DAY 05

문제 P. 48

정답	1. ⑤	2. ③	3. ②	4. ③	5. ④	6. ⑤

1. ⑤

2020학년도 9월 모평

'지욱'이 '양심'을 이유로 '피문오'의 자서전을 쓸 수 없게 되었다고 한 것에 대해, '피문오'는 '어째서 내 일을 하지 않게 되었느냐.~그 이율 좀 더 솔직하게 말해 달라 이거야.'라고 하며 납득할 수 없음을 드러내고 있다. 즉 ⓜ 이후 이어진 '자서전 대필'에 대한 '피문오'의 조롱을 고려할 때 ⓜ은 '피문오'가 '지욱'의 자서전 대필 거부를 납득할 수 없는 이유를 똑똑하게 말해주겠다는 것이지 '지욱'에게 자신에 대한 의구심을 풀라고 독촉하는 것은 아니다.

오답 풀이

① '피문오'는 자서전을 대필할 수 없다고 한 '지욱'에게 분노를 드러내며 행패를 부리고 있다. ㉠은 자서전 대필을 거부한 것이 '피문오'의 탓이 아니라 자신의 '양심' 때문이라는 '지욱'의 말을 '말재간'이라고 하며 무시하는 '피문오'의 경멸을 담고 있는 것이다.

② ㉡에서 '피문오'는 '지욱'이 자신을 '말귀도 못 알아들을 바보 멍청이'로 취급한다고 말하고 있다. 이는 '지욱'에게 무시당하고 있다고 여기는 '피문오'의 성난 감정을 담고 있는 말이다.

③ 성을 내며 자신을 윽박지르고 있는 '피문오'를 향해 '지욱'은 '기가 콱 질리고' 만 상태이다. 따라서 ㉢은 '피문오'에게 제대로 된 항변도 못하고 '목이 말라 소리가 되어 나오질 않'는 주눅 든 '지욱'의 모습을 보여 준다고 할 수 있다.

④ '지욱'이 '피문오'에게 당하고 있는 '굴욕'적인 상황을 '참아서 넘겨야 한다'며 침묵하는 것에 대해, ㉣에서 '피문오'는 '지욱'의 제대로 된 해명을 재차 요구하며 닦달하고 있다.

2. ③

2020학년도 9월 모평

'결함(缺陷)'의 사전적 의미는 '부족하거나 완전하지 못하여 흠이 되는 부분.'이다. '조심하지 아니하여 잘못함.'은 '실수(失手)'의 사전적 의미이다.

3. ②

2019학년도 9월 모평

4문단에서 '서로 다른 시 · 공간의 연결, 카메라가 움직일 때마다 변화하는 시점, 느린 화면과 교차 등 영화의 형식 원리'가 ㉮(정신적 충격)를 발생시킨다고 하였을 뿐, 영화가 다루고 있는 독특한 주제에 대해서 언급하지는 않았다.

오답 풀이

① 4문단의 '영화는 일종의 충격 체험을 통해 근대 도시인에게 새로운 감성과 감각을 불러일으키는 매체이기도 하다.'를 통해 알 수 있다.

③, ⑤ 4문단에서 영화는 ㉮를 발생시키며, '감각적 지각의 정상적 범위를 넘어선 체험을 가져다'준다고 하였다. 이는 3문단에서 언급된, '근대 도시 곳곳에 등장'하는 '환상을 자아내는 다양한 구경거리'에서 유발된 '충격'과 유사하다.

④ 4문단에서 '서로 다른 시 · 공간의 연결, 카메라가 움직일 때마다 변화하는 시점, 느린 화면과 빠른 화면의 교차 등 영화의 형식 원리'는 관객에게 ㉮를 발생시킨다고 하였다.

4. ③

2019학년도 9월 모평

'떠올리다'는 '기억을 되살리거나 잘 구상되지 않던 생각이 나게 하다.'라는 의미이므로 '하나의 관념이 다른 관념을 불러일으키다.'라는 의미인 '연상하다'와 바꿔 쓸 수 있다.

오답 풀이

① '아우르다'는 '여럿을 모아 한 덩어리나 한 판이 되게 하다.'의 의미를 가지고 있다. 이는 '수술을 하려고 절단한 자리나 외상으로 갈라진 자리를 꿰매어 붙이다.'의 의미를 가진 '봉합하다'와 바꿔 쓰기에 적절하지 않다.

② '가져다주다'는 '어떤 상태나 결과를 낳게 하다.'의 의미를 가지고 있다. 이는 '어떤 사물이나 사람에 대하여 책임을 지고 틀림이 없음을 증명하다.'의 의미를 가진 '보증하다'와 바꿔 쓰기에 적절하지 않다.

④ '빗대다'는 '곧바로 말하지 아니하고 빙 둘러서 말하다.'의 의미를 가지고 있다. 이는 '다른 것에 마음을 기대어 도움을 받다.'의 의미를 가진 '의지하다'와 바꿔 쓰기에 적절하지 않다.

⑤ '바로잡다'는 '그릇된 일을 바르게 만들거나 잘못된 것을 올바르게 고치다.'의 의미를 가지고 있다. 이는 '조직 따위를 고쳐 편성하다.'의 의미를 가진 '개편하다'와 바꿔 쓰기에 적절하지 않다.

5. ④

2016학년도 9월 모평B

4문단에서 '시간이 관리의 대상으로 부각되면서 시간-동작 연구를 통해 가장 효율적인 작업 동선을 모색했던 테일러의 과학적 관리론은 20세기 초부터 생산 활동을 합리적으로 조직하는 중요한 원리로 자리 잡'았다고 하였으며, 이를 통해 '노동과 근육에 의한 노동이 분리되어 인간의 육체노동이 기계화되는 결과가 초래'되었다고 하였다.

오답 풀이

① 2문단에 따르면 아리스토텔레스는 '진리, 즐거움, 고귀함을 추구하는 사색적 삶의 영역이 생계를 위한 활동적 삶(생존을 위한 생산 활동)의 영역보다 상위'에 있다고 보았다.
② 3문단에 따르면 '근대에 접어들어 과학 혁명과 청교도 윤리의 등장으로 활동적 삶과 사색적 삶에 대한 인식'이 달라진 과학 혁명의 시대에는 '활동적 삶과 사색적 삶이 대등한 위상을 갖게' 되었을 뿐, 어느 한 쪽이 상위에 있지는 않았다.
③ 3문단에 따르면 청교도 윤리는 '직업을 신의 소명으로 이해하고, 근면과 검약에 의한 개인의 성공을 구원의 징표'로 보며 '생산 활동과 부의 축적에 대한 부정적 인식을 불식(말끔히 떨어 없앰)하는 계기'가 되었다.
⑤ 4문단에 따르면 '공학, 경영학 등의 실용 학문'은 기술을 과학에 이용하기 위함이 아니라, '과학을 기술 개발에 활용하기 위'해서 출현하였다.

6. ⑤

2016학년도 9월 모평B

'포섭'의 사전적 의미는 '상대편을 자기편으로 감싸 끌어들임.'이다. '어떤 대상을 너그럽게 감싸 주거나 받아들임.'은 '포용'의 사전적 의미에 해당한다.

DAY 06

문제 P. 57

A1. ⓧ

2014학년도 사관학교B

윗글에서 'GDP는 무역 손실에 따른 실질 소득의 감소를 제대로 반영하지 못하기 때문에 GNI가 필요'하다고 하였다. 즉, 무역 손익에 따른 실질 소득의 증감을 정확히 재기 위해 GDP가 있음에도 불구하고 GNI를 따로 만들어 쓰는 것이다.

A2. ⓞ

2014학년도 사관학교B

윗글에서 '실질 GDP'는 '어느 해를 기준 시점으로 정해 놓고, 산출하고자 하는 해의 가격을 기준 시점의 물가 수준으로 환산해 GDP를 산출'한 것이라고 하였다. 문제에서는 물가 수준이 100이었던 2017년을 기준 연도로 삼는다고 하였으며, '기준 연도의 실질 GDP는 명목 GDP와 동일한 것으로 간주'한다고 하였다. 이때 2018년의 물가 수준은 200으로, 기준 연도인 2017년에 비해 두 배 늘어났음을 알 수 있다. 또한 2018년의 명목 GDP 역시 2017년의 명목 GDP에 비해 두 배 늘어났지만, 물가 수준의 변동을 고려하였을 때 결국 2018년과 2017년의 실질 GDP는 동일하다. 따라서 2018년의 실질 GDP는 2017년의 실질 GDP와 같은 7,000원임을 알 수 있다.

DAY 07

문제 P. 67

A1. ⓞ

2017학년도 경찰대

대법원은 '출근 시 일반 근로자 사망 사건'에 대해 이를 '산업 재해로 인정할 수 없다는 판결'을 내렸다. 이때 그러한 판단의 근거로는 '우리 헌법 제34조 제1항이 보장하는 '인간다운 생활을 할 권리'는 최소한의 물질적 생존 보장을 요구할 권리일 뿐 그 이상의 구체적 권리를 직접 도출할 수 있는 성질의 것은 아니'라는 견해를 참조하였다고 했으므로 적절하다.

A2. ⓞ

2019학년도 6월 모평

사법은 '계약 자유의 원칙'이 적용되기에 계약의 구체적인 내용을 당사자가 정할 수 있다. 따라서 [A]의 경우 계약서에 '세입자가 방충망을 수선한다'는 내용이 있다면 이는 법률 규정보다 우선적으로 적용되어 세입자가 수선 의무를 질 것이며, 이로 인한 법적 불이익은 없을 것이라고 추론할 수 있다.

DAY 08

문제 P. 77

A1. ⓞ

2019학년도 수능

거래 상대방이 채무를 이행하지 않는 경우 '사적으로 물리력을 행사'하여 채권을 실현하는 것은 금지되나, '법원에 강제 집행을 신청'하면 국가의 물리력으로 채권이 실현되도록 할 수 있다.

A2. ⓧ

2020학년도 9월 모평

직접점유자는 피아노를 물리적으로 지배하는 점유 상태에 있는 인물이며, 간접점유자도 피아노의 반환을 청구할 '권리'를 행사할 수 있는 사실상의 지배자라고 볼 수 있다. 즉 간접점유자는 피아노를 물리적으로 지배하지 않더라도 피아노의 사용 · 수익 · 처분에 대한 실질적인 권리를 보유한 상태에 있는 인물이므로, 소유자에 해당된다고 볼 수 있다.

DAY 09

문제 P. 87

A1. ⓞ

2015학년도 사관학교B

윗글에서 '낭만주의'는 '예술을 진리와의 연관 속에서 바라'본다고 하였으며, '과학보다 예술이 한 단계 높은 진리를 파악하고 있'다고 보았다. 또 '예술이 그 독특한 힘으로~심오하고 본질적인 진리나 실재를 우리에게 드러내 준다고 생각'하였으므로 적절한 내용임을 알 수 있다.

A2. ⓧ

2014학년도 사관학교A

윗글에서 표현주의는 '눈에 보이지 않는 내면의 감정 표현을 중요하게 생각'했다고 하였다. 표현주의에서 대상의 형태를 왜곡하거나 과장된 색채를 사용하는 것은 '당시의 내면 상태를 강렬하게 표현'하거나 작품에 '즉흥적인 느낌'을 주기 위한 것일 뿐, 대상이 지닌 조형적 아름다움을 드러내기 위한 것과는 관련이 없다.

DAY 10

문제 P. 94

정답	1. ③	2. ⑤	3. ④	4. ②	5. ③	6. ⑤

1. ③

2020학년도 6월 모평

윗글에서 노옹은 조웅에게 서찰을 전하기 위해 '진시에 도착하려고 했'지만, '피곤한 나귀 탓으로 시간을 넘겨 버'려 조웅을 만나지 못할까 염려하였다. 그런데 조웅을 만나게 되어 '크게 기뻐하'고 있다.

오답 풀이

① 윗글에서 송 문제는 '불측한 서번이 조웅을 잡으려고' 간계를 꾸민 것을 알아채고 '도사를 찾아가' 조웅을 구할 것을 부탁하느라 사람들과의 약속에 늦었다고 하였다. 송 문제가 서번 적의 간계에 빠져서 약속에 늦은 것은 아니다.

② 윗글에서 원수(조웅)는 태자를 구해 위국으로 가던 중, 연주에 도달하여 '사관에서 쉬'었다가 함곡으로 향한다. 즉 윗글에서 원수는 위국으로 가기 위해 연주를 거쳐 함곡으로 향하는 것이지 함곡에서 연주로 가는 것이 아니다

④ 윗글에서 위홍창은 원수의 명에 따라 '급히 함곡에 들어가서' 선봉에게 후퇴할 것을 전하고 있는 것이지, 송나라를 구하고자 선봉을 이끌고 함곡에 들어간 것은 아니다.

⑤ 윗글에서 황금관을 쓴 노인은 '윗자리에 높이 앉'아 그 아래 '열좌'한 무수한 사람들의 공적을 듣고 있을 뿐, 자신이 직접 뜰로 내려와 사람들을 맞이하지는 않는다.

2. ⑤

2020학년도 6월 모평

ⓔ의 사전적 의미는 '먼 길을 떠날 때 웃어른께 작별을 고하는 것.'이다. ⑤에서 하직(下直)의 사전적 의미는 '무슨 일이 마지막이거나 무슨 일을 그만둠을 이르는 말.'이다.

오답 풀이

① '관옥'은 '남자의 아름다운 얼굴을 비유적으로 이르는 말.'의 의미를 가지고 있다.

② '소회'는 '마음에 품고 있는 생각이나 정.'의 의미를 가지고 있다.

③ '좌중'은 '여러 사람이 모인 자리. 또는 모여 앉은 여러 사람.'의 의미를 가지고 있다.

④ '간계'는 '간사한 꾀.'의 의미를 가지고 있다.

3. ④

2020학년도 6월 모평

3문단에서 글로벌 금융 위기 이후 '중앙은행의 저금리 정책'은 오히려 '금융 불안을 야기하여 경제 안정이 훼손될 수 있다는 데 공감대가 형성'되었다고 하였다.

오답 풀이

① 2문단에 따르면 글로벌 금융 위기 이전의 전통적인 경제학에서는 금융이 장기적으로 경제 성장에 영향을 미치지 못한다고 보았지만, 단기적으로는 영향을 미칠 수 있다고 인식했다.
② 2문단에 따르면 글로벌 금융 위기 이전의 전통적인 경제학에서는 '금융감독 정책이 개별 금융 회사의 건전성 확보를 통해 금융 안정을 달성하고자 하는 미시 건전성 정책에 집중'해야 한다고 하였다.
③ 3문단에 따르면 글로벌 금융 위기 이전의 전통적인 경제학에서는 경기 부양을 위해 활용되는 것은 통화 정책뿐이며, 금융감독 정책은 금융 안정을 위해 활용되는 것이라고 보아 두 정책의 활용 목적을 구분하였다.
⑤ 3문단에 따르면 글로벌 금융 위기 이후 중앙은행의 저금리 정책에 따라 자산 가격이 폭등하는 '자산 가격 버블' 현상이 나타날 시 경제 안정이 훼손될 수 있다는 데 공감대가 형성되었다는 것은 경기 변동으로 인해 시행한 통화 정책의 결과로 발생한 자산 가격 변동이 다시 경기 변동을 유발할 수 있다고 보았다는 의미이다.

4. ②

2020학년도 6월 모평

ⓐ와 '증거로 들고 있다'의 '들다'는 모두 '설명하거나 증명하기 위하여 사실을 가져다 대다.'라는 의미로 쓰였다.

오답 풀이

① '의식이 회복되거나 어떤 생각이나 느낌이 일다.'의 의미를 가진 '들다'이다.
③ '어떤 처지에 놓이다.'의 의미를 가진 '들다'이다.
④ '어떠한 시기가 되다.'의 의미를 가진 '들다'이다.
⑤ '적금이나 보험 따위의 거래를 시작하다.'의 의미를 가진 '들다'이다.

5. ③

2016학년도 9월 모평A

2문단에서 비용 절감을 통해 생산적 효율을 달성한 독점 기업의 성과가 꼭 '소비자의 이익으로 이어지지는 않는'다고 하였다. 또한 1문단에 따르면 경쟁 정책은 기업의 성과가 아닌 '소비자의 권익'을 위한 정책이므로, 독점 기업에 대한 감시와 규제는 지속적으로 시행되어야 한다.

오답 풀이

① 3문단에서 '시장이 독점 상태'일 때 '독점 기업은 생산을 충분히 하지 않은 채 가격을 올'려 '배분적 비효율을 발생시킬 수 있다'고 하였다. 따라서 독점을 규제하면 배분적 효율에 기여할 수 있다.
② 4문단에서 경쟁적인 시장에서는 '퇴출된 기업의 제품'을 사용하던 일부 소비자에게 '사후 관리' 등과 관련된 불이익이 발생할 수 있다고 하였다.
④ 5문단에서 '소비자 안전 기준의 마련'은 소비자 보호와 직접 관련 있는 사안이기 때문에 소비자 권익에 도움이 된다고 하였다.
⑤ 5문단에서 '소비자의 지위'가 '기업과 대등'하지 않아 발생하는 문제를 해결하기 위해 소비자와 기업의 지위를 대등하게 만드는 소비자 정책이 요구되었다.

6. ⑤

2016학년도 9월 모평A

'유지하다'는 '어떤 상태나 상황을 그대로 보존하거나 변함없이 계속하여 지탱하다.'라는 의미이므로 '질서나 체계, 규율 따위를 올바르게 하거나 짜이게 하다.'라는 의미의 '세우다'로 바꿔 쓰기에 적절하지 않다.

오답 풀이

① ⓐ는 '도움이 되도록 이바지하다.'라는 의미이므로 '도움이 되게 하다.'라는 의미의 '이바지하다'와 바꿔 쓸 수 있다.
② ⓑ는 '가격 따위를 낮추다.'라는 의미이므로 '값이나 수치, 온도, 성적 따위가 이전보다 떨어지거나 낮아지다.'라는 의미의 '내리다'와 바꿔 쓸 수 있다.
③ ⓒ는 '기운이나 세력 따위를 점점 더 늘려 가고 나아가게 하다.'라는 의미이므로 '힘이나 기운, 세력 따위가 이전보다 큰 상태가 되게 하다.'라는 의미의 '늘리다'와 바꿔 쓸 수 있다.
④ ⓓ는 '물러나서 나가게 되다.'라는 의미이므로 '어떤 자리에서 물리거나 쫓겨나다.'라는 의미의 '밀려나다'와 바꿔 쓸 수 있다.

DAY 11

문제 P. 103

A1. ⓞ 2016학년도 사관학교B

윗글에서 '빛의 속도보다 느린 물체의 세계선은 공간 축에 대해 45도보다 기울기가 커서 시간 축에 가까운 선'이며, 이는 '시간 방향 곡선'이라 부른다고 하였다. 이때 '실제 세계에서 빛의 속도보다 빠른 물체는 없는 것으로 알려져 있'다고 하였으므로, 2차원 시공간 그림에서 실제 세계에서 움직이는 물체의 세계선은 곧 '시간 방향 곡선'임을 알 수 있다.

A2. ⓞ 2016학년도 6월 모평B

곡선 B는 실제 관측 결과 중심부 밖에서 별의 공전 속력은 중심으로부터의 거리와 무관하게 거의 일정함을 보여 준다. 이는 중심 쪽으로 '별을 당기는 물질(암흑 물질)'이 중력을 보충해 주기 때문이다. 즉 중심부 밖에서는 별의 공전 속력에 영향을 미치는 중력의 영향이 곡선 A에서보다 B에서 더 크기 때문에 속력이 줄어들지 않고 거의 일정한 것이다.

DAY 12

문제 P. 113

A1. ⓧ 2014학년도 사관학교B

윗글에서 '우주 공간에 있는 인공위성'의 경우, '약 8km/s로 움직이게 하면 추락하지 않고 계속 돌 수 있'다고 하였다. '11km/s'는 로켓이 '지구 중력을 이겨내고 우주까지 나아'가기 위한 지표면에서의 '지구 탈출 속도'이다.

A2. ⓞ 2015학년도 사관학교B

윗글에서 '오른쪽에 있는 쇠구슬의 무게로 인해 회전축에 걸린 힘이 모두 원반의 왼쪽에 있는 쇠구슬을 들어 올리는 데 사용'된다고 하였으므로, 회전축을 중심으로 원반의 오른쪽에 걸린 힘과 왼쪽에 걸린 힘이 서로 상쇄됨을 알 수 있다.

DAY 13

문제 P. 123

A1. ⓞ 2019학년도 경찰대

윗글에서 '빙하의 무게로 발생하는 압력이 높아지면 빙하의 표면과 지면 사이에 충돌이 격화되고 그 결과 빙하가 이동하게 된다.'라고 하였다. 따라서 빙하의 무게가 커져 압력이 증가한다면 빙하가 이동할 확률이 더 높아질 것임을 알 수 있다.

A2. ⓞ 2010학년도 사관학교 〈보기〉

윗글에서 '고압 수은등'은 '수은의 압력을 충분히 높'게 했을 때 '높은 밀도로 인해 한 원자가 내놓는 자외선을 옆의 원자가 다시 흡수하는 현상이 반복되어 나타나'는 현상과 관련있다고 하였다. 따라서 '고압 수은등'에서는 수은 원자가 자외선을 흡수하는 빈도가 높음을 알 수 있다.

DAY 14

문제 P. 133

A1. ⓞ 2011학년도 10월 학평

윗글에서 '대폭발 초기 3분 동안 광자, 전자, 양성자(수소 원자핵) 및 헬륨 원자핵이 만들어졌'다고 하였으며, 대폭발 이후 우주가 팽창하고 우주의 온도가 3,000K 아래로 내려가면서 '자유 전자가 양성자 및 헬륨 원자핵에 붙들려 결합되면서 수소 원자와 헬륨 원자가 만들어졌'다고 하였다. 즉 우주 대폭발 이후 우주에서 가장 먼저 만들어진 원자는 수소 원자와 헬륨 원자임을 알 수 있다.

A2. ⓞ 2015학년도 9월 모평A

윗글에서 '인간도 다른 동물과 마찬가지로 취기재의 분자 하나에도 민감하게 반응하는 후각 수용기를 갖고 있'다고 한 것을 통해 알 수 있다.

DAY 15

문제 P. 140

정답	1. ③	2. ④	3. ⑤	4. ④	5. ②	6. ③

1. ③

2020학년도 수능

유세기가 집에서 쫓겨난 일에 대해 백공은 '선생 형제는 도학 군자라 예가 아닌 것을 문책'한 것이라 말하는데, 이때 선생 형제는 '선생'과 '승상'을 가리킨다. 이후 선생 형제를 찾아간 백공이 선생과 승상이 자신의 거짓말을 '과도히 곧이듣고 아드님을 엄히 꾸짖'은 것이라 말하는 것에서, '이같이 좋지 않은 일'은 백공의 거짓말로 인해 선생과 승상이 세기를 오해하여 세기가 집에서 내쫓긴 일을 의미한다는 것을 알 수 있다. 선생과 승상은 유세기의 혼사 문제와 관련해 가법에 따라 '재취를 허락'하지 않고 세기를 '엄히 꾸짓'는 등 의견이 일치하는 모습을 보이고 있을 뿐, 의견 대립이 심화되고 있지는 않다.

오답 풀이

① 선생 형제를 찾아간 백공이 '제가 더욱 흠모하여 염치를 잊고 거짓말로 일을 꾸며 구혼하면서 '정약'이라는 글자들을 더했으니 이는 진실로 저의 희롱함이외다.'라고 한 것을 통해, '이같이 좋지 않은 일'은 백공의 거짓말 때문에 일어난 일임을 알 수 있다.

② [앞부분의 줄거리]에 따르면 '선생'은 '아들 유세기가 부모의 허락 없이 백공과 혼사를 결정'했다고 여겨 유세기를 집에서 내쫓는다. 백공이 이를 가리켜 '이같이 좋지 않은 일'이라고 한 것이므로, 이는 곧 백공이 한림을 곤경에 처하게 한 일을 말하는 것으로 볼 수 있다.

④ 선생 형제가 자신의 거짓말을 '과도히 곧이듣고 아드님을 엄히 꾸짖'었다는 백공의 말과 '선생은 유세기를 집에서 내쫓는다.'라는 [앞부분의 줄거리] 내용을 통해, '이같이 좋지 않은 일'은 한림이 선생과 승상으로부터 꾸지람을 당한 일을 말하는 것임을 알 수 있다.

⑤ '아드님의 특출함을 아껴 제 딸의 배필로 삼고자 하여,'라는 백공의 말을 통해, '이같이 좋지 않은 일'은 백공이 한림을 자신의 딸과 혼인시키려다 일어난 일임을 알 수 있다.

2. ④

2020학년도 수능

'통탄(痛歎)'의 사전적 의미는 '몹시 탄식함. 또는 그런 탄식.'이다. '안심이 되지 않아 속을 태움.'은 '걱정'의 사전적 의미이다.

3. ⑤

2017학년도 9월 모평

4문단에서 '톰슨은 칼로릭 이론에 입각한 카르노의 열기관에 대한 설명이 줄의 에너지 보존 법칙에 위배된다고 지적'하였고, 이로 인해 '열의 실체가 칼로릭이라는 생각은 더 이상 유지될 수 없게 되었'다고 하였다. 그러나 클라우지우스가 '카르노의 이론이 유지되지 않는다면 열은 저온에서 고온으로 흐르는 현상이 생길 수도 있'다고 가정하며 '열기관의 열효율은 열기관이 고온에서 열을 흡수하고 저온에 방출할 때의 두 작동 온도에만 관계된다는 카르노의 이론'을 증명해내면서 카르노의 이론은 유지될 수 있었다.

오답 풀이

① 2문단에 따르면 열기관은 '높은 온도의 열원에서 열을 흡수하고 낮은 온도의 대기와 같은 열기관 외부에 열을 방출하며 일을 하는 기관'으로, 열을 일로 변환하는 기관이다.

② 2문단에 따르면 '수력 기관에서 물이 높은 곳에서 낮은 곳으로 흐르면서 일을 할 때 물의 양과 한 일의 양의 비'는 물의 온도 차이가 아닌 '높이 차이에만 좌우'된다.

③ 1문단에서 '열의 실체가 칼로릭'이며 칼로릭은 '질량이 없는 입자들의 모임'이라고 하였으므로, 쇠구슬의 온도가 변하더라도 질량의 변화는 없다.

④ 1문단에서 '열의 실체가 칼로릭'이며 칼로릭은 '온도가 높은 쪽에서 낮은 쪽으로 흐르는 성질을 갖고 있'다고 하였다.

4. ④

2017학년도 9월 모평

ⓔ과 ④번의 '어긋나다'는 모두 '일정한 기준에서 벗어나다.'라는 의미로 사용되었다.

오답 풀이

① ㉠의 '부르다'는 '무엇이라고 가리켜 말하거나 이름을 붙이다.'라는 의미이고, ①번의 '부르다'는 '어떤 행동이나 말이 관련된 다른 일이나 상황을 초래하다.'라는 의미이다.

② ㉡의 '다루다'는 '어떤 것을 소재나 대상으로 삼다.'라는 의미이고, ②번의 '다루다'는 '기계나 기구 따위를 사용하다.'라는 의미이다.

③ ㉢의 '흐르다'는 '액체 따위가 낮은 곳으로 내려가거나 넘쳐서 떨어지다.'라는 의미이고, ③번의 '흐르다'는 '어떤 한 방향으로 치우쳐 쏠리다.'라는 의미이다.

⑤ ㉤의 '생기다'는 '어떤 일이 일어나다.'라는 의미이고, ⑤번의 '생기다'는 '일의 상태가 어떤 지경에 이르게 되다.'라는 의미이다.

5. ②
2018학년도 9월 모평

4문단에서 '자기 지시적 문장은 말 그대로 자기 자신을 가리키는 문장을 말한'다고 하였다. "이 문장은 자기 지시적이다."라는 문장에서 '이 문장'은 자기 자신을 가리키므로 이는 자기 지시적 문장이며, 따라서 이 문장은 거짓이 아니다.

오답 풀이

① "붕어빵에는 붕어가 없다."는 붕어빵의 특징에 대해 설명하는 문장일 뿐 자기 자신을 가리키는 자기 지시적 문장이 아니다.

③ 4문단에 따르면 '이치 논리'는 '고전 논리'를 뜻하는데, 이와 무관하게 "이 문장은 거짓이다."의 '이 문장'이 자기 자신을 가리키므로 이는 자기 지시적 문장이다.

④ 자기 지시적 문장은 자기 자신을 가리키는 문장인데, 4문단을 참고하면 이 또한 고전 논리에 따라 '참' 또는 '거짓'의 진리치를 부여할 수 있다. 윗글에서 예로 든 "이 문장은 모두 열여덟 음절로 이루어져 있다."와 같은 문장도 고전 논리에서 '참'의 진리치를 부여할 수 있는 자기 지시적 문장이다.

⑤ 5문단에 따르면 프리스트는 '거짓말쟁이 문장'에 '참인 동시에 거짓'을 부여해야 한다고 생각했음을 알 수 있다. 즉 비고전 논리에서는 '거짓말쟁이 문장'에 '참인 동시에 거짓'을 부여해야 한다고 본 것일 뿐, 모든 자기 지시적 문장이 '참인 동시에 거짓'이라고 보는 것은 아니다.

6. ③
2018학년도 9월 모평

'소지(所持)하다'는 '물건을 지니고 있다.'라는 뜻인데, 윗글에서 ⓒ는 '상식적인 생각'을 그 대상으로 하고 있으므로 ⓒ를 '소지하게'로 바꾸는 것은 적절하지 않다.

오답 풀이

① '따르다'는 '어떤 경우, 사실이나 기준 따위에 의거하다.'의 의미를 가지므로, '어떤 사실이나 원리 따위에 근거하다.'의 의미를 가진 '의거하다'와 바꿔 쓰기에 적절하다.

② '알다'는 '어떤 사실이나 존재, 상태에 대해 의식이나 감각으로 깨닫거나 느끼다.'의 의미를 가지므로, '어떤 사실을 인정하여 알다.'의 의미를 가진 '인지하다'와 바꿔 쓰기에 적절하다.

④ '던지다'는 '어떤 문제 따위를 제기하다.'의 의미를 가지므로, '의견이나 문제를 내어놓다.'의 의미를 가진 '제기하다'와 바꿔 쓰기에 적절하다.

⑤ '들어맞다'는 '정확히 맞다.'의 의미를 가지므로, '사물이나 현상이 서로 꼭 들어맞다.'의 의미를 가진 '부합하다'와 바꿔 쓰기에 적절하다.

DAY 16
문제 P. 149

A1. ⓞ
2017학년도 경찰대

'인간의 뇌는 태아기의 뇌 성장이 출생 후 1년 동안 연장됨으로써 폭발적으로 성장한다.'와 '그 시기에 우리의 몸이 뇌와 나란히 성장한다면 우리는 키 3미터에 몸무게 0.5톤이 될 것'을 통해서 출생 후 인간의 뇌는 신체의 다른 부분보다 훨씬 빠르게 성장함을 알 수 있다.

A2. ⓧ
2016학년도 9월 모평B

㉠(파클리탁셀)은 '세포 분열을 방해하여 세포가 증식하지 못하'게 한다. 한편 대부분의 암세포들은 '혈관내피 성장인자를 분비'하여 '혈관내피세포를 증식시킴으로써 새로운 혈관을 형성'하는데, '종양의 혈관 생성을 저지'하는 약제가 ㉡(베바시주맙)이므로 ㉡ 또한 '혈관내피세포'라는 세포의 증식을 방해한다. 따라서 ㉠은 ㉡과 달리 세포의 증식을 방해한다는 설명은 적절하지 않다.

DAY 17
문제 P. 159

A1. ⓞ
2019학년도 6월 모평

'시료 패드로 흡수된 시료는 결합 패드에서 복합체와 함께 반응막을 지나 여분의 시료가 흡수되는 흡수 패드로 이동한다.'를 통해 시료 패드와 흡수 패드는 모두 시료를 흡수하는 역할을 한다고 볼 수 있다.

A2. ⓞ
2019학년도 6월 모평

경쟁 방식으로 제작된 LFIA 키트에서는 '복합체의 목표 성분'이 '검사선의 항체와 결합'하기 위해 '시료의 목표 성분'과 경쟁하며, '시료의 목표 성분이 충분히 많'을 경우에는 시료의 목표 성분이 '복합체의 목표 성분이 검사선의 항체와 결합하는 것을 방해하므로 검사선이 발색되지 않는다.'라고 하였다. 반면 시료에 목표 성분이 포함되어 있지 않다면, 복합체의 목표 성분은 경쟁이나 방해 없이 검사선의 항체와 결합할 수 있어 검사선이 발색하게 될 것이다.

DAY 18

문제 P. 169

A1. ⓧ

2015학년도 수능B

'두 초점이 가까울수록 원 모양에 가까워'지며, '두 초점이 가까울수록 이심율은 작아진'다는 것은 이심률이 작을수록 궤도가 원 모양에 가까워짐을 나타낸다. 현재의 달 공전 궤도의 이심률(약 0.055)은 지구 공전 궤도의 이심률(약 0.017)보다 크다. 즉 이심률이 작은 지구의 공전 궤도가 원 모양에 더 가깝다.

A2. ⓞ

2015학년도 수능B

'관측되는 천체까지의 거리가 가까워지면 각지름이 커진'다고 했으므로 지구에서 볼 때에는 지구와 태양의 거리가 가까울수록 각지름이 커질 것이다. 따라서 근일점에서 관측한 각지름이 원일점에서 관측한 각지름보다 더 클 것이라고 판단할 수 있다.

DAY 19

문제 P. 179

A1. ⓧ

2014학년도 6월 모평A

EPROM의 셀 면적은 EEPROM보다 작다. 그리고 EPROM과 플래시 메모리는 모두 한 개의 트랜지스터로 셀을 구성하였으므로, EPROM과 플래시 메모리의 셀 면적은 같다.

A2. ⓞ

2014학년도 6월 모평A

데이터를 지우는 과정에서 G에 0V, p형 반도체에 약 20V의 양의 전압을 가하면, 플로팅 게이트에 전자가 있는 경우, 전자가 터널 절연체를 넘어 p형 반도체로 이동한다고 했다. 즉 터널 절연체는 일정 이상의 전압이 가해졌을 때 전자를 통과시키므로 데이터를 지울 수 있는 것이다. 그런데 일반 절연체는 전류 흐름을 항상 차단하므로 터널 절연체 대신에 일반 절연체를 사용하면 데이터를 지우고 쓸 수 없을 것이다.

DAY 20

문제 P. 186

정답	1. ③	2. ⑤	3. ③	4. ②	5. ⑤	6. ②

1. ③

2014학년도 수능B

강남홍은 남천문에 올라 백옥루에서 취하여 잠을 자는 선관, 선녀들을 보기만 하였으므로 '재회'했다고 보기 어렵다.

오답 풀이

① 강남홍은 꿈속에서 한 명산의 봉우리에 이르게 되는데, 거기서 한 보살이 인간지락이 어떠하냐고 묻자 '도사는 누구'냐며 되묻고 있다. 이로 보아 강남홍은 명산에서 보살을 처음 만났음을 알 수 있다.
② '보살이 웃고 석장을 공중에 던지니 한 줄기 무지개 되어 하늘에 닿았'고, '무지개를 밟아 공중에 올라가더니 앞에 큰 문이 있'었는데 그 문이 바로 남천문이므로 보살은 석장을 이용하여 남천문에 당도했다고 볼 수 있다.
④ 보살은 취하여 자는 한 선관과 다섯 선녀에 대해 언급하며, 강남홍에게 '홍란성은 즉 그대의 전신이니라.'라고 말한다. 즉 보살은 강남홍이 천상의 존재였음을 알려 주는 인물인 것이다.
⑤ 허 부인은 '내 고향에 있을 적 늦도록 무자하여 옥련봉 돌부처에게 기도하고 연왕을 낳았'다고 했는데, 앞부분의 줄거리에서 '양창곡은 벼슬하고 공을 세워 연왕에 오른다.'라고 하였다. 따라서 허 부인이 돌부처에게 기도를 한 뒤 낳은 연왕이 곧 양창곡임을 알 수 있다.

2. ⑤

2014학년도 수능B

'배회하며'는 '아무 목적도 없이 어떤 곳을 중심으로 어슬렁거리며 이리저리 돌아다님'을 이르는 말이다. 따라서 '함께 사귀어 잘 지내거나 일정한 분위기에 끼어 들어 같이 휩싸인다'는 의미의 '어울리며'로 바꿔 쓸 수 없다. 문맥상 '배회하며'는 '돌아다니며' 등의 단어와 바꿔 쓸 수 있다.

오답 풀이

① '의지하여'는 다른 것에 몸을 기댐을 이르는 말이므로 '기대어'와 바꿔 쓸 수 있다.
② '망연히'는 아무 생각이 없이 멍한 태도를 이르는 말이므로 '멍하니'와 바꿔 쓸 수 있다.
③ '인도하여'는 길이나 장소를 안내함을 이르는 말이므로 '이끌어'와 바꿔 쓸 수 있다.
④ '휘황한데'는 광채가 나서 눈부시게 번쩍임을 이르는 말이므로 '눈부신데'와 바꿔 쓸 수 있다.

3. ③ 2015학년도 수능A

2문단에서 '아미노기가 아미노산으로부터 분리되어 암모니아로 바뀐' 후에 '요소로 합성'된다고 하였으므로 적절하지 않다.

오답 풀이

① 1문단에서 '체내 단백질 분해를 통해 오래되거나 손상된 단백질이 축적되는 것을 막'는다고 하였다.
② 2문단에서 '프로테아솜은 유비퀴틴이라는 물질이 일정량 이상 결합되어 있는 단백질을 아미노산으로 분해한다.'라고 하였다.
④ 1문단에서 '단백질 합성에서 아미노산들은 DNA 염기 서열에 담긴 정보에 따라 정해진 순서대로 결합된다.'라고 하였다.
⑤ 3문단에서 '성장기 어린이의 경우, 체내에서 합성할 수 있으나 그 양이 너무 적어서 음식물로 보충해야 하는 아미노산도 필수아미노산에 포함된다.'라고 하였다.

4. ② 2015학년도 수능A

㉠은 '값이나 비율 따위가 보통보다 위에 있다.'라는 뜻으로, '수입 의존도가 높다.'의 '높다'와 그 문맥적 의미가 같다.

오답 풀이

① '하늘이 높다'의 '높다'는 '아래에서부터 위까지 벌어진 사이가 크다.'라는 의미로 사용되었다.
③ '높이가 매우 높다'의 '높다'는 '아래에서 위까지의 길이가 길다.'라는 의미로 사용되었다.
④ '주민들의 목소리가 높다'의 '높다'는 '어떤 의견이 다른 의견보다 많고 우세하다.'라는 의미로 사용되었다.
⑤ '이름이 높다'의 '높다'는 '이름이나 명성 따위가 널리 알려진 상태이다.'라는 의미로 사용되었다.

5. ⑤ 2017학년도 9월 모평

4문단에서 사보아 주택은 '2층 거실을 둘러싼 벽에는~ 테라스로 나와 지붕까지 연결된다'고 한 것을 통해 사보아 주택이 층을 구분하였음을 확인할 수 있다.

오답 풀이

① 1문단에서 판테온은 '돔의 상부로 갈수록 두께를 점점 줄'였다고 하였다.
② 4문단에서 사보아 주택은 '평평하고 넓은 지붕에는 정원이 조성되어' 있어 그곳을 '산책하다 보면 대지를 바다 삼아 항해하는 기선의 갑판에 서 있는 듯하다'고 한 것을 통해 사보아 주택의 지붕은 여유를 즐길 수 있는 공간으로도 활용되었다고 볼 수 있다.
③ 5문단에 따르면 킴벨 미술관은 철근 콘크리트의 인장 강도를 높인 프리스트레스트 콘크리트를 활용하여 기둥 사이를 벌리고 내부의 전시 공간을 하나의 층으로 만들었으므로, 넓고 개방된 내부 공간을 확보하였다고 할 수 있다.
④ 1문단에서 판테온 '지붕의 중앙에는 지름 9m가 넘는 원형의 천창을 내어 빛이 내부 공간을 채울 수 있도록 하였'다고 했고, 4문단에서 사보아 주택은 '목욕실 지붕에 설치된 작은 천창을 통해 하늘을 바라'볼 수 있다고 하였다.

6. ② 2017학년도 9월 모평

㉡의 '원형'은 '둥근 모양'을 이르는 말이다. 반면 '후대 미술관의 원형이 되었다'의 '원형'은 '같거나 비슷한 여러 개가 만들어져 나온 본바탕'을 이르는 말이다.

오답 풀이

① ㉠의 '산물'은 '어떤 것에 의하여 생겨나는 사물이나 현상'을 비유적으로 이르는 말로 적절하다.
③ ㉢의 '점성'은 '차지고 끈끈한 성질'을 이르는 말로 적절하다.
④ ㉣의 '위주'는 '으뜸으로 삼음'을 이르는 말로 적절하다.
⑤ ㉤의 '영감'은 '창조적인 일의 계기가 되는 기발한 착상이나 자극'을 이르는 말로 적절하다.

수능 국어

1등급을 위한

문학 · 독서 어휘력

집중 학습 프로그램

부록
·
색인

'계책'과 관련된 한자성어

고식지계 姑 잠시 **고** / 息 쉴 **식** / 之 어조사 **지** / 計 꾀할 **계**	우선 당장 편한 것만을 택하는 꾀나 방법. 한때의 안정을 얻기 위하여 임시로 둘러 맞추어 처리하거나 이리저리 주선하여 꾸며내는 계책을 이르는 말. 예 금연 분위기가 전혀 조성되지 않은 상태에서 담배의 니코틴 함량을 낮추는 것으로 국민 건강을 지킨다는 것은 그야말로 고식지계에 불과한 것이다.
고육지책 苦 쓸 **고** / 肉 고기 **육** / 之 어조사 **지** / 策 꾀 **책**	자기 몸을 상해 가면서까지 꾸며 내는 계책이라는 뜻으로, 어려운 상태를 벗어나기 위해 어쩔 수 없이 꾸며 내는 계책을 이르는 말. 예 손님을 끌어들이기 위해 고육지책을 실행했지만 효과는 그리 크지 않았다.
궁여지책 窮 다할 **궁** / 餘 남을 **여** / 之 어조사 **지** / 策 꾀 **책**	궁한 나머지 생각다 못하여 짜낸 계책. 예 그 방법은 별로 내키지 않았지만 살기 위한 궁여지책이었다.
권모술수 權 권세 **권** / 謀 꾀 **모** / 術 재주 **술** / 數 셈 **수**	목적 달성을 위하여 수단과 방법을 가리지 아니하는 온갖 모략이나 술책. 예 나는 권모술수에 능한 그에게 감탄하면서도 왠지 모를 꺼림칙한 기분이 들었다.

'상충', '모순'과 관련된 한자성어

구밀복검 口 입 **구** / 蜜 꿀 **밀** / 腹 배 **복** / 劍 칼 **검**	입에는 꿀이 있고 배 속에는 칼이 있다는 뜻으로, 말로는 친한 듯하나 속으로는 해칠 생각이 있음을 이르는 말. 예 말이 너무 번드르르해 미덥지가 못하면, 혹시 구밀복검일지도 모르니 한 번 더 의심해 봐야 해.
면종복배 面 낯 **면** / 從 좇을 **종** / 腹 배 **복** / 背 배반할 **배**	겉으로는 복종하는 체하면서 내심으로는 배반함. 예 덕으로써 사람을 따르게 하지 않고 힘으로써 사람을 따르게 하면 자연히 면종복배 하는 자가 생기게 마련이다.
자가당착 自 스스로 **자** / 家 집 **가** / 撞 칠 **당** / 着 붙을 **착**	같은 사람의 말이나 행동이 앞뒤가 서로 맞지 아니하고 모순됨. 예 이 논문은 자가당착에 빠졌다는 비판을 피하기 어려워 보인다.
표리부동 表 겉 **표** / 裏 속 **리** / 不 아닐 **부** / 同 같을 **동**	겉으로 드러나는 언행과 속으로 가지는 생각이 다름. 예 널 믿었는데 어떻게 이렇게 표리부동 할 수 있니?

'횡포'와 관련된 한자성어

가렴주구 苛 가혹할 **가** / 斂 거둘 **렴** / 誅 벨 **주** / 求 구할 **구**	세금을 가혹하게 거두어들이고, 무리하게 재물을 빼앗음. 예 조선 시대에는 관아의 혹독한 가렴주구 때문에 백성들이 폭동을 일으키기도 하였다.
가정맹어호 苛 가혹할 **가** / 政 정사 **정** / 猛 사나울 **맹** / 於 어조사 **어** / 虎 범 **호**	가혹한 정치는 호랑이보다 무섭다는 뜻으로, 혹독한 정치의 폐해가 큼을 이르는 말. 예 가혹하게 세금을 거둬들이라는 국왕의 명령으로 인해 피폐해져 가는 백성들의 모습은 가정맹어호라 할 만했다.
주지육림 酒 술 **주** / 池 못 **지** / 肉 고기 **육** / 林 수풀 **림**	술로 연못을 이루고 고기로 숲을 이룬다는 뜻으로, 호사스러운 술잔치를 이르는 말. 예 임금이 정치를 돌보지 않고 주지육림에 빠져 있으니 나라의 앞날이 걱정이다.

지록위마 指 가리킬 **지** / 鹿 사슴 **록** / 爲 할 **위** / 馬 말 **마**	윗사람을 농락하여 권세를 마음대로 함을 이르는 말. 예 최고 권력자가 엉뚱한 일에 탐닉을 하게 되면, 2인자는 대부분 지록위마를 하게 된다.
호가호위 狐 여우 **호** / 假 빌릴 **가** / 虎 범 **호** / 威 위엄 **위**	남의 권세를 빌려 위세를 부림. 여우가 호랑이의 위세를 빌려 호기를 부린다는 데에서 유래함. 예 권력자는 그의 위세를 빌려 호가호위하는 사람들이 있는지 경계해야 한다.

'노력', '성공'과 관련된 한자성어

금의환향 錦 비단 **금** / 衣 옷 **의** / 還 돌아올 **환** / 鄕 시골 **향**	비단옷을 입고 고향에 돌아온다는 뜻으로, 출세를 하여 고향에 돌아가거나 돌아옴을 비유적으로 이르는 말. 예 시험에 합격하여 금의환향하다.
대기만성 大 큰 **대** / 器 그릇 **기** / 晩 늦을 **만** / 成 이룰 **성**	큰 그릇을 만드는 데는 시간이 오래 걸린다는 뜻으로, 크게 될 사람은 늦게 이루어짐을 이르는 말. 예 그 배우는 오랜 무명 시절을 보내고 나이 마흔에 연기력을 인정받은 대기만성의 전형이다.
분골쇄신 粉 가루 **분** / 骨 뼈 **골** / 碎 부술 **쇄** / 身 몸 **신**	뼈를 가루로 만들고 몸을 부순다는 뜻으로, 정성으로 노력함을 이르는 말. 예 민족의 독립을 위해 분골쇄신하여 싸우다.
입신양명 立 설 **입** / 身 몸 **신** / 揚 날릴 **양** / 名 이름 **명**	출세하여 이름을 세상에 떨침. 예 입신양명하기 위해 피나는 노력을 하였다.

'출중'과 관련된 한자성어

괄목상대 刮 눈비빌 **괄** / 目 눈 **목** / 相 서로 **상** / 對 대할 **대**	눈을 비비고 상대편을 본다는 뜻으로, 상대방의 학식이나 재주가 놀랄 만큼 부쩍 늚을 이르는 말. 예 삼십 년이 못 하여 우리 민족은 괄목상대하게 될 것을 나는 확언하는 바이다.
군계일학 群 무리 **군** / 鷄 닭 **계** / 一 한 **일** / 鶴 학 **학**	닭의 무리 가운데에서 한 마리의 학이란 뜻으로, 많은 사람 가운데서 뛰어난 인물을 이르는 말. 예 비록 이기지는 못했지만 그녀의 활약은 군계일학이었다.
낭중지추 囊 주머니 **낭** / 中 가운데 **중** / 之 어조사 **지** / 錐 송곳 **추**	주머니 속의 송곳이라는 뜻으로, 재능이 뛰어난 사람은 숨어 있어도 저절로 사람들에게 알려짐을 이르는 말. 예 낭중지추와 같은 사람은 가만히 있어도 저절로 인정을 받지만, 보통 사람들은 자신의 강점과 역량을 적극적으로 드러내야 한다.
동량지재 棟 마룻대 **동** / 梁 들보 **량** / 之 어조사 **지** / 材 재목 **재**	기둥과 들보로 쓸 만한 재목이라는 뜻으로, 집안이나 나라를 떠받치는 중대한 일을 맡을 만한 인재를 이르는 말. 예 자라나는 아이들이 미래 사회를 주도하는 동량지재가 되도록 어른들이 적극적인 관심을 가져야 한다.
선견지명 先 먼저 **선** / 見 볼 **견** / 之 어조사 **지** / 明 밝을 **명**	어떤 일이 일어나기 전에 미리 앞을 내다보고 아는 지혜. 예 그가 이미 50년 전에 전기 회사를 차린 것은 선견지명이라고 평가되었다.

'은혜'와 관련된 한자성어

각골난망 刻 새길 **각** / 骨 뼈 **골** / 難 어려울 **난** / 忘 잊을 **망**	남에게 입은 은혜가 뼈에 새길 만큼 커서 잊히지 아니함. 예 그동안 지지해 주신 국민들의 은혜는 각골난망입니다.
결초보은 結 맺을 **결** / 草 풀 **초** / 報 갚을 **보** / 恩 은혜 **은**	풀을 묶어서 은혜를 갚는다는 뜻으로, 죽은 뒤에라도 은혜를 잊지 않고 갚음을 이르는 말. 예 저희 모녀는 그분에게 반드시 결초보은할 것입니다.
백골난망 白 흰 **백** / 骨 뼈 **골** / 難 어려울 **난** / 忘 잊을 **망**	죽어서 백골이 되어도 잊을 수 없다는 뜻으로, 남에게 큰 은덕을 입었을 때 고마움의 뜻으로 이르는 말. 예 한번만 도와주신다면 백골난망으로 그 은혜를 갚겠습니다.
일반지은 一 한 **일** / 飯 밥 **반** / 之 어조사 **지** / 恩 은혜 **은**	밥 한 끼를 얻어먹은 은혜라는 뜻으로, 작은 은혜를 이르는 말. 예 아무리 작은 도움이라도 남에게 신세를 졌다면 그 일반지은에 보답해야 한다.

'효'와 관련된 한자성어

구로지은 劬 수고로울 **구** / 勞 수고로울 **로** / 之 어조사 **지** / 恩 은혜 **은**	자기를 낳아 애써서 기른 어버이의 은덕. 예 구로지은에 보답하기 위해 항상 어버이를 기쁘게 해 드려야 한다.
망운지정 望 바랄 **망** / 雲 구름 **운** / 之 어조사 **지** / 情 뜻 **정**	자식이 객지에서 고향에 계신 어버이를 생각하는 마음. 예 부모님과 떨어져 객지 생활을 하면서 망운지정에 눈물을 흘린 적이 한두 번이 아니었다.
반포지효 反 돌아올 **반** / 哺 먹일 **포** / 之 어조사 **지** / 孝 효도 **효**	까마귀 새끼가 자라서 늙은 어미에게 먹이를 물어다 주는 효(孝)라는 뜻으로, 자식이 자란 후에 어버이의 은혜를 갚는 효성을 이르는 말. 예 부모를 반포지효로 모시는 것은 자식의 마땅한 도리이다.
풍수지탄 風 바람 **풍** / 樹 나무 **수** / 之 어조사 **지** / 嘆 탄식할 **탄**	효도를 다하지 못한 채 어버이를 여읜 자식의 슬픔을 이르는 말. 예 풍수지탄이라는 말을 명심하고, 부모님이 살아 계실 때에 섬기기를 다해야 할 것이다.

'가난, 소박함'과 관련된 한자성어

갈건야복 葛 칡 **갈** / 巾 수건 **건** / 野 들 **야** / 服 옷 **복**	갈건과 베옷이라는 뜻으로, 은사(隱士)나 처사(處士)의 거칠고 소박한 의관을 이르는 말. 예 임금은 민심을 몸소 알아보기 위해 갈건야복으로 궁을 나섰다.
남부여대 男 사내 **남** / 負 질 **부** / 女 여자 **여** / 戴 일 **대**	남자는 지고 여자는 인다는 뜻으로, 가난한 사람들이 살 곳을 찾아 이리저리 떠돌아다님을 비유적으로 이르는 말. 예 농토를 잃은 대다수의 농민들은 남부여대로 기약 없는 유랑의 길을 떠나야 했다.
단사표음 簞 소쿠리 **단** / 食 먹이 **사** / 瓢 바가지 **표** / 飮 마실 **음**	대나무로 만든 밥그릇에 담은 밥과 표주박에 든 물이라는 뜻으로, 청빈하고 소박한 생활을 이르는 말. 예 그는 고향으로 내려가 단사표음의 생활을 실천하고 있다.

단표누항 簞 소쿠리 **단** / 瓢 바가지 **표** / 陋 더러울 **누** / 巷 거리 **항**	누항에서 먹는 한 그릇의 밥과 한 바가지의 물이라는 뜻으로, 선비의 청빈한 생활을 이르는 말. 예 그는 재물에 욕심 부리지 않는 단표누항의 생활에 만족하며 살아간다.
삼순구식 三 석 **삼** / 旬 열흘 **순** / 九 아홉 **구** / 食 먹을 **식**	삼십 일 동안 아홉 끼니밖에 먹지 못한다는 뜻으로, 몹시 가난함을 이르는 말. 예 나는 차라리 삼순구식을 할지라도 마음이 편할 수 있다면 그것이 낫겠다.

'평범, 보통'과 관련된 한자성어

갑남을녀 甲 갑옷 **갑** / 男 사내 **남** / 乙 새 **을** / 女 여자 **녀**	갑이란 남자와 을이란 여자라는 뜻으로, 평범한 사람들을 이르는 말. 예 저는 그냥 갑남을녀의 한 사람으로서 마땅히 해야 할 일을 했을 뿐입니다.
인지상정 人 사람 **인** / 之 어조사 **지** / 常 항상 **상** / 情 뜻 **정**	사람이면 누구나 가지는 보통의 마음. 예 도와줄 수 있다면 돕는 것이 인지상정 아니겠습니까?
장삼이사 張 베풀 **장** / 三 석 **삼** / 李 성씨 **이** / 四 넉 **사**	장 씨의 셋째 아들과 이 씨의 넷째 아들이라는 뜻으로, 이름이나 신분이 특별하지 아니한 평범한 사람들을 이르는 말. 예 장삼이사들이 이 일의 주역이지요.
초동급부 樵 나무할 **초** / 童 아이 **동** / 汲 길을 **급** / 婦 며느리 **부**	땔나무를 하는 아이와 물을 긷는 아낙네라는 뜻으로, 평범한 사람을 이르는 말. 예 이 일을 해낸 자는 얼마 전까지 그저 초동급부의 삶을 살던 사람이다.

'원한'과 관련된 한자성어

각골지통 刻 새길 **각** / 骨 뼈 **골** / 之 어조사 **지** / 痛 아플 **통**	뼈에 새기듯이 마음에 깊이 사무쳐 맺힌 원한. 예 그는 부모를 부모라고 부르지 못하는 자신의 신세를 각골지통으로 여겼다.
분기충천 憤 분할 **분** / 氣 기운 **기** / 衝 찌를 **충** / 天 하늘 **천**	분한 마음이 하늘을 찌를 듯이 격렬하게 솟구쳐 오름. 예 그는 인격모독에 가까운 사장의 한마디에 분기충천한 마음을 억누를 수가 없었다.
비분강개 悲 슬플 **비** / 憤 분할 **분** / 慷 슬플 **강** / 慨 슬퍼할 **개**	슬프고 분하여 분노가 북받침. 예 도대체 이놈의 세상이 어떻게 되겠느냐고 그는 비분강개를 금하지 못하는 것이었다.
와신상담 臥 누울 **와** / 薪 섶 **신** / 嘗 맛볼 **상** / 膽 쓸개 **담**	불편한 섶에 몸을 눕히고 쓸개를 맛본다는 뜻으로, 원수를 갚거나 마음먹은 일을 이루기 위하여 온갖 어려움과 괴로움을 참고 견딤을 비유적으로 이르는 말. 예 우리 팀은 대회 예선 탈락의 수모를 씻고자 와신상담의 노력을 기울여 왔다.

'말'과 관련된 한자성어

가담항설 街 거리 **가** / 談 말씀 **담** / 巷 거리 **항** / 說 말씀 **설**	거리나 항간에 떠도는 소문. 예 세상이 뒤숭숭하다보니 가는 곳마다 흉흉한 가담항설들이 떠돌고 있다.
감언이설 甘 달 **감** / 言 말씀 **언** / 利 이로울 **이** / 說 말씀 **설**	귀가 솔깃하도록 남의 비위를 맞추거나 이로운 조건을 내세워 꾀는 말. 예 그는 떼돈을 벌어 주겠다는 감언이설에 속아 퇴직금을 모두 떼이고 말았다.
거두절미 去 갈 **거** / 頭 머리 **두** / 截 끊을 **절** / 尾 꼬리 **미**	어떤 일의 요점만 간단히 말함. 예 회의 시간이 길어지니 거두절미하고 자기 의견의 핵심만을 제시해 주십시오.
교언영색 巧 교묘할 **교** / 言 말씀 **언** / 令 좋을 **영** / 色 빛 **색**	아첨하는 말과 알랑거리는 태도. 예 교언영색해도 언젠가는 네 진심이 다 드러나기 마련이다.

'난처함, 두려움'과 관련된 한자성어

삼십육계 三 석 **삼** / 十 열 **십** / 六 여섯 **육** / 計 셀 **계**	형편이 불리할 때, 달아나는 일을 이르는 말. 예 너무 힘들다면 삼십육계를 놓는 것도 하나의 방법이다.
좌고우면 左 왼 **좌** / 顧 돌아볼 **고** / 右 오른 **우** / 眄 곁눈질할 **면**	이쪽저쪽을 돌아본다는 뜻으로, 앞뒤를 재고 망설임을 이르는 말. 예 좌고우면에서 벗어나 한 길을 택하려 결단해야 한다.
진퇴양난 進 나아갈 **진** / 退 물러날 **퇴** / 兩 두 **양** / 難 어려울 **난**	이러지도 저러지도 못하는 어려운 처지. 예 출근 시간은 늦었는데 신호등은 고장 나고 차들은 꽉 막혀 있으니 정말 진퇴양난이다.

'어리석음, 욕심'과 관련된 한자성어

각주구검 刻 새길 **각** / 舟 배 **주** / 求 구할 **구** / 劍 칼 **검**	융통성 없이 현실에 맞지 않는 낡은 생각을 고집하는 어리석음을 이르는 말. 예 그는 시대의 변화에 둔감한 나머지 각주구검의 우를 범하고 말았다.
견물생심 見 볼 **견** / 物 물건 **물** / 生 날 **생** / 心 마음 **심**	어떠한 실물을 보게 되면 그것을 가지고 싶은 욕심이 생김. 예 견물생심이라고 무심코 열어 본 서랍에서 돈을 본 순간 자신도 모르게 손이 갔다고 한다.
무지몽매 無 없을 **무** / 知 알 **지** / 蒙 어두울 **몽** / 昧 어두울 **매**	아는 것이 없고 사리에 어두움. 예 아기 부모가 너무 무지몽매해 아기가 제대로 자랄 것 같지가 않아 걱정스럽다.
소탐대실 小 작을 **소** / 貪 탐낼 **탐** / 大 큰 **대** / 失 잃을 **실**	작은 것을 탐하다가 큰 것을 잃음. 예 눈앞의 이익에만 집착하면 소탐대실할 수 있다.

'학문'과 관련된 한자성어

교학상장 敎 가르칠 **교** / 學 배울 **학** / 相 서로 **상** / 長 길 **장**	가르치고 배우는 과정에서 스승과 제자가 함께 성장함. 예 남을 가르쳐보면 내가 이해하지 못했던 점을 발견하게 되고 교학상장의 의미를 깨달을 수 있다.
반면교사 反 돌이킬 **반** / 面 얼굴 **면** / 敎 가르칠 **교** / 師 스승 **사**	사람이나 사물 따위의 부정적인 면에서 얻는 깨달음이나 가르침을 주는 대상을 이르는 말. 예 강사는 반면교사로 삼을 수 있는 사람들의 소비 생활을 예로 들어 소비자 교육을 실시하였다.
수불석권 手 손 **수** / 不 아닐 **불** / 釋 풀 **석** / 卷 책 **권**	손에서 책을 놓지 아니하고 늘 글을 읽음. 예 아침에 옳은 길을 듣고 저녁에 죽어도 좋다는 생각으로 이 서적을 수불석권하고 탐독하였다.
절차탁마 切 끊을 **절** / 磋 갈 **차** / 琢 다듬을 **탁** / 磨 갈 **마**	옥이나 돌 따위를 갈고 닦아서 빛을 낸다는 뜻으로, 부지런히 학문과 덕행을 닦음을 이르는 말. 예 열린 마음으로 절차탁마하는 자세라면 무엇이든 배울 수 있다.

'변덕, 형편없음'과 관련된 한자성어

경거망동 輕 가벼울 **경** / 擧 들 **거** / 妄 망령될 **망** / 動 움직일 **동**	경솔하여 생각 없이 망령되게 행동함. 예 경거망동하지 말고 매사에 신중하렴.
곡학아세 曲 굽을 **곡** / 學 배울 **학** / 阿 아첨할 **아** / 世 세상 **세**	바른길에서 벗어난 학문으로 세상 사람에게 아첨함. 예 학문의 바른 길을 찾지 않고 곡학아세하는 무리들이 판을 치는 세상이다.
구상유취 口 입 **구** / 尙 오히려 **상** / 乳 젖 **유** / 臭 냄새 **취**	입에서 아직 젖내가 난다는 뜻으로, 말이나 행동이 어리석고 유치함을 이르는 말. 예 구상유취한 애송이가 뭘 안다고 떠들어?
난신적자 亂 어지러울 **난** / 臣 신하 **신** / 賊 도둑 **적** / 子 아들 **자**	나라를 어지럽히는 불충한 무리. 예 난신적자가 임금의 주변에 가득하여 벌써 몇 년째 백성들은 극심한 가난에 고통받고 있다.

'위기, 한탄'과 관련된 한자성어

누란지위 累 포갤 **누** / 卵 알 **란** / 之 어조사 **지** / 危 위태로울 **위**	층층이 쌓아 놓은 알의 위태로움이라는 뜻으로, 몹시 아슬아슬한 위기를 비유적으로 이르는 말. 예 요새 국내 증시는 누란지위의 상황이나 다름없다.
노심초사 勞 일할 **노** / 心 마음 **심** / 焦 탈 **초** / 思 생각 **사**	몹시 마음을 쓰며 애를 태움. 예 그는 거짓말이 탄로 날까 봐 노심초사하였다.
망양지탄 亡 망할 **망** / 羊 양 **양** / 之 어조사 **지** / 歎 탄식할 **탄**	갈림길이 매우 많아 잃어버린 양을 찾을 길이 없음을 탄식한다는 뜻으로, 학문의 길이 여러 갈래여서 한 갈래의 진리도 얻기 어려움을 이르는 말. 예 망양지탄이라더니, 깊이 공부할수록 미궁에 빠지는 듯한 기분을 자주 느끼게 된다.
맥수지탄 麥 보리 **맥** / 秀 빼어날 **수** / 之 어조사 **지** / 歎 탄식할 **탄**	고국의 멸망을 한탄함을 이르는 말. 기자(箕子)가 은(殷)나라가 망한 뒤에도 보리만은 잘 자라는 것을 보고 한탄하였다는 데서 유래한다. 예 나라를 잃은 백성들의 맥수지탄이 끊이지 않았다.

ㄱ

가난이 병보다 무섭다	가난한 삶은 몹시 괴로움.
가난한 집 제사 돌아오듯 한다	힘든 일이 자주 닥쳐옴.
가는 날이 장날이다	뜻하지 않은 일을 공교롭게 당함.
가랑비에 옷 젖는 줄 모른다	아무리 사소한 것이라도 그것이 거듭되면 무시하지 못할 정도로 크게 됨.
가랑잎으로 눈 가리기	(1) 자기의 존재나 허물을 숨기려고 미련하게 애씀. (2) 미련하여 아무리 애써도 일처리를 제대로 못함.
가루는 칠수록 고와지고 말은 할수록 거칠어진다	말을 삼가라는 말.
가물에 콩 나듯	어떤 일이나 물건이 어쩌다 하나씩 드문드문 있음.
가지 많은 나무 바람 잘 날 없다	자식 많은 부모는 늘 근심이 많음.
간에 붙었다 쓸개에 붙었다 한다	이익에 따라 여기 붙었다 저기 붙었다 함.
개 발에 주석 편자	격에 맞지 아니함.
기둥을 치면 대들보가 운다	직접 맞대어 탓하지 않고 둘러말해도 알아들음.
까마귀가 검기로 속도 검겠나	외모만 보고 판단하면 안 됨.
꼬리가 길면 밟힌다	오래 두고 여러 번 계속하면 결국 들키게 됨.
꿔다 놓은 보릿자루	어울리지 못하고 우두커니 있음.
끈 떨어진 뒤웅박	(1) 의지할 데가 없어 꼼짝을 못하게 됨. (2) 제구실을 다하지 못하여 아무짝에도 쓸모없게 됨.

ㄴ

남의 말이라면 쌍지팡이 짚고 나선다	남의 허물에 대해 시비하기를 좋아함.
남의 잔치에 감 놔라 배 놔라 한다	자기와는 상관도 없는 일에 쓸데없이 간섭함.
낮말은 새가 듣고 밤말은 쥐가 듣는다	비밀이란 없으므로 말조심을 해야 함.
내 돈 서 푼만 알고, 남의 돈 칠 푼은 모른다	제 것은 소중히 여기고, 남의 것은 대수롭지 않게 여김.
내 코가 석 자	자기 상황도 추스르기 힘들어 남을 돌볼 여유가 없음.

ㄷ

닭의 대가리가 소꼬리보다 낫다	보잘것없는 데서 우두머리가 되는 것이 훌륭한 자의 뒤를 쫓아다니는 것보다 나음.
도둑이 제 발 저리다	지은 죄가 있으면 마음이 불안함.

독 깨고 장 쏟았다	이중의 손해를 봄.
돈 떨어지자 입맛 난다	없어지고 나면 더 간절하게 생각남.
돌다리도 두드려 보고 건넌다	어떤 일을 하더라도 늘 조심해야 함.

ㅁ

마른 말이 짐 탐한다	능력이나 실력이 부족한 자가 분수에 넘치는 행동을 하려 함.
마파람에 게 눈 감추듯	음식을 급하게 먹어 치움.
말은 해야 맛이고 고기는 씹어야 맛이다	마땅히 할 말은 해야 한다는 말.
망건 쓰자 파장	적절한 때를 놓쳐 목표를 이루지 못함.
맥도 모르고 침통 흔든다	제대로 알지도 못하면서 일을 하려고 함.
모로 가도 서울만 가면 된다	수단이나 방법이 어찌 되었든 간에 목적만 이루면 됨.
목마른 놈이 우물 판다	제일 급하고 일이 필요한 사람이 그 일을 서둘러 하게 되어 있음.
무른 땅에 말뚝 박기	(1) 몹시 하기 쉬운 일. (2) 세도 있는 사람이 힘없고 연약한 사람을 업신여기고 학대함.
물에 빠진 놈 건져 놓으니까 봇짐 내놓으라 한다	남에게 은혜를 입고서도 오히려 원망함.
물은 건너 보아야 알고 사람은 지내보아야 안다	사람은 겉만 보고는 알 수 없으며, 서로 오래 겪어 보아야 알 수 있음.
물은 깊을수록 소리가 없다	훌륭한 사람일수록 잘난 체하거나 떠벌리지 않음.
물이 깊어야 고기가 모인다	마음을 넉넉히 가져야 주변에 사람이 모이게 됨.
미꾸라지 한 마리가 온 웅덩이를 흐린다	한 사람의 잘못이 전체에 나쁜 영향을 미침.
믿는 도끼에 발등 찍힌다	믿고 있던 사람이 배반하여 오히려 해를 입음.
밑 빠진 독에 물 붓기	아무리 애를 써도 보람이 없어 헛된 일이 됨.

ㅂ

발 없는 말이 천 리 간다	말은 순식간에 퍼지므로 늘 조심해서 해야 함.
백지장도 맞들면 낫다	쉬운 일도 여럿이 힘을 합치면 더 잘할 수 있음.
뱁새가 황새걸음을 걸으면 가랑이가 찢어진다	주제 넘는 일을 하다간 낭패를 봄.
불난 집에 부채질 한다	남의 재앙을 점점 더 커지도록 만들거나, 성난 사람을 더욱 성나게 함.
빈 수레가 요란하다	실속 없는 사람이 겉으로 더 떠들어 댐.
빛 좋은 개살구	겉만 그럴듯하고 실속이 없음.

ㅅ

서 발 막대 거칠 것 없다	서 발이나 되는 긴 막대를 휘둘러도 아무것도 거치거나 걸릴 것이 없다는 뜻으로, 가난한 집안이라 세간이 아무것도 없음을 비유적으로 이르는 말.
선무당이 사람 잡는다	능력도 안 되는 사람이 서투르게 일을 하다가 큰일을 저지르게 됨.
섶을 지고 불로 들어가려 한다	당장에 불이 붙을 섶을 지고 이글거리는 불 속으로 뛰어든다는 뜻으로, 앞뒤 가리지 못하고 미련하게 행동함을 놀림조로 이르는 말.
세 살 버릇 여든까지 간다	어릴 적에 몸에 밴 습관은 늙도록 고치기 힘듦.
소문난 잔치에 먹을 것 없다	떠들썩한 소문이나 큰 기대에 비하여 실속이 없거나 소문이 실제와 일치하지 아니함.
쇠귀에 경 읽기	아무리 가르치고 일러 줘도 알아듣지 못함.
쇠뿔도 단김에 빼라	무슨 일이든 기회가 왔을 때 망설이지 말고 행동으로 옮겨야 함.
쏘아 놓은 살이요, 엎지른 물이다	한번 저지른 일은 다시 되돌릴 수 없음.

ㅇ

약방에 감초	어떤 일에나 빠짐없이 끼어드는 사람 또는 꼭 있어야 할 물건.
얌전한 고양이 부뚜막에 먼저 오른다	겉은 얌전해 보이지만 실제로는 딴 짓을 함.
염불에는 뜻이 없고 잿밥에만 마음이 있다	맡은 일에는 정성을 들이지 아니하면서 이익이 되는 실속에만 마음을 둠.
우물에 가 숭늉 찾는다	모든 일에는 질서와 차례가 있는 법인데 일의 순서도 모르고 성급하게 덤빔.
우물을 파도 한 우물을 파라	어떤 일이든 한 가지 일을 끝까지 하여야 성공함.
우선 먹기는 곶감이 달다	앞일은 생각해 보지도 아니하고 당장 좋은 것만 취함.
원님 덕에 나팔(나발) 분다	남의 덕으로 당치도 아니한 행세를 하게 되거나 그런 대접을 받고 우쭐대는 모양.
윗물이 맑아야 아랫물도 맑다	윗사람이 모범을 보여야 아랫사람도 본을 받음.

ㅈ, ㅊ

자라 보고 놀란 가슴 솥뚜껑 보고 놀란다	어떤 사물에 몹시 놀란 사람은 비슷한 사물만 보아도 겁을 냄.
작은 고추가 더 맵다	몸집이 작은 사람이 큰 사람보다 도리어 힘이 더 세고 재주도 좋음.
잘되면 제 탓 못되면 조상 탓	일이 잘되면 자기 덕이라 여기고 못되면 남 탓을 함.
장님 코끼리 말하는 듯하다	사물의 일부분만 알면서 전체를 아는 듯 말함.
재주는 곰이 넘고 돈은 주인이 받는다	수고하여 일한 사람은 따로 있고, 그 일에 대한 보수는 다른 사람이 받음.

중이 제 머리 못 깎는다	자기가 자신에 관한 일을 좋게 해결하기는 어려운 일이어서 남의 손을 빌려야만 이루기 쉬움.
쥐구멍에도 볕 들 날 있다	몹시 어렵게 살아도 언젠가는 좋은 날이 올 수 있음.
집에서 새는 바가지는 들에 가도 샌다	본바탕이 좋지 아니한 사람은 어디를 가나 그 본색이 드러남.
천 리 길도 한 걸음부터	좋은 결과를 얻으려면 처음부터 차분히 해 나가야 함.

ㅋ

콩과 보리를 구별하지 못한다	어리석어서 누구나 알 수 있는 사물이나 상황도 제대로 분간하지 못함.
콩 심은 데 콩 나고 팥 심은 데 팥 난다	모든 일은 근본에 따라 그에 걸맞은 결과가 나타남.
큰 방죽도 개미 구멍으로 무너진다	작은 결점이라 하여 등한시하면 그것이 점점 더 커져서 나중에는 큰 결함을 가져오게 됨.

ㅍ, ㅎ

핑계 없는 무덤 없다	어떤 일이라도 핑곗거리는 있게 마련임.
호랑이 굴에 가야 호랑이를 잡는다	뜻하는 성과를 얻으려면 그에 마땅한 일을 하여야 함.
호미로 막을 것을 가래로 막는다	적은 힘으로 처리 가능한 일에 쓸데없이 많은 힘을 들임.

색인

ㄴ

ㅂ

수능 국어 어휘집

독해력 증진 어휘집

2판 3쇄 발행 2024년 12월 31일

발행인 박광일
발행처 주식회사 도서출판 홀수
출판사 신고번호 제374-2014-0100051호
ISBN 979-11-89939-77-9

홈페이지 www.holsoo.com

• 이 책의 저작권은 주식회사 도서출판 홀수에 있으므로 무단으로 복사 · 복제하거나 AI 학습에 활용할 수 없습니다.
• 잘못 만들어진 책은 구입처에서 바꾸어 드립니다.
• 교재 및 기타 문의 사항은 이메일(help@holsoo.com)로 문의주시면 감사하겠습니다.